P9-ECM-323

LE LANGAGE THÉOLOGIQUE
À L'ÂGE DE LA SCIENCE

JEAN-FRANÇOIS MALHERBE

LE LANGAGE THÉOLOGIQUE À L'ÂGE DE LA SCIENCE

Lecture de Jean Ladrière

LES ÉDITIONS DU CERF
29, bd Latour-Maubourg, Paris
1985

© *Les Éditions du Cerf,* 1985
ISBN 2-204-02273-X
ISSN 0587-6036

Aux frères Dominique Dubarle et Jean-Dominique Robert, dominicains, qui, les premiers, m'encouragèrent à entreprendre ce travail.

« *Der Philosoph behandelt eine Frage wie eine Krankheit.* »

L. WITTGENSTEIN (IPh 255).

« *Le but du discours épistémologique n'est pas d'*imposer *à la discipline étudiée une conception qui lui serait extérieure, mais d'expliciter autant qu'il est possible son armature interne et, éventuellement, à partir de là, de la critiquer, en vue de l'aider à être plus étroitement fidèle à ses propres intentions profondes.* »

J. LADRIÈRE (SCH 134).

« *In its turn every philosophy will suffer a deposition.* »

A.N. WHITEHEAD (PR p. 7).

« *Nous prions Dieu d'être dépris de "Dieu" et d'accueillir la vérité et d'en jouir éternellement là où les anges les plus élevés et la mouche et l'âne sont égaux...* »

Maître ECKHART (*Serm.* 52).

AVANT-PROPOS

Cherchant à mettre ordre et clarté dans ma pensée, une tâche s'est imposée à moi : recueillir, à propos de la question du statut épistémologique de la science, de la philosophie et de la théologie [1], l'héritage que j'ai reçu.

Cet héritage est double : éduqué dans la foi chrétienne depuis mon enfance, j'ai en moi la profonde conviction de la compatibilité de cette foi avec la raison critique. Instruit, d'autre part, d'une forme très libre de critique épistémologique, et plus spécialement de critique des sciences, je porte en moi une profonde exigence de rationalité.

C'est donc en croyant et en philosophe que j'ai abordé cette recherche. Je crois y avoir découvert que la science n'entraîne pas nécessairement avec elle le scientisme, que le questionnement philosophique est fécond et que la théologie se construit lorsque le croyant philosophe parvient à laisser la foi dont il est habité transmuter la philosophie qu'il partage, en extraire les termes et les ordonner à une fin qui n'est pas celle de la philosophie : l'intelligence de la foi dans la foi.

Quoi qu'il en soit, pour clarifier ce que je pense, il m'a fallu écrire dans la foulée d'une autre écriture.

Les pages qu'on va lire ne forment donc ni une étude consacrée à certains aspects de la pensée d'un auteur ni un essai intégralement personnel. J'ai tenté d'y consigner le point de vue dont j'ai hérité et que j'ai tout naturellement assimilé à ma façon.

Cet essai prend d'ailleurs en de multiples passages la forme d'un résumé, rédigé tantôt de façon plus personnelle, tantôt en reprenant les mots mêmes de l'héritage. C'est dire que les défauts et les imperfections du propos ainsi tenu m'incombent et non à l'auteur

---

1. Par « théologie » on entend, tout au long de cet essai, la théologie spéculative au sens strict.

de L'Articulation du sens *à qui, cependant, doivent revenir la richesse et la pénétration qu'on pourrait trouver dans mon exposé.*

Je souhaite que Jean Ladrière trouve dans cet ouvrage l'expression de ma profonde reconnaissance, car en exerçant ma propre créativité dans une problématique à laquelle il a accordé une si grande importance, je me suis efforcé de rester fidèle à la perspective qu'il y a lui-même tracée.

J.-F. M.
Froidmont, le 16 février 1983.

LE TRAVAIL DE L'ÉPISTÉMOLOGIE

*« Un des grands intérêts, pour la théologie, de l'étude cri-
tique du langage, est de lui permettre de mieux se saisir elle-
même dans sa spécificité et de se débarrasser de l'espèce
d'intimidation dont elle a parfois souffert, dans les temps
récents, devant certaines formes du langage scientifique, ou
du langage philosophique, ou du langage critique. »*

J. Ladrière (AS II 116).

La théologie a mauvaise conscience de n'être pas une science. A
vrai dire, elle est, comme la science, malade de la métaphysique de
la représentation. En effet, la mise en œuvre de l'exigence critique
dans le domaine scientifico-technologique s'accompagne d'une
philosophie scientiste qui, laissant dans l'oubli la réduction épistémologique qui est la source même du développement scientifique
et technologique, abandonne l'exigence critique et cède à l'illusion
de la représentation. Et la théologie, elle aussi, souffre de scientisme en ce sens que, par certains de ses aspects du moins, en
s'efforçant d'imiter la science dans un domaine qui n'est pas celui
de la science, elle renonce également à l'exigence critique véritable
et se transforme alors soit en pure poésie, soit en science annexe de
ce que devrait être une véritable théologie.

Mais, d'autre part, et indépendamment de l'idéologie scientiste,
on assiste à une intensification considérable du contrôle réflexif
du développement techno-scientifique : le développement de la
science se fait de façon de plus en plus consciente et réfléchie.
L'importance croissante des politiques scientifiques d'une part et,

d'autre part, des considérations méthodologiques manifeste de façon particulièrement claire une volonté d'éviter toute forme de gaspillage dans la recherche. Le développement de la science est, de plus en plus, une entreprise auto-contrôlée. Ce qui n'implique nullement qu'il soit secrètement régi par une instance extérieure, mais bien simplement renforcé, dans sa visée même, par une démarche de type réflexif en quoi consiste précisément l'épistémologie. On assiste donc ici à une mise en œuvre particulièrement éminente du criticisme. De ce point de vue, la contribution de la science à la culture n'est pas seulement négative. Car ce que la science et, dans son sillage, la technologie proposent à la culture, c'est l'exigence d'une conscience critique qui, loin d'être arbitraire, représente l'effort réfléchi par lequel une démarche tente, tout en se poursuivant, de saisir et de thématiser ses intentionnalités immanentes. Ce que la théologie pourrait apprendre de la science, sans pour autant lui faire acte d'allégeance, c'est à doubler ses démarches d'une sorte de conscience réflexe qui en mesurerait les enjeux et la portée, c'est à devenir plus attentive à sa propre créativité et aux conditions de son efficacité et à s'appréhender elle-même comme processus fondateur, mouvement d'institutionalisation, dynamisme auto-organisateur, plutôt que comme reflet passif d'un ordre extra-humain, cosmique ou sacral, ou comme héritage inerte qui ne vaudrait qu'en vertu de l'autorité d'une tradition.

En effet, si la théologie est un effort de la foi en vue de se comprendre elle-même, il s'agit que cet effort de compréhension s'exprime dans un langage, et il importe précisément de savoir quelle est, au juste, la nature de ce langage. Que la réalité qui est à comprendre ne soit elle-même accessible qu'à travers un langage, c'est là précisément un des aspects de la théologie dont il faut rendre raison en indiquant, de l'intérieur, son mode de fonctionnement particulier. Et d'autre part, la théologie n'a-t-elle pas pour tâche de disposer l'ensemble des propositions dans lesquelles se dit la foi selon une cohérence rationnellement saisissable et exprimable ? Corrélativement, n'est-ce pas, en particulier, la tâche de la théologie fondamentale (ou de l'épistémologie théologique) de montrer le bien-fondé, du point de vue même de la foi, de cette exigence de rationalité et de cohérence ? Le travail du théologien ne consiste-t-il pas à construire, au moyen de termes empruntés à d'autres langages, ceux de la philosophie, de la science, de l'art, du droit, ou même tout simplement du langage de la vie quotidienne, un langage spécifique capable de faire apparaître la cohérence de ce que présuppose la foi ? Si c'est le cas, la tâche du théologien est intimement liée à celle de l'épistémologue. Car, en définitive, ce qu'on attend d'une connaissance critique, c'est d'être en mesure de se juger elle-même, de discerner ce qui en elle est pertinent par rapport à l'entreprise à accomplir. C'est dire que la théologie, comme toute démarche critique, est « une démarche qui se dédouble, qui survole à chaque instant ce qu'elle est en train d'accomplir, qui sait exactement, à tout moment, quelle est la portée de ce qu'elle affirme, effectue ou projette » [1]. Mais c'est dire également que le travail de l'épistémologie en théologie ne consiste pas à veiller sur un trésor que d'autres ont réalisé ou sont en train de réaliser, ni à « distribuer l'éloge ou le mépris selon les règles compliquées d'un code écrit dans une langue ésotérique » mais bien à « s'immerger dans le flux frémissant d'une actualité toujours renouvelée, joindre son existence à la totalité du moment historique et rejoindre un monde en contribuant à l'élaborer » [2].

Car l'épistémologie, pas plus en théologie qu'ailleurs, ne saurait être ni normative ni simplement descriptive. Elle ne peut être que le révélateur d'une normativité implicite qui se dessine, à la longue, dans la mise en œuvre pratique de l'intention originaire constitutrice d'un savoir particulier. En effet, d'où pourrait venir la normativité d'éventuels critères épistémologiques sinon d'une instance extérieure à ce qu'il s'agit d'appréhender, ce qui contredirait radicalement l'idée d'un savoir rationnel qui est précisément de se rendre autonome à l'égard de toute législation extérieure. Et, d'autre part, s'en tenir à une pure description serait ne pas exercer le discernement critique que l'épistémologie a précisément pour fonction de promouvoir. Il ne reste dès lors qu'à reconnaître que la normativité dont il s'agit vient de la discipline elle-même qui la met implicitement en œuvre.

Le travail de l'épistémologie consiste donc, finalement, à dégager une *normativité implicite,* quitte à soumettre celle-ci à un exa-

---

1. Voir entre autres : AS I, 164.
Remarque : les références aux travaux de J. Ladrière sont données de la façon suivante : un sigle suivi d'un numéro. Les sigles désignent les publications de l'auteur reprises dans la bibliographie. Le numéro qui suit immédiatement un sigle indique la page de la publication à laquelle il est fait référence.
2. CULT, 18-19.

men critique qui en ferait apparaître la valeur par rapport aux objectifs qu'elle est censée aider à atteindre, quitte aussi à discuter la cohérence interne des principes normatifs explicités et la rigueur avec laquelle ils fonctionnent concrètement.

C'est sans doute en mettant au jour, par un travail épistémologique patient, attentif et minutieux, les principes normatifs implicites de la théologie et en lui faisant ainsi prendre conscience à la fois de sa rationalité et des modalités particulières qui sont les siennes que l'on pourra guérir la théologie de sa mauvaise conscience, c'est-à-dire lui rendre l'assurance que confère une claire vision de soi-même et lui faire percevoir ses limites exactes qui ne sont pas toujours, comme on le verra, celles auxquelles on s'attendrait.

Dans le travail épistémologique en général, et par conséquent sans doute aussi dans le domaine théologique, l'analyse logique du langage s'est avérée un instrument privilégié. C'est ici tout l'héritage de Wittgenstein, et spécialement de la philosophie des *Investigations,* qu'il convient de convoquer pour l'entreprise.

Car, finalement, il apparaît que l'une des principales leçons des *Investigations philosophiques,* c'est qu'il y a une multiplicité de jeux de langage et que si chacun est régi par une logique propre, par une « grammaire » singulière, cela n'implique pas pour autant qu'il n'y ait plus aucune forme de contrôle de la pratique d'un jeu de langage. Bien au contraire, l'idée de « grammaire » correspond très exactement au projet de l'épistémologie : expliciter une normativité implicite et en discuter la valeur.

L'analyse du langage est une manière de pratiquer la philosophie, et plus particulièrement l'épistémologie, liée à une époque de l'histoire de la philosophie que l'on pourrait caractériser très grossièrement par deux traits principaux : un développement inédit des systèmes techno-scientifiques et une réaction critique à l'égard de la métaphysique de la représentation que mettent en œuvre ces systèmes. Cela ne veut d'ailleurs pas dire que l'analyse du langage soit la seule réaction à l'égard de la métaphysique de la représentation, ni qu'elle soit une réaction générale. Au contraire, elle est également liée à une aire géographique que l'on pourrait, pour faire vite, assimiler aux pays anglo-saxons. Il s'agit donc, c'est l'évidence même, d'une méthode très particulière. Cependant, ce caractère très particulier constitue précisément ce qui fait son intérêt. En effet, elle est née pour ainsi dire en même temps que le positivisme logique, dont on tentera de mettre en évidence ci-dessous les liens avec l'athéisme scientiste induit dans la culture occidentale par le développement des systèmes techno-scientifiques. Et cette concomitance n'est pas accidentelle, puisque, en raison d'une erreur liée à l'histoire du Cercle de Vienne, c'est finalement le *Tractatus* de Wittgenstein qui a, en fait, inspiré les deux démarches dont l'antagonisme n'a fait que croître.

Si, dès lors, c'est d'élucider les liens entre science et théologie qu'il s'agit, l'analyse du langage s'impose pour ainsi dire d'elle-même, sinon comme l'unique méthode possible, au moins comme l'une des plus prometteuses. Car, outre le fait qu'elle permet d'assigner à chacune des démarches son domaine de validité, elle porte en germe la possibilité non pas d'une synthèse, qui serait d'ailleurs sans doute prématurée, mais d'une articulation de la science et de la théologie, c'est-à-dire de la constitution d'une vision au sein de laquelle science et théologie, considérées l'une et l'autre comme des interprétations *sui generis* de la totalité, pourraient, non seulement coexister pacifiquement, mais prendre sens l'une pour l'autre.

Il se trouve évidemment déjà des philosophes et des théologiens qui, du sein même de leur discipline, reconnaissent à la science une signification éminente, mais il est plus rare que des hommes de science soient enclins à leur rendre la pareille. Or, l'analyse du langage, précisément parce qu'elle permet, comme on le verra, de manifester au grand jour ce que l'on pourrait appeler « l'insaturation sémantique » de la science et même de la philosophie, se prête admirablement à creuser, au cœur même de la démarche scientifique, le désir d'une vision moins réductrice de l'homme et de l'univers.

C'est donc, finalement, une articulation rigoureuse du théologique et du scientifique que l'on est en droit d'attendre de la mise en œuvre de l'analyse du langage. Et c'est en prenant conscience, par la vertu d'un patient travail épistémologique, du type de rationalité particulier qui est à l'œuvre en chacune d'elles, que science, philosophie et théologie prendront réellement sens l'une pour l'autre. En effet, dans la situation actuelle caractérisée par l'intimidation scientiste, un examen attentif de la démarche scientifique, mené à l'aide de l'analyse logique du langage, paraît de nature à « rendre à la théologie l'audace spéculative dont elle semble à certains moments trop dépourvue [3] ».

3. AS II.

*
* *

On a choisi ici de s'inscrire systématiquement dans la ligne explorée par Jean Ladrière qui, en s'inspirant notamment de Blondel, Wittgenstein, Heidegger et Whitehead, construit de la problématique contemporaine de la pensée une interprétation dont la vertu consiste à manifester en pleine lumière ce qu'il appelle « l'espace du révélable ».

Plusieurs aspects de cette entreprise ont été délibérément négligés. C'est qu'on espère pouvoir à l'avenir leur consacrer d'autres recherches. On aurait pu s'attendre, par exemple, à lire une application à des textes bibliques des instruments d'analyse du langage dont on ne s'est servi ici que pour préciser le statut des différentes formes de langage spéculatif qui font l'objet de l'ouvrage. D'autre part, la question de l'ontologie de la métaphore, trop rapidement abordée au chapitre 4, demanderait des développements considérables qu'on n'a pas voulu insérer ici. C'est qu'il s'agirait d'élaborer toute une cosmologie, toute une phénoménologie du « logos » et toute une apologétique si l'on voulait faire droit à cette préoccupation, ce qui est hors de propos. En troisième lieu, on n'a pu prendre en compte ici ni le problème du statut des *sciences de l'homme* ni celui des relations de ces sciences à la philosophie et à la théologie. C'est que cette démarche aurait été un détour dans la mesure où ces sciences s'inspirent elles-mêmes d'un paradigme scientiste. Dans le cas contraire, elle aurait mérité qu'on lui consacre une recherche pour laquelle les compétences nous auraient fait défaut. Et enfin, pour s'en tenir aux lacunes les plus manifestes, le lecteur pourrait s'attendre à trouver, dans l'argument qui lui est proposé, une discussion approfondie des points de vue élaborés par d'autres chercheurs sur les mêmes questions ou sur des questions voisines. On a dû renoncer à prendre en compte cette attente légitime. Non que ces discussions aient été jugées stériles. C'est toujours une occasion d'approfondissement, en effet, que de confronter ses vues à celles d'autrui. Et cette confrontation aurait d'ailleurs été très enrichissante, car la réputation de certains de ces chercheurs n'est plus à faire, qu'il s'agisse d'auteurs de travaux déjà classiques tels Bultmann ou Lonergan, ou de travaux plus récents comme ceux de Delzant, Pannenberg, Tracy ou Tshibangu. Mais la discussion des thèses de ces théologiens aurait considérablement allongé le travail de recherche et alourdi le présent volume. D'autre part, le fil de l'exposé, déjà si ténu en certains passages, serait devenu imperceptible, caché sous l'entrecroisement des références et des confrontations. On dérogera donc ici provisoirement à la coutume de la discussion, reportant à d'ultérieures études les salutaires confrontations dont on fait aujourd'hui l'économie.

*
* *

Ce livre est composé de neuf chapitres et se clôture par une conclusion. Après avoir précisé, dans l'introduction qu'on vient de lire, ce qu'on entend par un travail de type épistémologique, on consacrera deux chapitres à dresser un bilan du scientisme à l'âge de la science. Ce bilan est déficitaire et l'on s'interrogera dans les deux chapitres suivants sur les aspects du langage que le scientisme refuse de prendre en compte : la performativité et la métaphoricité. Le chapitre 5, qui forme la charnière de l'exposé, est consacré à la question du fondement, question qui a mis le scientisme en échec ; on y introduit la structuration essentielle de la problématique de l'interprétation qui articule le cosmos, le langage et l'action dans la dimension de l'historicité. Suivent alors trois chapitres consacrés respectivement à l'analyse des pratiques du savant, du philosophe et du théologien. Enfin, le chapitre 9, consacré à la question de l'historicité, consiste en une récapitulation des rapports science-philosophie-théologie d'un point de vue qui paraît propre à éclairer leur signification pour la foi [4].

On trouvera en tête de chaque chapitre une brève présentation de la perspective qui confère à ce chapitre sa place dans l'ensemble du travail. Ces en-têtes, lues à la queue leu leu, forment un tableau d'ensemble de l'ouvrage dont il n'est pas inutile de prendre connaissance avant d'entreprendre la lecture des chapitres. En effet, l'inscription de ceux-ci dans une perspective unique pourrait ne pas apparaître d'emblée : étant donné que l'entreprise consiste à faire percevoir quelque chose devant quoi il y a un écran à démolir, il est difficile d'en tracer par avance le cheminement comme on pourrait le faire si l'on disposait d'avance de repères assurés à partir desquels s'orienter.

4. Ce même propos est exposé dans un style plus synthétique et moins technique dans J.-F. MALHERBE, « La connaissance de foi », in *Initiation à la pratique de la théologie*, vol. 1, Paris, Cerf, 1982, p. 85-111.

CHAPITRE PREMIER

L'ÂGE DE LA SCIENCE

> « *La déstructuration de la culture, ce n'est pas seulement la mise en question, à la fois pratique et théorique, de la tradition, de son autorité et de ses garanties, la perte d'efficacité des différentes formes de langage en lesquelles cette tradition s'était incorporée, le doute systématique jeté sur les normes reçues, la relativisation de plus en plus radicale de toutes les croyances et de toutes les valeurs, c'est beaucoup plus profondément, l'ébranlement des assises mêmes sur lesquelles l'existence humaine, jusqu'ici, avait réussi à se construire, la rupture d'un certain accord qui, tant bien que mal, avait pu s'établir entre l'homme et les différentes composantes de sa condition, le cosmos, son propre passé, et son propre monde intérieur.* »

J. Ladrière (ER 114).

L'âge de la science est une époque de la culture marquée par le discrédit de la tradition. Or, la pensée chrétienne se réfère tout entière aux événements fondateurs de la tradition dans laquelle elle s'inscrit. C'est dire qu'à l'âge de la science la pensée chrétienne est tombée dans le discrédit.

Cependant, les succès de la science sont tributaires de la réduction de la réalité opérée par les savants, qui n'en considèrent que les aspects réputés objectifs. Et le scientisme consiste précisément à traiter ce qui a ainsi été mis entre parenthèses comme s'il n'y avait eu aucune mise entre parenthèses.

C'est dire que l'âge de la science, considéré comme l'âge du succès scientifique, est aussi l'âge du scientisme et que l'intimidation de la théologie par la culture scientifique repose sur une illégitime extension du paradigme scientifique à des domaines entiers de la réalité dont il s'est déjà dès l'origine défendu l'accès.

1. L'EXIGENCE CRITIQUE
ET LA VOLONTÉ DE MAÎTRISE

L'âge de la science se caractérise par une mise en œuvre originale de l'exigence critique. La science, en effet, n'est pas seulement savoir du monde, mais encore savoir d'elle-même, savoir se retournant sur soi et opérant sur soi. C'est cet aspect réflexif qui fait d'un savoir un savoir critique, un savoir qui est en mesure de se juger lui-même, de se prononcer sur sa propre valeur et ses propres limites. C'est dire que l'exigence critique est double : à la fois positive et négative [1]. Elle s'exerce, d'une part, sous la forme d'une mise en question radicale des évidences immédiates de la perception et de l'opinion. Elle est dissolution des préjugés et des habitudes mentales auxquels elle prétend substituer un savoir médiat, critiqué, contrôlé, fondé. L'exigence critique met entre parenthèses l'expérience naturelle qu'elle réduit à des données contrôlables.

Mais, d'autre part, elle se manifeste également comme volonté de construire, sur le sol des données critiquées, des systèmes dont la vocation est de faire apparaître le donné en sa vérité. En effet, les données critiquées n'apparaissent dans leur signification véritable qu'à partir de leur mise en relation exhaustive avec les autres données. C'est pourquoi le système se présente comme une concaténation nécessaire et non comme une simple liaison. Le système vise à la complétude car il ne fait voir la nécessité que s'il décrit le circuit complet des liaisons qu'il manifeste, c'est-à-dire s'il se ferme sur soi. L'exigence critique n'est donc pas seulement négative ; elle est aussi, positivement, volonté d'exhiber la totalité des rapports entre les données.

La réduction à laquelle l'exigence critique soumet l'évidence immédiate a pour corrélat une fermeture sur soi du champ ainsi construit, fermeture certes nécessaire à l'élaboration systématique du savoir, mais fermeture excluant également du savoir ce qui n'est pas de son ordre propre. Le scientisme consiste précisément à occulter, ne fût-ce qu'implicitement, l'opération de clôture par laquelle se constitue le champ du savoir scientifique et à discrédi-

1. AS I 163.

ter a priori toute prétention à une connaissance fondée à l'extérieur de ce champ.

Réduire et construire, telles sont les deux moments de la mise en œuvre de l'exigence critique. Mais ces opérations ne prennent elles-mêmes leur sens qu'à partir d'une justification méthodologique dont l'exigence critique elle-même porte le souci. Il ne suffit pas de contrôler la valeur des évidences et la validité des procédures de construction, il faut encore pouvoir fonder les critères de contrôle sans lesquels ces opérations ne pourraient se justifier. Une démarche n'est véritablement critique, en effet, que dans la mesure où elle réussit à contrôler ses propres opérations et à les organiser selon des impératifs qui découlent du projet qui soustend sa mise en œuvre. La méthode est précisément cette détermination de l'exigence critique par elle-même qui substitue progressivement la clarté du concept à l'opacité de l'intuition [2].

Cependant, il n'y a pas de « donation a priori de la méthode » [3], son élaboration est inséparable de sa mise en œuvre. C'est pourquoi il y a une pluralité de méthodes comme il y a une pluralité d'intentions de connaître. C'est parce que l'invention de la méthode s'inscrit dans une dimension d'historicité qu'il peut se faire qu'aujourd'hui ce soit un type de méthode tout à fait particulier qui s'impose à l'attention par le caractère spectaculaire de ses réussites. La méthode scientifique est une mise en œuvre, particulièrement féconde sans doute, de l'exigence critique, mais ce n'est pas la seule possible, ni même la seule pratiquée aujourd'hui. Cependant, ses succès éblouissent au point de jeter dans le discrédit les méthodes philosophiques et théologiques. La rationalité scientifique, c'est-à-dire la mise en œuvre de l'exigence critique dans le domaine de la connaissance de la nature, tend à s'imposer aujourd'hui comme la seule forme de rationalité possible. Mais le scientisme, qui érige en dogme exclusif ce qui n'est finalement qu'une hypothèse heuristique (particulièrement féconde, on en conviendra), apparaît en définitive comme une attitude épistémologique qui semble avoir renoncé à l'exigence critique [4].

C'est le ressort profond de cet impérialisme méthodologique, dont sont victimes la philosophie et la théologie, qu'il s'agit de mettre au jour.

2. AS I 164.
3. *Ibidem.*
4. J.-F. MALHERBE, *Le Scientisme du Cercle de Vienne*, RPL, 1974, p. 562-573.

L'exigence critique existe évidemment depuis fort longtemps [5].
Elle s'est manifestée, en particulier, bien avant l'apparition de la
démarche scientifique proprement dite, dans les systèmes philosophiques qui ont été élaborés à diverses époques de notre histoire
culturelle [6]. D'une certaine façon, l'on pourrait même considérer
que si la mise en œuvre de l'exigence critique en science et en technologie a connu un tel développement, c'est précisément parce
que sciences et technologies ont repris à leur propre compte, et
dans un contexte historique, social et économique lié à
l'industrialisation [7], la visée du grand rationalisme qui prend sa
source dans l'Antiquité. En science comme en philosophie — bien
que de manières différentes —, il s'agit de comprendre et de maîtriser le monde et soi-même [8].

Cependant, aujourd'hui, la philosophie — et, dans une certaine
mesure, la théologie à sa suite — a cédé le pas aux sciences et aux
technologies. C'est que celles-ci, au sein de la culture contemporaine, ont acquis, en raison de leurs caractères propres, un pres-
tige qu'il est difficile de mettre en cause dans un discours qui
apparaisse lui-même comme rationnel. C'est cependant la tâche
qu'on s'est assignée ici.

2. L'ENRACINEMENT : CULTURE ET TRADITION

Pour mesurer l'impact des techno-sciences sur la culture et particulièrement sur la philosophie et la théologie, il convient de préciser, au préalable, en quel sens on entend ici la notion de culture
d'une part et, d'autre part, quels sont les caractères particuliers de
la culture chrétienne.

Du point de vue de l'individu, sa culture représente le lieu où il
trouve l'expression de sa conception du monde, de la vie et de la
mort, du sens de l'existence, des tâches qu'il a à accomplir, de ses
limites et de ce qu'il peut espérer. C'est que, pour un individu
donné, la culture est l'expression d'une situation historique particulière et irréductible. Il est là, situé dans un temps et en un lieu
bien précis, chargé, pour le meilleur et pour le pire, d'un héritage

5. VSD, chap. 1.
6. ER 104.
7. ER 95-96.
8. ER 185.

qui lui appartient mais qui ne dépend pas de lui, et ouvert à un horizon de possibilités qui sont les siennes mais qu'il n'a pu vouloir telles [9].

Une culture, c'est un cadre qui modèle l'homme et dans lequel il peut construire son destin particulier, c'est ce par quoi l'homme dépasse ce qu'il y a de seulement biologique en lui. En effet, une culture, c'est finalement ce qui offre à l'homme un sens et des finalités. C'est ce qui lui donne un enracinement. C'est ce qui le lie à ses prédécesseurs et se poursuivra dans ses successeurs [10].

Et l'on entrevoit déjà comment le projet du rationalisme scientifico-technologique, qui s'ordonne à l'idéal d'un *déliement* à l'égard de toute inhérence, s'oppose de par sa nature même à l'appartenance de l'homme à une culture, c'est-à-dire à son *enracinement* dans une tradition. C'est peut-être l'antinomie des métaphores du survol et de l'enracinement qui exprime le mieux la situation de crise dans laquelle est plongée notre culture [11]. Car si, d'un point de vue théorique, les sciences ne sont que des sous-systèmes de l'instance culturelle de notre société, il faut bien reconnaître que ces sous-ensembles ont pris des proportions telles que leur influence sur la culture tout entière devient déterminante. C'est qu'en raison de sa dynamique propre, le système techno-scientifique tend à se rendre de plus en plus autonome à l'égard de la culture à laquelle il appartient et qui le considère comme l'un de ses plus beaux fleurons. Il s'en détache et, par un travail de sape et de décapage — qu'il faudra analyser de façon plus rigoureuse dans les pages qui suivent —, il finit par mettre en cause les fondements mêmes de la culture dont il tient son origine. Si l'on n'y prend garde, le développement des sciences et des technologies finira par provoquer un *déracinement* général de l'existence humaine par rapport au terreau qui l'a vu naître et grandir.

Ce péril, qui menace tous les domaines de la culture, est particulièrement sensible dans le domaine des normes et des valeurs. Et, en raison de ses caractères spécifiques, la théologie chrétienne se trouve dans une situation très confuse du fait de l'envahissement de la culture par le rationalisme scientifico-technologique. C'est cette spécificité qu'il convient maintenant de préciser.

9. ER 17-18.
10. ER 197 et 210.
11. ER 198.

Du point de vue adopté ci-dessus pour préciser la notion de culture en général, on pourrait sans doute tenter de caractériser la culture chrétienne contemporaine (dans le monde occidental du moins) comme l'état actuel d'une vaste interaction entre l'héritage d'une *tradition* millénaire et la culture d'une société marquée par le développement du rationalisme scientiste. Dès lors, pour mesurer l'impact de ce dernier sur la théologie, qui est l'une des expressions de la culture chrétienne, il convient de s'interroger sur la nature et la fonction de cette tradition.

La culture chrétienne, en tant qu'elle fournit au croyant des représentations du monde, de l'histoire et de lui-même (théologie), des normes d'action (éthique) et des possibilités d'expression de sa foi (liturgie), est, en effet, tout entière liée à une tradition particulière [12] qui se fonde sur des événements salvifiques dont ont témoigné les premiers croyants qui se sont exprimés de diverses façons mais principalement — du moins en ce qui concerne la théologie — dans des textes considérés comme sacrés. La tradition chrétienne est, en quelque sorte, l'intermédiaire entre ces textes et les croyants d'aujourd'hui dont la tâche consiste notamment à réassumer pour leur propre compte la profession de foi des générations antérieures et à rendre, à leur tour, aux générations suivantes, le témoignage de ce qui les fait vivre. Finalement, la tradition chrétienne est, en grande partie du moins, une tradition liée à des textes dont elle s'inspire et qu'elle interprète dans un incessant processus d'appropriation [13].

Cependant, cette tradition n'est pas seulement un instrument de transmission. Fondée sur la filiation des témoignages, elle *fait voir* dans les événements qu'elle rapporte l'action salvifique de Dieu en Jésus-Christ et nous invite à discerner cette action dans les événements d'aujourd'hui [14]. Et son efficacité s'exerce non pas d'abord sous la forme abstraite d'une théorie de la tradition, mais sous la forme concrète des symboles dans lesquels elle s'est pour ainsi dire déposée et qui la rendent agissante par la seule vertu de la force de la présence de ces symboles [15].

C'est dire que la *tradition* chrétienne repose en quelque sorte sur sa propre autorité et qu'elle ne peut trouver en dehors d'elle-

12. ER 155-156.
13. AS II 130 s.
14. *Ibidem.*
15. ER 144.

même la nourriture qui la rend principe actif des communautés de croyants qui s'inscrivent en son sein.

Il y aura lieu de revenir, évidemment, de façon plus approfondie et plus rigoureuse, sur la question de la tradition [16], mais il semble que l'on puisse d'ores et déjà entrevoir combien l'antinomie de la culture en général et du rationalisme scientiste s'intensifie dans le cas particulier de la culture chrétienne. Celle-ci, en effet, confère à l'homme qui la ratifie, non seulement un *enracinement* dans un point de vue sur le monde, l'histoire et l'homme, mais prétend que cet enracinement constitue précisément la médiation par laquelle l'homme peut rejoindre l'événement salvifique fondateur et, en un même mouvement, se projeter vers l'avenir d'un salut dont l'accomplissement eschatologique s'annonce dans l'histoire contemporaine [17].

Finalement, la tradition chrétienne est une figure particulièrement éminente de ce que représente une culture pour l'homme. Sa destinée y éprouve un sens. Sa liberté y trouve une possibilité. Sa conscience y rencontre une identité.

L'adhésion du croyant à la tradition qui porte sa foi semble s'opposer de façon particulièrement nette à l'idéal de la connaissance et de l'action rationnelles évoqué ci-dessus. Si l'on peut s'attendre à observer des perturbations induites par le rationalisme scientiste dans le système culturel en général, a fortiori peut-on pressentir, dans le même contexte, de très profonds ébranlements de la culture chrétienne.

3. LA TIMIDITÉ DE LA THÉOLOGIE
A L'ÂGE DE LA SCIENCE

Par rapport aux cultures héritées des époques pré-industrielles, la science et la technologie modernes apparaissent comme des corps étrangers [18]. Cependant, elles s'imposent d'une manière irrésistible aux cultures existantes et celles-ci ne peuvent pas ne pas en tenir compte, car les perturbations créées en leur sein par le développement du système scientifico-technologique sont profondes et, peut-être, irrémédiables.

Ces perturbations se marquent principalement de trois façons :

16. Cf. le chap. 9 du présent ouvrage.
17. M.-D. CHENU, *Les Signes des temps*, NRT, 1965, p. 29-39.
18. ER 103.

par une action directe du système techno-scientifique sur les représentations traditionnelles du monde, de l'histoire et de l'homme, par une action indirecte sur l'environnement dont l'aspect artificiel se manifeste chaque jour davantage et, en troisième lieu, par une emprise croissante du scientisme sur les mentalités contemporaines [19].

Ainsi, par exemple, au plan cosmologique, les représentations traditionnelles basées sur les croyances religieuses ou mythiques, ou même sur une expérience empirique relativement limitée, sont estompées par les conceptions scientifiques de l'univers. L'image d'un monde stable, créé par Dieu une fois pour toutes, servant de théâtre à l'histoire du salut, tend à s'effacer devant celle d'un monde en perpétuel devenir. En effet, la découverte par les astrophysiciens du phénomène de la récession des nébuleuses n'a pu, jusqu'à ce jour, être expliquée de façon relativement satisfaisante qu'à l'aide d'une théorie liée à la conception d'un univers en expansion. D'autre part, les biologistes, qui avaient déjà mis en cause des idées théologiques traditionnelles comme celle de « monogénisme », ont porté leur attention tout particulièrement sur les systèmes vivants en évolution. Leurs travaux tendent à montrer que la dérive évolutive a lieu dans un sens bien déterminé : celui de l'apparition de systèmes de plus en plus complexes, de plus en plus intégrés, caractérisés par des formes de comportement de plus en plus autonomes et de plus en plus individualisées et par un mode d'action de plus en plus transformateur par rapport à leur environnement. Tous ces travaux suggèrent, globalement, l'idée d'un monde en perpétuelle genèse [20] qui, en raison même de la relative indétermination caractéristique des systèmes évolutifs, s'ouvre à l'intervention décisive de l'action humaine [21].

Si, comme il en sera question ci-dessous [22], l'on peut espérer montrer qu'il y a, dans cette ouverture du cosmos à l'action historique de l'homme, un point d'articulation de la cosmologie et de l'éthique, il n'en demeure pas moins que l'effet actuel de la science sur la culture semble bien consister à isoler le système cognitif des systèmes axiologiques et à introduire ainsi dans la culture une profonde déchirure entre l'ordre des faits et l'ordre des valeurs [23]. Ces

19. ER 105-115.
20. AS II 291 s.
21. ANCOS 158-161.
22. Cf. le chap. 5 du présent ouvrage.
23. ER 106.

dernières sont en effet considérées, d'un point de vue scientiste, comme arbitraires, relatives ou subjectives pour la simple raison qu'elles nous sont le plus souvent léguées par la tradition, tandis qu'à l'inverse les faits sont — dans certaines conditions du moins — considérés comme déterminés, absolus et objectifs [24]. Le dualisme des normes et des faits, des fins et des moyens, de l'agir et du savoir est l'une des caractéristiques les plus implicites, mais les plus essentielles, du scientisme [25].

D'autre part, il n'est pas exagéré — du moins dans certaines régions de la planète — de parler d'une véritable technologisation de la nature sous l'influence du développement scientifique. En effet, le système scientifico-technologique tend à créer pour l'homme un nouveau décor d'existence. L'objet technique se substitue à l'organe humain ou en multiplie la puissance, et l'environnement artificiel efface le voisinage naturel. Les appareils téléphoniques permettent de se faire entendre, sans même élever la voix, de l'autre côté de la planète, les enregistrements magnétiques remplacent la mémoire, les lunettes optiques corrigent les défauts de la vue, et les appareils électroménagers et les automobiles ont été conçus pour faire « gagner du temps » à leurs usagers. Mais cet univers instrumental ne reste pas immobile ; il s'anime, il devient capable de fonctionner par lui-même : le « répondeur automatique » se substitue à l'interlocuteur absent, le « percolateur à minuterie » prépare le café matinal pendant les derniers instants de sommeil de son utilisateur, et il gravite autour de Saturne un laboratoire-robot qui fonctionne sans personnel. Au spectacle du monde vivant se substitue le spectacle d'un monde d'automates. Mais cette substitution bouleverse et notre langage et nos schèmes mentaux. Les anciennes analogies s'usent : on ne dit plus d'un homme qu'il est fort comme un lion mais qu'il est un véritable bull-dozer ou une locomotive. Et, avec la ruine des métaphores anciennes, c'est un monde qui disparaît.

Le décor technologique qui sert de théâtre à la vie quotidienne frappe d'une sorte d' « impuissance sémantique » [26] les représentations anciennes et favorise ainsi une absorption du champ des significations traditionnelles dans le fonctionnement intégré des

24. Cf. J.-F. MALHERBE, La Philosophie de Karl Popper et le positivisme logique, Paris, PUF, 1976.
25. ER 106-108.
26. ER 108.

systèmes d'objets. A l'utilisation d'instruments mis en œuvre en vue de réaliser un objectif consciemment déterminé et volontairement poursuivi, se substitue l'impératif de mettre en œuvre toute virtualité technique concevable. C'est donc une occultation des projets personnels et collectifs qui accompagne le développement du système scientifico-technologique. Et cette occultation entraîne une évanescence du sens de la vie [27]. Il est arrivé qu'un homme, qui avait accepté un stimulateur cardiaque pour l'aider à vivre, finisse par continuer de vivre comme pour justifier l'existence de cet objet.

C'est sans doute, comme le suggère Jean Ladrière, la métaphore du *déracinement* qui exprime le mieux l'effet global de déstructuration induit dans la culture contemporaine par le développement du système scientifico-technologique [28]. L'homme n'habite plus le monde qui l'a vu naître. Il se découvre étranger dans un univers qu'il a fabriqué. Cette extranéité de l'homme contemporain à l'égard de l'environnement qu'il s'est forgé lui-même a été magistralement mise en scène, il y a cinquante ans déjà, par Aldous Huxley dans *Le Meilleur des mondes* [29].

Finalement, le système techno-scientifique s'est détaché de la culture pour s'opposer à elle. Et cet antagonisme se manifeste de multiples façons. La science et la culture en sont venues à se contredire comme l'universel et le particulier, le construit et le donné, l'abstrait et le concret, l'anonyme et le vécu, le systémique et l'existentiel [30]. En portant la science au pinacle, la civilisation techno-scientifique a jeté le discrédit sur tout ce qui n'appartient pas à son seul champ d'efficacité.

Autrement dit, c'est parce qu'il est essentiellement fondé sur une valorisation exclusive du vérifiable, de l'expérimentable, du contrôlable et de l'opérationnel que le développement historique des sciences et des technologies a pour effet de reléguer les questions religieuses aux archives de la culture.

Pendant de longs siècles, la foi chrétienne a donné aux hommes d'occident leurs racines. Et aujourd'hui, par la vertu d'un curieux

27. ER 69.
28. ER 113.
29. A. Huxley, *Le Meilleur des mondes,* New York, Harper & Row, 1932.
30. ER 18.

paradoxe qu'il s'agira d'élucider, elle se retrouve étrangère sur sa propre terre.

C'est que l'exaltation du vérifiable conduit à la méfiance à l'égard de toute autorité dont les prétentions à détenir la vérité sont incontrôlables. C'est que les expériences vécues — aussi profondes et authentiques soient-elles — ne sont pas répétables par autrui et sont dès lors suspectées de n'être que le fruit de l'imagination ou du délire.

C'est que, enfin, l'impératif techniciste, qui ordonne d'accomplir tout ce qui est techniquement possible, ruine le sens de tout engagement personnel dans un projet, de toute fidélité à une vocation et de toute volonté de conduire à son terme une destinée [31]. En effet, si tout ce qui est possible est souhaitable, il n'y a plus ni bien ni mal et il n'y a plus de raison transcendante de poser des choix dans des alternatives. Il n'y a plus que la logique immanente de l'auto-développement du système techno-scientifique [32].

C'est dire tout le discrédit dans lequel sont tombées la pensée religieuse et la foi qui devrait la nourrir. Mais c'est dire aussi l'urgence et la difficulté de mettre au jour les causes de cette situation, d'en repérer les mécanismes et d'examiner la validité des principes qui la légitiment. Ce travail incombe au théologien — du moins en partie — et il n'est pas sans espoir. En effet, à y regarder de plus près, l'on s'aperçoit que le développement du système techno-scientifique n'a finalement pour but que sa propre croissance indéfinie [33]. Celle-ci peut sans doute faire illusion pendant un certain temps, mais elle ne parviendra pas à étouffer en l'homme le sentiment de son extranéité. Sans doute l'homme a-t-il progressivement réussi à modifier sa condition et sait-il de mieux en mieux comment il doit s'y prendre pour la changer encore. Mais il ne sait plus ni pourquoi ni pour quoi [34].

Dans cette perspective, on s'interrogera ci-après sur les fondements du scientisme contemporain. Cet examen prendra la forme d'une analyse de la « Bible du positivisme logique » qu'on peut considérer, semble-t-il, comme l'une des expressions les plus achevées du rationalisme scientiste.

---

31. ENG 10-23.
32. H. MARCUSE, *L'Homme unidimensionnel,* Ed. de Minuit, 1968.
33. ER 69.
34. ER 189-194.

CHAPITRE 2

L'ÉCHEC DU SCIENTISME

> « *Le* Tractatus *reste non seulement un ouvrage exemplaire et fascinant, mais comme un point de passage obligé, comme un lieu de rigueur et de dépouillement où l'on apprend à se méfier des affirmations excessives.* »
>
> J. Ladrière (FIAN 99).

Le scientisme *, qui consiste à extrapoler à l'inobjectivable les fruits de l'objectivation, porte en lui-même la cause de son propre échec. Qu'on puisse parler scientifiquement de quelque chose n'implique pas que n'existe que ce dont on peut parler scientifiquement. Cela implique seulement, comme l'avait bien remarqué Wittgenstein, que l'on taise (en science) ce dont on ne peut parler (en science).

La mise au jour de « ce dont on ne peut parler » (ou, plus exactement, de ce dont le scientisme tend à faire croire qu'on n'en peut parler) implique la prise en compte d'une pluralité de langages que l'objectivation avait mis entre parenthèses.

Reconnaître clairement la réduction scientifique et l'extrapolation scientiste qui l'accompagne souvent ouvre un espace possible pour des discours non scientifiques et, en

---

* Le texte de ce chapitre a paru sous le titre « Athéisme scientiste et métaphysique de la représentation » dans RTL, 1982, 1.

retour, fait apparaître le discours scientifique sous un jour sensiblement moins intimidant.

L'analyse de l'échec du scientisme, qui permet de préfigurer la légitimité épistémologique d'un véritable discours théologique, est menée sous la forme d'un commentaire de l'itinéraire de Wittgenstein considéré comme exemplaire précisément parce qu'il est passé d'une philosophie de la représentation dans le *langage de* la *science à une philosophie* des *interprétations de la réalité dans et par une pluralité de langages.*

Le *Tractatus* de Wittgenstein [1] constitue l'*archè* de la philosophie analytique, son point de départ et le principe de son développement. Dans l'une de ses interprétations, celle du Cercle de Vienne, il a été considéré par les néo-positivistes comme la source dont pouvaient s'inspirer leurs doctrines. Or, le positivisme logique, qui véhicule avec lui une forme particulière d'athéisme sur laquelle on reviendra ci-dessous, sert aujourd'hui encore aux savants, sous des formes plus ou moins raffinées et sophistiquées, de « philosophie spontanée ». C'est que cette philosophie, qui repose sur le dualisme de l'agir et du savoir, s'accorde particulièrement bien à la mentalité induite par le développement du système techno-scientifique dont elle contribue à voiler les véritables enjeux. Et c'est sans doute l'emprise de cette philosophie sur les mentalités scientifiques qui explique, du moins en partie, que les savants n'aient pas de la logique de leurs pratiques, qui sont largement herméneutiques comme on le montrera ci-dessous, une représentation adéquate.

Le texte du *Tractatus* a été longtemps considéré comme la « Bible » du positivisme logique, c'est-à-dire comme un ouvrage auquel chacun se réfère, dans lequel chacun trouve quelques « versets » qui illustrent sa propre pensée, que chacun respecte mais que presque personne n'a lu entièrement et qui ne met personne en question. « Bible » du positivisme logique, le *Tractatus* a été également considéré par certains comme une sorte de catéchisme scientiste réglant définitivement la question de Dieu par une sorte d'a-métaphysicisme. Or, on le verra, il n'y a nul athéisme dans la philosophie de Wittgenstein. L'athéisme néo-positiviste est la conséquence de positions philosophiques qui ne sont pas héritées de Wittgenstein mais qui se sont mélangées à son héritage. Ce n'est que récemment, à la lumière de la « seconde » philosophie de Wittgenstein et de l'élucidation de ses rapports avec le Cercle de Vienne, qu'on a pu « dépositiver » le *Tractatus* et en proposer des interprétations moins réductrices.

Après avoir exposé les grandes lignes de l'ouvrage et esquissé la logique de l'athéisme qui découle de son interprétation positiviste,

1. L. WITTGENSTEIN, *Tractatus logico-philosophicus,* Londres, Routledge & Kegan Paul, 1922, que l'on désignera, dans les notes suivantes, par la lettre T suivie du numéro de l'aphorisme.

on s'attachera, dans ce chapitre, à la lumière de la « seconde »
philosophie de Wittgenstein, à évaluer la validité et les limites de
la métaphysique de la représentation qui sous-tend la doctrine du
Tractatus. On tentera également, à partir d'une réflexion sur la
problématique de la limite, de saisir en quel sens on peut tenir que
tout propos sur Dieu n'est pas a priori dépourvu de sens.

1. « CE DONT ON NE PEUT PARLER, IL FAUT LE TAIRE »

Le point de départ de l'interrogation wittgensteinienne est
l'étonnement à l'égard du manque de clarté du langage ordinaire
et sa recherche consiste en une tentative pour mettre au jour les
conditions du sens dans le langage. Que la question du sens soit au
centre des préoccupations du philosophe, c'est ce qui apparaît
lorsqu'on examine son ouvrage, même de façon superficielle. Le
texte du *Tractatus* est, en effet, constitué d'aphorismes ordonnés
à l'aide d'une numérotation décimale. Moins le numéro d'un
aphorisme comporte de chiffres, plus celui-ci est important. Si
l'on rapproche les uns des autres les sept aphorismes numérotés à
l'aide d'un seul chiffre, on obtient la « table des matières » du
Tractatus (nous soulignons) :

1. Le monde est tout *ce qui est le cas.*
2. *Ce qui est le cas,* un fait, est l'existence d'états de choses.
3. Le tableau logique des faits est *la pensée.*
4. *La pensée* est la proposition douée de sens.
5. *La proposition* est une fonction de vérité de la proposition
   élémentaire.
6. La forme générale de la fonction de vérité est $[\bar{p}, \bar{\xi}, N(\bar{\xi})]$.
   C'est la forme générale de *la proposition.*
7. *Ce dont on ne peut parler,* il faut le taire.

D'une façon extrêmement schématique, on pourrait présenter
les thèses centrales de Wittgenstein de la façon suivante. Il y a
entre le langage et la réalité un parallélisme complet, une correspondance adéquate ; le langage est une image logique du monde
dont il constitue une transposition. Et les seules propositions
douées de sens sont celles qui dépeignent les faits. Ce qui ne peut,
à proprement parler, se représenter (l'éthique, le mystique) ne
peut être dit et doit donc être tu.

Pour parcourir sans se perdre le dédale que constitue le texte de
Wittgenstein, on pourrait proposer de considérer que le point de
départ de sa théorie est le postulat que quelques propositions au
moins sont douées de sens. Sa méthode consiste à examiner quelles sont les conditions qui doivent être remplies pour que ce postulat se vérifie.

Si l'on examine l'ensemble des aphorismes traitant du *sens*, l'on
s'aperçoit que, pour Wittgenstein, ce concept peut se définir de la
façon suivante. Le sens est la structure logique que la pensée
reconnaît à la fois dans la proposition et le fait qu'elle dépeint, les
structures logiques du monde, du langage et de la pensée étant isomorphes. La conjonction de cette définition et du postulat énoncé
ci-dessus implique une série de conséquences qu'il est possible de
grouper en quatre parties correspondant aux quatre thèmes qui
apparaissent lorsqu'on regroupe par affinités les sept aphorismes
principaux du *Tractatus* qui traitent respectivement du monde (1-
2), de la pensée (3-4), de la proposition (5-6) et de l'indicible (7).

Le monde est composé de faits et non pas d'objets ou de
substances [2], il est une mosaïque de faits [3]. C'est dire que sa texture est relationnelle et que les objets se définissent par leurs possibilités d'occurrence dans des faits [4]. Chaque objet se situe dans un
espace de faits possibles. D'un point de vue logique, il y a deux
espèces de faits : les « faits atomiques » qui sont de simples
concaténations d'objets et les « faits moléculaires » qui sont des
concaténations de faits atomiques. Parmi tous les faits possibles,
ceux qui sont actuellement réalisés dessinent la figure actuelle du
monde. Mais cette figure change : des concaténations d'objets
disparaissent et d'autres apparaissent. Ce n'est que dans le cadre
d'une configuration particulière des objets au sein des faits que
l'on peut dire que les objets forment la substance du monde [5].
Mais ces configurations sont instables [6] ; c'est pourquoi l'essence
du monde doit être la structure logique qui rend possible les relations entre objets au sein des faits atomiques et les relations entre
faits atomiques dans les faits moléculaires. Si l'on fragmente le
monde, on isole les uns des autres les faits atomiques. Mais ceux-

2. T 1.1.
3. T 1.2.
4. T 2.0124.
5. T 2.021.
6. T 2.071.

ci ne sont pas sécables bien que les objets auxquels la concaténation donne figure puissent, dans d'autres mondes possibles, appartenir à d'autres faits atomiques. Il faut qu'il y ait des objets pour que le monde réalisé prenne figure parmi tous les mondes possibles [7]. Si l'interdépendance des objets est inscrite dans leur nature [8], il en va autrement pour les faits atomiques qui sont essentiellement indépendants les uns des autres [9]. Sans cette indépendance des faits atomiques, nous ne pourrions pas, en effet, nous en faire des images logiques.

D'autre part, au plan du langage, l'unité insécable, l'atome linguistique, est la proposition et non pas le nom [10]. La proposition atomique ou élémentaire est l'image logique du fait atomique auquel elle se réfère, car sa structure logique est la même que celle de son référent [11]. A chaque objet du fait atomique correspond un nom de la proposition élémentaire. Et toute proposition moléculaire ou complexe est analysable en propositions élémentaires d'une et d'une seule façon [12], tout comme un fait moléculaire n'est analysable que d'une seule façon possible en faits atomiques [13]. C'est que les compositions des faits comme des propositions sont régies par les lois de la logique : une proposition complexe est une fonction de vérité de propositions élémentaires [14]. De la même façon que les objets n'ont pas d'existence en dehors des faits, les noms n'ont pas de signification en dehors de la proposition. Un nom ne se réfère donc à un objet que dans le cadre d'une proposition qui dépeint le fait auquel appartient cet objet. L'unité sémantique irréductible est la proposition élémentaire et non le nom, de même que l'unité cosmologique ultime est le fait et non l'objet.

Pour que quelques propositions aient du sens, il faut qu'elles soient analysables d'une et d'une seule façon en propositions plus simples, car, s'il devait exister une multiplicité d'analyses, comment le sens de la proposition pourrait-il être jamais fixé ? Et comment les propositions élémentaires pourraient-elles avoir du

7. T 2.025, 2.026.
8. T 2.0211.
9. T 1.21, 2.061, 4.211, 4.27, 5.134, 5.152.
10. T 3.201, 4.22.
11. T 4.23.
12. T 5.3, 5.32.
13. T 3.25.
14. T 3.318.

sens si l'on ne pouvait les mettre en correspondance bi-univoque avec les faits auxquels elles se réfèrent [15] ? Et si cette correspondance n'était pas établie entre des simples, c'est-à-dire entre des noms et des objets, comment pourrait-on l'établir [16] ? Dès lors, si quelques propositions au moins doivent avoir un sens, il faut que le langage et le monde se correspondent, que le langage soit une transposition propositionnelle du monde. C'est précisément en la reconnaissance de cette isomorphie cosmo-linguistique, qui se montre dans les propositions, que consiste la pensée. La pensée est la projection du monde dans le langage et reconnaissance de l'architecture logique du monde dans la structure logique du monde.

Une proposition élémentaire, en raison de la forme générale de la proposition qui est celle d'une assertion [17], affirme l'existence d'un fait atomique. Selon que ce fait, qui — si la proposition a un sens — doit être possible, est réalisé ou simplement virtuel, la proposition sera vraie ou fausse. C'est pourquoi la négation d'une proposition fausse est toujours vraie. C'est parce que, pour avoir du sens, les propositions doivent être des images logiques de leur référent que le langage est une image logique du monde et que peut se poser, à propos des propositions, la question de la vérité [18]. Si nous ne faisions pas dans le langage des images des faits, cette question ne se poserait pas. Pour Wittgenstein, donc, le langage contient à la fois des propositions vraies (celles qui correspondent à des faits réalisés) et des propositions fausses (celles qui correspondent à des faits virtuels, non réalisés). Le langage n'est donc pas un simple « décalque de la réalité » [19], il représente une possibilité de l'existence et de la non-existence des faits [20]. Les propositions fausses contribuent donc, tout comme les propositions vraies, à indiquer ce qu'il en est de la réalité, mais en évoquant des faits possibles et non pas des faits réalisés. Ainsi, Wittgenstein distingue de façon extrêmement nette le *sens* et la valeur de *vérité* d'une proposition. Une proposition ne peut être vraie ou fausse que si elle a un sens et elle sera vraie ou fausse selon qu'elle s'accorde ou ne s'accorde pas avec la réalité qu'elle dépeint.

15. T 3.21, 4.01.
16. T 3.23, 4.0311.
17. T 6.
18. T 2.12, 2.182.
19. ATH 559.
20. T 2.201.

Mais par elle-même, une proposition n'indique pas si elle est vraie ou fausse ; elle montre seulement son sens, c'est-à-dire ce qui est réalisé dans le monde si elle est vraie ou, si elle est fausse, ce qui n'est pas réalisé dans le monde. Le domaine du sens, c'est le domaine du possible et il est décrit par l'ensemble des propositions qui ont du sens, c'est-à-dire par le langage [21]. Le domaine du vrai, d'autre part, est un sous-ensemble du domaine du sens ; c'est l'ensemble des propositions qui dépeignent des faits réels. C'est en modifiant cette doctrine relative au sens des propositions que les épistémologues du Cercle de Vienne forgeront leur fameux « *principe de vérifiabilité* » dont il sera question ci-dessous.

Le seul discours véritablement sensé est celui qui représente le monde, c'est-à-dire l'ensemble des faits [22]. Il se réduit donc à ce qui peut se dire, c'est-à-dire, finalement, aux propositions des sciences de la nature [23]. Le langage scientifique est donc le seul qui soit apte à nous faire saisir l'intelligibilité du monde [24]. Il est, en effet, le seul à « refaire à sa manière le jeu du monde » en mimant les faits qui le composent [25].

Si toute proposition sensée s'analyse d'une seule manière en propositions élémentaires *et si* toute proposition élémentaire est le tableau logique d'un fait atomique, *alors* les propositions qui ne sont pas des images logiques de faits sont dépourvues de sens. Si le seul langage légitime est celui de la science, cela implique que toutes les propositions non descriptives sont dépourvues de sens. Les langages éthique, philosophique, théologique sont dépourvus de sens. Non pas faux mais simplement dénués de sens. Cependant, Wittgenstein, qui croyait fermement à la valeur de la philosophie, n'a pas conclu que celle-ci est toujours déjà mort-née. Pour lui, en effet, la philosophie n'est pas un discours mais une activité qui consiste à examiner les propositions du langage pour s'assurer qu'elles ont du sens [26]. Pour Wittgenstein la philosophie est, en quelque sorte, une thérapeutique [27] du langage, une méthode dont

21. ATH 260.
22. T 11.
23. T 6.53.
24. ATH 563.
25. *Idem.*
26. T 4.112.
27. Cf. Ngwey NDONGO A NDENGE, « Le normal et le pathologique dans la thérapeutique wittgensteinienne » in MALHERBE (éd.) : *Langage ordinaire et philosophie chez le « second » Wittgenstein,* Louvain-La-Neuve, Institut de linguistique, 1980.

le but consiste à en extirper ce qui ne peut être dit et que, par conséquent, il faut taire [28].

Cependant, comme on le montrera plus loin, si la totalité du langage représente la totalité de la réalité et constitue un tableau complet du monde, il reste que, dans le langage et à travers lui, se montre quelque chose qui ne peut plus être dit et que Wittgenstein appelle « l'élément mystique » [29].

2. L'ATHÉISME SCIENTISTE

Nul athéisme donc chez Wittgenstein qui s'en tient strictement à montrer qu'il n'y a pas de savoir sur *Dieu,* si du moins l'on entend par *savoir* ce qui peut faire l'objet d'un discours sensé [30], et à suggérer une possibilité (ineffable) de Dieu. Mais il n'en va pas de même chez les positivistes logiques qui se sont référés au *Tractatus* comme à une « Bible ». Ce que refusent obstinément les néo-positivistes — et qui les distingue radicalement de Wittgenstein —, c'est la possibilité que le langage *montre* des choses qu'il ne peut pas *dire.* Le problème de Dieu est donc, à leurs yeux, strictement dépourvu de sens, même de ce sens ineffable dont Wittgenstein pensait qu'il pouvait se montrer sans se dire. Pour les néo-positivistes, le champ du rationnel s'identifie au champ du discours sensé et il n'y a, au-delà de celui-ci, aucun ordre de réalité qui puisse avoir la moindre signification pour l'homme [31].

Ce rationalisme scientiste a trouvé une expression particulièrement élaborée dans la philosophie de Rudolf Carnap que l'on considère généralement comme le chef de file du positivisme logique issu du Cercle de Vienne [32]. C'est en 1925 que Carnap rejoignit le groupe des épistémologues viennois qui avait été fondé deux années plus tôt par Moritz Schlick. En 1924-25 puis, à nouveau, l'année suivante, les membres du Cercle de Vienne consacrèrent leurs réunions hebdomadaires à étudier le *Tractatus.* Phrase après phrase, ils s'attachèrent à discuter les idées du philosophe. Cepen-

---

28. T 7.
29. ATH 564.
30. ATH 565.
31. M. SCHLICK, *Die Wende der Philosophie, Erkenntnis,* 1, 1930.
32. Sur l'histoire du Cercle de Vienne : V. KRAFT, *Der Wiener Kreis, Der Ursprung des Neopositivismus,* Vienne Springer, 1950.

dant, cette discussion s'était située d'emblée et sans doute inconsciemment, dans la perspective ouverte par Schlick dans un livre publié en 1918 [33], à l'époque où Wittgenstein mettait la dernière main à son *Tractatus* publié pour la première fois en 1921 [34]. Dans cet ouvrage, Schlick proposait une théorie empiriste originale inspirée d'une part du positivisme de Ernst Mach [35] et, d'autre part, des travaux de logique formelle réalisés par Frege [36], Russell et Whitehead [37]. L'une des thèses de l'ouvrage est que *ce qui peut être dit* est la logique, tandis que les *sense data* sont, à strictement parler, *indicibles* puisqu'ils sont subjectifs. Le fondateur du Cercle de Vienne distinguait, en conséquence, « connaître » *(erkennen)* et « éprouver » ou « ressentir » *(erleben)* et prétendait que le seul moyen efficace de contrôler « l'ineffable » — c'est-à-dire, dans son langage, les qualités sensibles de l'objet ressenties par le sujet — est d'appliquer, aussi rigoureusement que possible, le principe de vérification qu'il résumait en ces termes : la signification d'une proposition est la méthode de sa vérification [38]. Schlick identifiait donc le sens d'une proposition et les conditions de sa vérité. Cette identification — que n'admettait pas Wittgenstein — tient à son empirisme radical. Or Wittgenstein, qui avait par exemple toujours refusé de préciser ce qu'il entendait concrètement par « objet », n'était pas du tout un empiriste. Mais lorsque, dans le cadre dessiné par la doctrine de Schlick, les épistémologues viennois étudièrent le *Tractatus,* ils firent des propositions élémentaires de Wittgenstein des énoncés d'observation [39] et transformèrent, en conséquence, sa recherche sur les conditions du sens dans le langage en une tentative de fondement de toutes les sciences sur une base empirique. L'empirisme logique était né, mais la philosophie du *Tractatus,* hâtivement assimilée à une forme particulière de néo-positivisme, était en même temps confinée dans le cadre étroit d'une pensée réductrice. C'est sur

33. M. SCHLICK, *Allgemeine Erkenntnislehre,* Berlin, Spinger, 1918.

34. Avant de paraître sous forme de livre bilingue à Londres, le *Tractatus* avait paru en 1921 sous forme d'article dans les *Annalen der Naturphilosophie.*

35. E. MACH, *Erkenntnis und Irrtum,* Leipzig, 1905.

36. G. FREGE, *Écrits logiques et philosophiques,* Paris, Seuil, 1968.

37. A. N. WHITEHEAD, et B. RUSSELL, *Principia Mathematica,* 3 vol., Cambridge, CUP, 1910-1913.

38. M. SCHLICK, *Allgemeine Erkenntnislehre,* 21.

39. Ils appelaient ceux-ci des « énoncés protocolaires ».

l'arrière-fond de cette réduction positiviste que Rudolf Carnap a élaboré sa propre philosophie du langage dont on sait qu'elle visait, en grande partie, à l'élimination de la métaphysique [40]. Si l'on veut soumettre à un examen critique la légitimité du langage métaphysique, il faut considérer le problème du sens des énoncés élémentaires appartenant à ce langage. Or le sens de tout énoncé élémentaire est fixé par les conditions de sa vérification, c'est-à-dire par la détermination des circonstances dans lesquelles cet énoncé est vrai et des circonstances dans lesquelles il est faux. Or, différents cas peuvent se présenter. Si l'on a affaire à un énoncé d'observation, la vérification consiste simplement à s'assurer de la conformité de ce qui est exprimé à ce qui est saisi dans l'acte d'observation. Mais si l'on a affaire à un énoncé dont la vérification n'est pas possible directement, il faut recourir au procédé de la définition pour ramener l'énoncé donné à des énoncés d'observation. Carnap donne une exemple de cette situation. Soit l'énoncé à vérifier « x est un arthropode ». La vérification directe n'étant pas possible, l'on recourt à la médiation de la définition « Un arthropode est un animal possédant un corps articulé, etc. ». Comme l'on peut vérifier directement les énoncés « x est un animal », « x possède un corps articulé », etc., l'on peut considérer que l'énoncé « x est un arthropode » est vérifiable indirectement. Si l'ensemble des énoncés élémentaires mis en jeu par la définition sont vrais, l'énoncé ainsi défini sera vrai également. En généralisant, l'on peut dire que déterminer la signification d'un énoncé élémentaire revient à indiquer à quels énoncés d'observation il peut être réduit.

Pour être sensée, une proposition doit être vérifiable, c'est-à-dire, dans le cas d'énoncés qui ne sont pas des énoncés d'observation, définissable à l'aide de tels énoncés. Or, la procédure de définition obéit à des règles extrêmement précises que Carnap s'est attaché à formuler dans *La Syntaxe logique du langage* [41]. La première condition à laquelle doit répondre un énoncé est d'être syntaxiquement bien formé, c'est-à-dire de contenir un sujet, une copule et un attribut, ou de pouvoir être ramené à une forme de ce genre. Ces règles suffisent à éliminer d'emblée une série d'expressions telles que « César est et » qui contiennent une conjonction à

---

40. ATH 568-573.
41. ATH 573-577.

la place où la syntaxe prescrit l'occurrence d'un attribut. Les règles syntaxiques de ce type ne suffisent cependant pas à éliminer des énoncés tels que « César est un nombre premier » ; c'est pourquoi Carnap a élaboré d'autres distinctions permettant de procéder à une classification des expressions du langage entre les différentes catégories syntaxiques. De telles règles précisent, par exemple, que la propriété d'être un nombre premier appartient à une catégorie de propriétés qui ne peuvent être attribuées qu'à des termes appartenant à la catégorie des noms de nombre. Une analyse syntaxique rigoureuse permet de faire le départ entre les énoncés qui sont de vrais énoncés et ceux qui ne sont que de pseudo-énoncés. Or il apparaît que les énoncés métaphysiques sont des pseudo-énoncés, car, à supposer qu'ils soient syntaxiquement bien formés, ils ne sont jamais vérifiables puisque, en raison même du type de sujet qu'ils contiennent (l'Absolu, le Bien, le Néant, l'être, ...), leur valeur de vérité ne peut pas être fixée en recourant à des énoncés d'observation. Cela revient à dire que, pour Carnap, comme pour l'ensemble des empiristes logiques du reste, l'observation empirique est la seule source qui puisse fournir un contenu réel à la connaissance. On voit par quelle réduction épistémique les énoncés métaphysiques sont exclus du champ du savoir.

Carnap applique ces principes généraux à l'examen de l'énoncé « Dieu est » qui est la pierre angulaire de toute théologie. Dans un énoncé de ce type, remarque-t-il, le verbe « être » n'est pas employé comme copule mais comme prédicat. On peut, en effet, reformuler cet énoncé comme suit : « Dieu est existant. » Mais l'analyse logique montre qu'en raison des règles qui régissent la formation des énoncés, le symbole d'existence ne peut être attaché directement à un symbole d'objet (servant de sujet à un énoncé) mais seulement à un prédicat. Les règles de lá logique permettent d'écrire « Il y a un x tel que x a la propriété P » mais pas « Il y a un x ». En formulant l'énoncé « Dieu est », on commet une confusion entre deux catégories syntaxiques : celle des prédicats et celle des quantificateurs, c'est-à-dire des opérateurs logiques servant à indiquer la quantité d'objets auxquels s'applique la propriété attribuée au sujet de l'énoncé [42].

---

42. Autre approche de la même veine : A.-J. AYER, *Logical Positivism,* New York, The Free Press, 1950.

C'est le même type de confusion entre catégories syntaxiques qui est à l'origine de la faute logique du « Cogito ergo sum » de Descartes. De l'énoncé « Je pense », on ne peut déduire l'énoncé « Je suis » — qui n'est d'ailleurs qu'un pseudo-énoncé — mais seulement l'énoncé « Il y a quelque chose et cette chose est pensante » [43].

Carnap a également observé que deux idiomes, dont les propriétés sont très différentes, se mêlent constamment l'un à l'autre dans les discussions philosophiques : l'*idiome matériel* qui sert à parler des choses elles-mêmes et qui est construit de noms de choses auxquels nous attribuons des prédicats et l'*idiome formel* qui nous sert à parler des noms de choses (et non plus des choses elles-mêmes) et qui est construit de catégories syntaxiques. « Cinq est un nombre premier » est un énoncé de l'idiome matériel, tandis que « "Cinq" n'est pas un nom d'objet mais un nom de nombre » est un énoncé de l'idiome formel. Ce sont souvent des énoncés hybrides, mi-formels, mi-matériels, qui sont à l'origine des (faux) problèmes philosophiques. Ainsi, la question de savoir si « Cinq est un objet ou un nombre ? » est une question qui n'a rien de philosophique. En effet, dès qu'on la traduit dans l'idiome formel, elle devient « "Cinq" est-il un nom d'objet ou un nom de nombre ? ». Ce qui, selon Carnap, est une affaire de pure convention.

Carnap n'a pas manqué d'appliquer ces analyses à certains énoncés du *Tractatus* de Wittgenstein. Ainsi, l'énoncé « Il y a assurément de l'inexprimable » [44] peut être, selon lui, interprété de deux façons. D'une part, on peut l'entendre comme signifiant qu' « Il y a des objets inexprimables », c'est-à-dire « Il y a des objets pour lesquels il n'y a pas de désignation », énoncé qui, traduit dans l'idiome formel, devient « Il y a des désignations d'objets qui ne sont pas des désignations d'objets ». D'autre part, l'énoncé peut signifier « Il y a des faits inexprimables », c'est-à-dire « Il y a des faits qui ne sont décrits par aucune proposition », énoncé qui, traduit dans l'idiome formel, devient « Il y a des propositions qui ne sont pas des propositions » [45].

On voit combien, en raison du postulat de l'empirisme, Carnap s'est éloigné de Wittgenstein qui donnait au « discours de l'ineffable » une signification toute différente : « Ce dont on ne peut par-

43. ATH 573.
44. T 6.522.
45. R. Carnap, *Logische Syntax der Sprache,* Vienne, Springer, 1934, 81.

ler... ? » « ... il faut le taire » concédait Wittgenstein ; « ... cela n'existe pas » affirmait Carnap. Toute la question du rationalisme scientiste est là. On a souvent attribué à Wittgenstein une forme d'athéisme positiviste dont il serait plus juste d'attribuer la responsabilité à Carnap. La position de Wittgenstein, plus nuancée, pourrait être rapprochée de celle de certains mystiques. Cependant, par un accident historique dont F. Waissmann porte sans doute la responsabilité — du moins en partie [46] —, le *Tractatus* a servi de « Bible » aux positivistes logiques qui, eux, à la différence de Wittgenstein, professent un athéisme qui paraît intrinsèquement lié à leurs positions épistémologiques scientistes.

Cette philosophie s'accorde bien à la mentalité de l'homme contemporain dont la culture est déstructurée par le développement du système techno-scientifique. Elle constitue, en effet, une sorte de « justification » ou, à tout le moins, de thématisation de l'antagonisme de la science et de la culture (entendue au sens défini ci-dessus) : l'universel, l'abstrait, le construit et l'anonyme se sont substitués au particulier, au concret, au donné et au vécu. En accordant toute son attention à l'aspect logique de la connaissance scientifique et en négligeant délibérément toute la dimension vécue, cette philosophie légitime implicitement le discrédit dans lequel sont tombées la foi et la théologie chrétiennes.

Et cependant, une critique rigoureuse des présupposés du rationalisme scientiste, à l'aide de certaines armes qu'il a lui-même forgées, s'avère de nature à renverser la situation c'est-à-dire à montrer notamment que c'est au sein du langage religieux qu'il faut tenter d'appréhender le sens du mot « Dieu » et que l'analyse de ce langage ne peut pas se pratiquer en transposant purement et simplement les méthodes qui ont fait leurs preuves dans l'analyse du langage scientifique.

3. LE RENVERSEMENT DU POSITIVISME LOGIQUE

C'est dans le langage de la science, qui tend à constituer une vaste image du monde, que semble se déployer avec le plus de succès le discours de la représentation [47]. Toutefois, ce déploiement,

---

46. Les membres du Cercle de Vienne ont eu, en effet, souvent recours, dans leur étude du T, à une paraphrase de l'ouvrage due à Waismann. Cf. F. WAISMANN, *Wittgenstein und der Wiener Kreis,* Oxford, Blackwell, 1967.
47. AS II 202 s.

précisément parce qu'il tend à prendre la forme d'une ré-effectuation abstraite du monde, à partir d'un point de vue détaché de toute perspective particulière, valable pour toutes les perspectives, indépendamment de tout conditionnement, tend également à laisser dans l'oubli le fait qu'il n'a pu prendre son élan qu'au prix d'une réduction épistémologique qui l'a détaché de ses ancrages perceptifs, délié de tout sujet connaissant, et lui a conféré son statut d'autonomie.

Or, précisément, l'athéisme positiviste, comme on l'a suggéré, est également tributaire de cette réduction épistémologique. C'est cette dernière qu'il s'agit d'analyser ici et l'on verra qu'elle est liée à ce que l'on pourrait appeler une « métaphysique de la représentation » [48].

D'autre part, il se fait que, dans la mesure où l'on a pu l'arracher à ses interprétations positivistes, le *Tractatus* de Wittgenstein se présente à la fois comme une théorie du langage qui répond exactement à l'idée de la représentation et, à partir d'une problématique des limites du langage, comme une mise en question du discours de la représentation [49] : ce que le langage ne peut *dire,* estimait Wittgenstein, il peut le *montrer.* C'est l'opposition du *dire* et du *montrer* qui commande, dans la perspective du *Tractatus,* la problématique des limites de la représentation [50].

Mais la véritable portée de la mise en scène de l'ineffable dans le *Tractatus* ne peut être appréhendée qu'à partir d'une mise en perspective de l'ensemble de la philosophie de Wittgenstein. C'est, en effet, dans son second grand ouvrage, publié après sa mort, que l'on trouve à la fois une critique radicale du *Tractatus* et les perspectives que développeront les philosophies du langage ordinaire dont il sera question plus loin. Les *Investigations philosophiques* [51] de Wittgenstein opèrent un véritable renversement de

---

48. EREP 14, 88a-89c.
49. AS II 205 s.
50. La problématique des limites de la représentation remonte, évidemment, à Kant. Sur les liens entre Kant, Heidegger et Wittgenstein à propos de la question des limites : EREP 14, 89bc et FICH 34-35.
51. L. WITTGENSTEIN, *Philosophische Untersuchungen,* Oxford, Blackwell, 1953. Les références aux *Investigations philosophiques* sont précédées des initiales IPh ; le numéro indique le paragraphe dont est extraite la citation. L'édition originale du texte allemand *Philosophische Untersuchungen* (Oxford, Blackwell 1953) était déjà accompagnée d'une (excellente) traduction anglaise *Philosophical Investigations.* C'est le texte anglais qui est devenu canonique dans les pays anglo-

perspective en philosophie du langage et en épistémologie. C'est ce renversement qu'il s'agit de repérer ici et l'on verra qu'il indique un chemin de passage entre une problématique de la représentation et une problématique de l'interprétation. Si, en effet, il n'y a plus de correspondance bi-univoque entre le langage et la réalité, le sens n'est plus fixé d'emblée et l'insaturation sémantique ainsi reconnue appelle l'interprétation qui est elle-même, comme on le verra [52], un moment de l'action.

On sait que l'auteur du *Tractatus* estimait avoir résolu tous les problèmes philosophiques [53]. Cependant, petit à petit, il prit conscience des difficultés de ce qui allait devenir sa « première philosophie » [54]. Le point le plus litigieux était certainement la théorie du langage comme image logique du monde que Wittgenstein dénonçait lui-même de la façon suivante : « Assurément, si de l'eau bout dans un pot, la vapeur sort du pot et de même l'image de la vapeur sort de l'image du pot. Mais comment, pour ainsi dire, quelque chose devrait-il bouillir dans l'image du pot ? » [55]. Selon la perspective du *Tractatus,* toutes les propositions ont la forme de l'assertion ou sont réductibles à des assertions. Dans les *Investigations philosophiques,* par contre, Wittgenstein reconnaît l'existence d'innombrables sortes de propositions [56] et abandonne

---

saxons. Il existe également une traduction française due à M. KLOSSOWSKI, *Investigations philosophiques* (Paris, Gallimard, 1961). Cette dernière, malheureusement, contient non seulement de nombreuses approximations mais également des contresens graves qui rendent impossible une étude sérieuse de Wittgenstein dans le texte français.

52. Cf. chap. 5 *infra.*

53. T p. 25 : *Vorwort des Verfassers - Author's Preface.*

54. La question de savoir s'il y a une ou deux philosophies de Wittgenstein, celle du T et celle des IPh, est toujours débattue. On considère cependant ici qu'il n'y a, à vrai dire, qu'une seule philosophie de Wittgenstein dont le principal souci a toujours été, dans le T comme dans les IPh, de mettre au jour les conditions de possibilité du sens dans le langage. Mais cette opinion n'implique pas qu'il n'y ait pas eu d'évolution dans la pensée du philosophe. Au contraire, on pourrait considérer que sa première recherche est tributaire d'une métaphysique de la représentation tandis que la seconde tente de s'en dégager et de proposer une philosophie de type « herméneutique ». Pour l'étude des IPh, G. HALLETT, *A Companion to Wittgenstein's Philosophical Investigations,* Londres, CUP, 1977, est un instrument indispensable.

55. IPh 297.

56. IPh 23.

l'idée d'une architecture uniforme sous-tendant à la fois le langage et le monde. Désormais, l'assertion et la description sont considérées comme des manières parmi d'autres d'user du langage. D'autres manières de se servir du langage sont tout aussi légitimes : donner des ordres, par exemple, ou promettre, raconter une histoire, prononcer un jugement, etc. Le langage n'est plus *le* tableau logique du monde.

Tout énoncé bien formé peut avoir un sens. S'il existe des problèmes philosophiques, ce n'est pas en raison de l'usage d'énoncés dépourvus de sens, mais plutôt à cause d'analogies fortuites entre les différents usages d'une même expression linguistique dans différents jeux du langage. Pour le « second » Wittgenstein, la philosophie est toujours une activité, mais elle a désormais pour tâche d'observer l'usage des expressions dans les jeux de langage de manière à décrire la grammaire de ces expressions, grammaire qui permettra de repérer les collisions de jeux de langage qui sont, le plus souvent, à l'origine de profonds malentendus dont les conséquences, au plan de la philosophie, sont parfois désastreuses [57].

Si, pour reprendre l'expression de l'auteur, le langage est « comme une vieille ville entourée de faubourgs modernes » [58], on pourrait considérer que l'auteur du *Tractatus* ne s'était attaché à élucider que la grammaire de l'un des faubourgs, tandis que, dans les *Investigations,* il a envisagé l'ensemble du tissu urbain. La « seconde » philosophie de Wittgenstein n'est donc pas une démolition de la « première ». Il s'agit plutôt d'assigner aux prétentions du *Tractatus* des limites qui en feront apparaître à la fois la pertinence : proposer une grammaire du jeu de langage descriptif — et les défauts : notamment celui qui consiste à absolutiser une métaphysique de la représentation.

C'est la notion de *jeu de langage* qui forme la pierre angulaire des *Investigations.* En l'utilisant, Wittgenstein voulait faire apparaître que le langage tire son sens de l'action humaine dans laquelle il s'intègre [59] et qu'il se produit, dès l'origine et pour toujours, dans la dimension de l'interprétation [60]. Le langage est lui-même une forme d'action qui s'insère dans le cours du comporte-

57. Cf. J.-F. MALHERBE, *Épistémologies anglo-saxonnes,* Paris, PUF, 1981, chap. 5.

58. IPh 18.

59. IPh 19.

60. IPh 19, 23, 108, 199, 445, 489, 492, 569.

ment humain. C'est en parlant que l'homme comprend le monde, l'histoire et lui-même. C'est en parlant qu'il élabore des projets, formule des désirs et témoigne de ce qu'il est en sa vérité. Pour Wittgenstein, le langage est désormais lié indissolublement à la vie et à l'action d'une communauté linguistique. La notion de jeu de langage permet, en définitive, de réarticuler ce qu'avait dissocié la métaphysique de la représentation : l'agir et le savoir. C'est d'ailleurs là que réside toute la portée de la métaphore du jeu [61].

Mais les langages, comme les jeux, sont régis par des règles. Et c'est en étudiant la « grammaire » d'un jeu de langage, notion sur laquelle on reviendra plus loin, que l'on pourra en saisir la portée et les présupposées. En effet, il y a dans les *Investigations philosophiques* un lien extrêmement net entre « grammaire », action et ontologie : tout énoncé grammatical peut être considéré, dans le cadre d'un jeu de langage, comme une assertion à propos d'un objet [62]. Pour reprendre l'exemple de Wittgenstein, si l'on veut expliquer à quelqu'un ce qu'est une patience, on peut lui préciser que le mot « patience » se réfère à des jeux de cartes qu'on joue seul. Mais on peut lui dire, plus simplement, « les patiences se jouent seul » [63]. Cet énoncé fait une assertion à propos d'une classe de jeux de cartes c'est-à-dire à propos d'objets particuliers. Et, en même temps, il exprime les règles d'usage du mot « patience ». La grammaire exprime donc la manière dont sont les objets dans le contexte d'un jeu de langage donné.

Selon la doctrine du *Tractatus,* l'intelligibilité du monde était réglée par l'architecture logique du langage dont elle était la transposition. Dans les *Investigations,* l'intelligibilité du monde est toujours relative au langage mais celui-ci est devenu pluriel. Les propositions « grammaticales » des *Investigations* expriment l'essence du monde [64] du jeu de langage dont elles décrivent la pratique.

Les jeux de langage sont donc cosmologiques. Non pas au sens

61. IPh 31, 33, 47, 48, 108, 136, 197, 199, 205, 316, 337, 365, où Wittgenstein compare le langage à un jeu d'échec.
62. IPh 248, 251, 252, 371, 373, 520.
63. IPh 248.
64. IPh 371. M. Klossowski traduit « Das Wesen ist in der Grammatik ausgesprochen » par « L'essence d'une chose est exprimée par l'usage grammatical du mot correspondant ». Ceci n'est qu'une illustration de la médiocrité de sa traduction des IPh.

où ils engendreraient leur monde — il faudrait dire alors qu'ils sont cosmogoniques — mais parce que les mondes qu'ils rendent intelligibles ne prennent leur signification qu'en relation avec les activités qui les mettent en jeu.

L'activité du philosophe, dans cette perspective, consiste à faire œuvre de « grammairien », c'est-à-dire à décrire les modalités de signification des expressions du langage dans les différents contextes où elles sont mises en jeu et à repérer ainsi les collisions entre jeux de langage, c'est-à-dire à diagnostiquer les maladies du langage et à les soigner en rendant les expressions appropriées à leurs usages dans les contextes où elles sont utilisées [65].

C'est, soit dit par parenthèse, à une maladie du langage que l'on s'attaque ici : la métaphysique de la représentation ; après en avoir repéré les symptômes, la crise de la culture et la timidité de la pensée chrétienne, et analysé les causes, l'impact destructurant du développement techno-scientifique sur les cultures, il restera à proposer une thérapie [66] et à la mettre en œuvre [67].

Mais auparavant, il reste à mesurer dans toute son ampleur le renversement de l'empirisme et du logicisme opéré par Wittgenstein dans sa seconde philosophie et à revenir un instant au *Tractatus* pour en proposer une interprétation qui s'inscrit dans la perspective de ce renversement.

Wittgenstein n'a jamais été un empiriste et les remarques qui suivent le soulignent encore. Tout au plus y a-t-il eu, par un accident lié à l'histoire du Cercle de Vienne, une interprétation empiriste de son *Tractatus*. Mais l'auteur des *Investigations* s'est débattu avec un certain logicisme auquel il avait naguère souscrit. C'est de ce débat que témoignent toute une série d'aphorismes de son second livre [68] dans lesquels il s'exprime de façon ironique à l'égard de sa « première » philosophie. Le *Tractatus* prétendait remédier aux imperfections du *langage ordinaire* en le logifiant alors qu'il s'agit plutôt maintenant de faire place à une relativisation de la logique par rapport aux formes de vie de ses utilisateurs. « "Ainsi, vous dites que l'accord entre les hommes tranche ce qui est vrai et ce qui est faux ?" Est vrai et faux ce que disent les hom-

---

65. IPh 109, 119, 123-127, 203, 415. Voir Ngwey NDONGO A NDENGE, *op. cit.*
66. Cf. les chap. 3 et 4 *infra*.
67. Cf. les chap. 5 à 9 *infra*.
68. IPh 97, 98, 107, 108, 114, 120, 241.

mes et c'est dans le langage qu'ils s'accordent. Il ne s'agit pas d'un accord des opinions mais de la forme de vie [69]. »

Ce qui pourrait apparaître comme un relativisme extrême est, en fait, très limité. Wittgenstein est relativiste en ce sens qu'il admet une pluralité de jeux de langage et l'existence d'une « grammaire » pour chacun de ces jeux. Mais, à l'intérieur d'un même jeu de langage, le philosophe requiert une cohérence dont la « grammaire » constitue la thématisation. On peut tenir bien des discours différents. Mais chacun d'eux a ses règles propres, ses propres modes de signification et, par conséquent, l'on ne peut pas dire n'importe quoi n'importe comment.

Ainsi, s'il y a un discours de ce que le *Tractatus* appelait l'inexprimable, il s'agit d'en mettre au jour les modalités de signification et la « grammaire ». Et à cet égard, une relecture du *Tractatus* paraît susceptible de fournir quelques indications utiles.

Comme on l'a vu, on trouve, en effet, dans le *Tractatus* à la fois une théorie de la représentation et une critique radicale du discours de la représentation. Le langage donne un tableau du monde, mais, comme la correspondance du langage et du monde est tout entière formelle et que la forme ne peut pas se *dire* mais seulement se *montrer,* le langage n'est jamais un tableau de la totalité. Le monde n'est pas tout ; il y a un autre du monde. « Il y a assurément de l'inexprimable. Celui-ci se *montre,* il est l'élément mystique [70]. » Le rapport entre le langage et son autre, l'élément mystique, est analogue au rapport entre l'énoncé et son sens ; ce dernier se *montre* dans la structure même de l'énoncé mais ne se *dit* pas. Il y a donc de l'inexprimable au-delà du langage. Mais cet inexprimable n'est pas radicalement étranger au langage, il n'en est pas complètement séparé. Au contraire, bien qu'il ne puisse pas être dit, il se révèle comme ce qui limite le langage et en même temps le rend possible [71]. Qu'il y ait de l'indicible, c'est finalement, dans la perspective du *Tractatus,* une condition pour qu'il y ait du sens. La première philosophie de Wittgenstein, qui récuse un discours sur la totalité, aboutit paradoxalement, à travers la mise en lumière des limites de tout discours totalisant, à ménager un accès silencieux à la totalité [72]. C'est que, si le *Tractatus,* de

---

69. IPh 241. M. Klossowski traduit « Richtig und falsch ist, was Mensche, sagen » : « Est vrai et faux ce que les hommes disent l'être » *(sic).*
70. T 6.522.
71. ATH 564.

l'aveu même de son auteur [73], est dépourvu de sens *(sinnlos)* parce qu'il outrepasse les possibilités du langage, il n'en est pas pour autant insensé *(unsinnig)*. Dans sa globalité, par sa démarche même, il fait émerger une signification ineffable devant laquelle il s'efface en se produisant [74].

Cette approche de « l'élément mystique », dont on pourrait penser qu'il n'est pas absolument étranger à l'objet de la théologie, est, comme on l'a montré, tributaire de la métaphysique de la représentation. Il reste donc à se demander ce que pourrait être un discours de « l'élément mystique » qui ne soit pas tributaire de cette métaphysique. Les perspectives ouvertes par les *Investigations philosophiques* et développées par certains « disciples » du second Wittgenstein sous la forme d'une théorie des *actes de langage* semblent permettre un commencement de réponse à cette question qui constitue, en définitive, l'objet du présent ouvrage.

72. FICH 34.
73. T 6.54.

CHAPITRE 3

L'OPÉRATION DU LANGAGE

L'objectivation de la réalité, qui est une condition de possibilité du développement techno-scientifique, consiste notamment à mettre entre parenthèses la réalité concrète du locuteur qui énonce un discours scientifique. On dira, dans un autre vocabulaire, que la science procède du sujet transcendantal et non du sujet empirique, le scientisme consistant à ignorer (ou à feindre d'ignorer) que les sujets concrets du savoir scientifique sont toujours des sujets empiriques.

Or, le sujet d'un énoncé de foi chrétienne est toujours empirique lui aussi ; c'est dire qu'une enquête sur l'implication du sujet dans le discours qu'il tient est nécessaire si l'on veut pouvoir préciser la légitimité épistémologique respective des discours scientifique et théologique.

Au terme de cette enquête, il apparaîtra que la démarche scientifique s'est donné des procédures pour réduire l'inévitable implication du sujet empirique dans le discours scientifique et, corrélativement, que d'autres modalités d'implication du sujet empirique dans le discours qu'il tient ne sont pas incompatibles avec l'exigence de rationalité.

L'analyse du langage ordinaire, qui a été développée par plusieurs auteurs anglo-saxons à la suite des travaux du second Wittgenstein, s'enracine dans une philosophie du langage dont le présupposé essentiel peut s'exprimer sous la forme de l'adage « Ordinary language is all right ». Mais qu'entend-on exactement par « langage ordinaire » ? En fait, il ne s'agit pas (seulement) du langage banal de l'homme de la rue mais de toute forme de langage utilisée dans un contexte approprié. Ainsi, les analystes du langage considèrent que, relativement à l'activité du menuisier, des énoncés contenant des termes comme « lambris », « équarrir », « rabot », « plinthe » ou « cimaise » appartiennent au langage ordinaire, c'est-à-dire au langage ordinaire du menuisier. Ils estiment également que des expressions comme « endoderme », « centrifugation », « chromatographie en phase gazeuse », « acide désoxyribonucléique », « transaminase » et « mitose » appartiennent au langage ordinaire du biochimiste, de même que des vocables comme « théandrique », « propitiation », « sabellianisme », « transsubstantiation », « infaillibilité » ou « décrétale » appartiennent au langage ordinaire du théologien, etc.

Le langage ordinaire n'existe donc pas. Il existe autant de langages ordinaires que de formes de vie.

1. LES JEUX DE LANGAGE [1]

Les *Investigations philosophiques* [2] sont comme des conversations que Wittgenstein entretenait avec lui-même. Ce dialogue a pour but de combattre, par les moyens du langage, l'ensorcellement de l'entendement envoûté par les moyens du langage [3].

On sait déjà que l'auteur du *Tractatus* estimait avoir résolu tous les problèmes philosophiques et que, logique avec lui-même, il s'était fait successivement instituteur, jardinier et maçon [4]. Petit à

---

1. La présentation esquissée ici est plus développée dans J.-F. MALHERBE, *Epistémologies anglo-saxonnes,* Paris, PUF, 1981, chap. 6.

2. Voir note 51, p. 47.

3. IPh 109.

4. Sur la biographie de Wittgenstein, l'on consultera : N. MALCOLM, *Ludwig Wittgenstein,* avec une notice biographique par G.H. von Whright, traduit de l'anglais par G. Durant, in L. WITTGENSTEIN, *Le Cahier bleu et Le Cahier brun,*

petit, cependant, il prit conscience des difficultés de sa « première » philosophie dont le point le plus problématique était certainement la théorie du langage comme représentation du monde selon laquelle toutes les propositions sensées sont réductibles à des tableaux logiques d'états de choses [5]. C'est ainsi que la conviction qu'il y a d'innombrables sortes de propositions et diverses manières d'utiliser ce que l'on nomme « signe », « mot », « proposition » a succédé à la thèse de l'univocité du sens qui était de mise dans le *Tractatus* [6]. Et les « tableaux », qui étaient considérés comme des représentations logiques du monde, ne furent plus désormais considérés que comme des analogies utiles ou déroutantes selon les cas [7].

Comme on l'a déjà dit, c'est sans doute pour faire ressortir l'articulation profonde de l'agir et du savoir que Wittgenstein recourait si volontiers à la métaphore du jeu. L'expression « jeu de langage » est employée dans de nombreux contextes par Wittgenstein [8]. Elle désigne certaines formes primitives de langage. Par exemple, celles qu'utilisent les enfants à l'âge où ils apprennent à parler, ou aussi tout ce qui pourrait être appelé *acte de langage :* commander, remercier, féliciter, raconter, mentir, etc. [9]. Cette expression désigne encore le langage de tous les jours

---

Paris, Gallimard, 1965. Sur l'ambiance culturelle dans laquelle Wittgenstein a vécu, cf. entre autres : A. JANIK et S. TOULMIN, *Wittgenstein, Vienne et la modernité,* Paris, Presses Univ. de France, 1978 et W. BARTLEY, *Wittgenstein, une vie,* Bruxelles, Éd. Complexe, 1978.

5. Les références aux aphorismes du *Tractatus logico-philosophicus-Logisch-philosophische Abhandlung* (Londres, Routledge & Kegan Paul, 1922 ; trad. fr. : Paris, Gallimard, 1961) sont indiquées par la lettre T suivie du numéro de l'aphorisme. Ici : T 3.25 et T 5. En fait, les expressions « première » et « seconde philosophie » ne doivent pas abuser le lecteur. En effet, la « seconde » philosophie de Wittgenstein n'est pas une démolition de la « première ». Il s'y agit plutôt d'assigner aux prétentions du *Tractatus* des limites qui en feront apparaître l'éventuelle pertinence : la « première » philosophie de Wittgenstein pourrait être considérée comme une tentative de formulation d'une *grammaire* du jeu de langage scientifique. L'auteur aurait d'ailleurs souhaité que ses deux ouvrages soient réunis en un volume unique de façon à rendre plus manifeste à la fois la continuité et la discontinuité entre ses deux conceptions du langage.

6. WITTGENSTEIN, *The Blue and Brown Books, Preliminary Studies for Philosophical Investigations,* Oxford, Oxford University Press, 1958 (trad. fr. : *Le Cahier bleu et le Cahier brun,* Paris, Gallimard, 1965), p. 28.

7. T 3.1. ; IPh 83 et 613.

8. IPh 19.

9. IPh 23.

en tant qu'il est considéré avec toutes les activités dans lesquelles il est impliqué. Wittgenstein parle alors du jeu *du* langage. Enfin, cette expression désigne certains systèmes linguistiques particuliers qui font partie d'activités dans lesquelles les mots prennent des sens particuliers : construire un objet d'après un plan, développer des spéculations, former et éprouver des hypothèses, faire des prédictions.

Le fait que, dans sa « seconde » philosophie, Wittgenstein ait considéré le langage comme une réalité indissolublement liée à la vie et à l'action d'une communauté linguistique est souligné par la comparaison du langage et du jeu d'échecs qui est récurrente dans les *Investigations* [10] : la signification d'une pièce du jeu d'échecs, c'est son *rôle* dans le jeu [11] ; celle d'un mot, son *usage* [12].

Le sens d'un signe linguistique n'est donc plus un objet indépendant ; il est relatif à une façon de parler. La seule façon de circonscrire le sens d'un mot est d'étudier les manières dont on l'utilise dans des jeux de langage concrets, d'expliciter sa « grammaire » [13].

Wittgenstein emploie le mot « grammaire » d'une manière un peu inhabituelle. Un exemple peut clarifier l'opposition entre la grammaire des grammairiens et celle de Wittgenstein. La première permet de conjuguer le verbe « croire » à tous les temps et à toutes les personnes : *je crois, tu crois, ... ; je croyais, tu croyais, ... ; je croirai, tu croiras, ...* etc. Elle permet également de modifier ce verbe à l'aide de n'importe quel adverbe, « erronément » par exemple. La grammaire des grammairiens permet donc de dire :

   (a) je crois erronément que...

ou (b) je croyais erronément que...

Mais, de toute évidence, on ne dit jamais (a) tandis que (b) se dit parfois. La « grammaire » de Wittgenstein fait saisir dans quels contextes une expression s'emploie de façon significative : (a) ne se dira pas dans le langage ordinaire mais, dans le langage de Wittgenstein, (a) pourra, à l'occasion — comme c'est le cas dans l'exemple discuté ici —, servir significativement d'exemple d'énoncé non significatif dans le langage ordinaire. La « gram-

---

10. Cf. entre autres IPh 31, 33, 47, 48, 108, 136, 197, 199, 205, 316, 337, 365.
11. IPh 563.
12. IPh 43.
13. Sur le concept de « grammaire », cf. IPh 29, 187, 199, 222, 230, 304, 353, 371, 373, 392, 492, 496, 497, 520, 664.

maire » de Wittgenstein enseigne que, dans certaines circonstances, le mot « crois » ne peut être combiné avec le mot « erronément ». Il s'agit donc d'une grammaire à la fois sémantique et pragmatique puisqu'elle s'occupe de la signification des énoncés syntaxiquement corrects eu égard aux circonstances de leur énonciation. C'est, en définitive, une grammaire contextuelle.

Selon Wittgenstein, les problèmes philosophiques, qui ne sont manifestement pas des problèmes empiriques, peuvent être résolus non pas en apportant de nouvelles informations mais en arrangeant nouvellement ce que l'on sait déjà. Le but de la philosophie, selon le philosophe autrichien, c'est de clarifier les obscurités du langage en analysant les jeux de langage particuliers afin de détecter les maladies que peuvent provoquer des analogies superficielles dans l'emploi des mots [14].

Pour Wittgenstein, un problème philosophique se pose lorsqu'on se réfère, en jouant un jeu de langage déterminé, à la « grammaire » d'un autre jeu de langage. Autrement dit lorsqu'on confond ou mélange différentes « grammaires ». La philosophie est une activité qui consiste à déceler les symptômes de telles confusions et à en extirper les causes. La philosophie est donc, dans cette perspective du moins, une activité thérapeutique : *le philosophe,* écrit Wittgenstein, *traite une question comme une maladie* [15]. Mais, quelle est en fait cette maladie ? Comme l'a remarqué Ngwey Ndonga Ndenge : « En un mot, le mal, c'est cette aliénation de l'esprit détourné du seul terrain réel où se déploie le langage humain : la pratique et l'usage quotidiens dans toute leur complexité, leur richesse et leur concrétude [16] ».

Un exemple, dont on a déjà usé dans une publication antérieure [17], permettra sans doute de mieux cerner ce que Wittgenstein considère comme le travail du philosophe.

Imaginons la situation suivante : un professeur de philosophie du langage réunit devant son auditoire trois personnages célèbres : Isaac Newton, le Petit Prince et le Lecteur Moyen du *Nouvel Observateur.* Ce professeur, voulant faire une étude sur la signification des phrases françaises,

---

14. IPh 109, 119, 123, 124, 125, 126, 127, 129, 203, 415...
15. IPh 255.
16. Ngwey NDONGO A NDENGE, « Le normal et le pathologique dans la thérapeutique wittgensteinienne », dans J.-F. MALHERBE (édit.), *Langage ordinaire et philosophique chez le « second » Wittgenstein,* Louvain-La-Neuve, Publications de l'Institut de linguistique, 1981, p. 87.
17. Cf. J.-F. MALHERBE (édit.) *op. cit.,* note 16.

demande à chacun de ses invités d'écrire sur un bout de papier la première phrase qui lui vient à l'esprit. Il impose une seule condition : que dans leur phrase il s'agisse d'un « coucher de soleil ». Monsieur Lecteur Moyen remet le premier la feuille sur laquelle il écrit : « En vacances, chaque soir de beau temps, je contemple le coucher de soleil. » Plus timide, le Petit Prince tend gentiment un bout de papier où l'on peut lire : « Un jour, j'ai vu le soleil se coucher quarante-trois fois. » Enfin, le savant Isaac Newton communique le résultat de ses observations expérimentales. Son rapport indique que « jamais le soleil ne se couche ».

Fort de cette expérience parfaitement réussie, le professeur commente ainsi l'événement : chacun de ses invités joue spontanément dans un jeu de langage différent de celui dans lequel joue chacun des deux autres, c'est pourquoi un coucher de soleil représente pour chacun une réalité très différente. Et, en effet, les phrases de ces trois locuteurs appartiennent à des jeux de langage différents. Les activités humaines de chacun façonnent le jeu de langage dans lequel il s'exprime. Le jeu poétique du Petit Prince n'est pas du tout régi par la même grammaire que le jeu « réaliste » du Lecteur Moyen ni, a fortiori, que le jeu « astro-physique » d'Isaac Newton. Chacun a des activités, un milieu, des intérêts, des idées, des intentions et des attentes que n'ont pas les deux autres. Chacun vit une vie différente des deux autres. A la limite, on pourrait dire que les trois locuteurs parlent des langages différents.

L'intérêt de la notion de « jeu de langage » est de souligner le fait que chaque jeu de langage est régi par des règles particulières qui le définissent. Les règles du langage poétique ne sont pas les mêmes que celles du langage ordinaire, ni a fortiori que celles du langage scientifique. Étudier un jeu de langage, c'est étudier les règles qui régissent le bon usage des mots et des phrases dans ce jeu de langage. Chaque jeu bien conçu a des règles cohérentes ; il en va de même pour les jeux de langage. Mais il arrive que des jeux de langage entrent en collision : parfois on parle dans un jeu de langage en appliquant les règles qui définissent un autre jeu de langage. Selon Wittgenstein, ces collisions sont à l'origine de toutes sortes de difficultés philosophiques que les érudits s'acharnent à résoudre, mais qui sont en fait de faux problèmes, c'est-à-dire des problèmes mal posés.

Imaginons que Newton rencontre le Petit Prince et l'entende dire : « Un jour, j'ai vu le soleil se coucher quarante-trois fois. » Il risque fort de lui faire la leçon et de vouloir lui apprendre que ce qui définit un jour, c'est l'intervalle de temps entre deux passages successifs du soleil au midi vrai et que, par conséquent, il est contradictoire, même pour un observateur situé sur une planète, de dire que le soleil se couche quarante-trois fois en une journée. Si Newton faisait cela, il montrerait qu'il n'a rien compris au langage poétique et qu'il n'est qu'un érudit desséché et recouvert d'autant de poussière que les livres de son petit univers bibliothécaire. Il ne serait alors qu'une espèce de vulgaire businessman comme celui que décrit Saint-Exupéry.

C'est en s'inspirant de la « seconde » philosophie de Wittgenstein et des développements qu'elle suscita chez certains de ses disciples, que l'on tentera, dans les chapitres qui suivent, d'une part, de spécifier les « grammaires » de jeux de langage propres à la science, à la philosophie et à la théologie et, d'autre part, de faire apparaître la « ressemblance de famille » en laquelle on reconnaîtra la marque de la rationalité discursive.

On pourra se demander, évidemment, ce qu'ont en commun les différentes pratiques qui s'exercent dans les laboratoires scientifiques ou les multiples propos philosophiques, etc. pour être désignés par le même nom : « science », « philosophie », etc. Et a fortiori aura-t-on le droit de s'interroger sur ce que ces regroupements eux-mêmes ont en commun pour être qualifiés de « discours rationnels ». Wittgenstein, qui s'était posé cette question à propos des jeux de langage, répondait qu'on ne peut pas définir un jeu de langage ni énumérer avec précision les principaux traits communs de ces jeux. *Aucune* caractéristique n'est partagée par tous. Leur communauté provient uniquement d'une *ressemblance de famille :* tous les membres d'une même famille n'ont que très rarement le même nez ou les mêmes yeux, mais, par contre, ils partagent généralement un air de famille qui permet de reconnaître des frères et sœurs entre eux. Il en est ainsi pour les jeux de langage [18] et l'on forme ici l'hypothèse que c'est à l'aide du concept de « ressemblance de famille » que l'on pourra esquisser une articulation du champ des interprétations.

Cependant, si l'analogie du jeu vaut, il faudra parvenir à expliciter les règles des différentes espèces de jeux de langage. C'est à cette tâche que se sont employés certains disciples anglais du philosophe autrichien.

2. LES ACTES DU LANGAGE

L'étude des langages ordinaires dans la ligne inaugurée par Wittgenstein dans les *Investigations philosophiques,* en dépit de tout l'intérêt qu'elle présente, se heurte à une difficulté considéra-

---

18. Il vaut la peine de citer ici le texte de Wittgenstein lui-même (notre traduction) : IPh 66 et 67.

« Considérons, par exemple, les processus que nous nommons les "jeux". J'entends les jeux sur damier, les jeux de cartes, les jeux de balle, les jeux de combat. Qu'est-ce qui leur est commun à tous ? — Ne dites pas : Il faut que quelque

ble. Elle ne réussit à fournir aucune méthode générale pour l'investigation systématique des règles d'usage des expressions ni pour la caractérisation des divers jeux de langage possibles [19]. C'est pourquoi certains disciples de Wittgenstein ont tenté de préciser ses intuitions sous la forme d'une théorie des actes de langage [20].

Austin [21], tout d'abord, a remarqué que certains énoncés n'impliquent pas la question de leur vérité. Ainsi, par exemple, l'énoncé « Je vous nomme directeur de cette école » n'est pas une description qui pourrait être vraie ou fausse mais, pour autant que le locuteur soit ministre de l'Éducation et l'auditeur instituteur, il s'agit d'une véritable nomination c'est-à-dire d'un *acte* (adminis-

chose leur soit commun autrement ils ne se nommeraient pas "jeux" — mais voyez d'abord si quelque chose leur est commun à tous. Car si vous les considérez, vous ne verrez sans doute pas ce qui leur est commun à tous mais vous verrez des ressemblances, des affinités, et à vrai dire vous en verrez toute une série. Comme je l'ai dit : ne pensez pas mais voyez ! Voyez, par exemple, les jeux sur damier avec leurs multiples affinités. Puis passez aux jeux de cartes : ici vous trouverez beaucoup de correspondances avec la classe précédente mais beaucoup de traits communs disparaissent tandis que d'autres apparaissent. Si, dès lors, nous passons aux jeux de balle, il reste encore une part de commun mais beaucoup se perd. — Tous ces jeux sont-ils divertissants ? Comparez les échecs et la marelle. Ou bien y a-t-il pour chacun d'eux le fait de gagner et de perdre, ou une compétition des joueurs ? Songez aux patiences. Dans les jeux de balle, on gagne et on perd mais, quand un enfant lance la balle contre un mur et la rattrape, ce caractère se perd. Voyez quel rôle jouent l'adresse et la chance. Et combien différentes l'adresse aux échecs et l'adresse au tennis. Songez maintenant aux jeux de rondes : ici, il y a l'élément du divertissement mais combien d'autres traits caractéristiques ont disparu ! Et ainsi, nous pouvons parcourir beaucoup d'autres groupes de jeux ; voir surgir et disparaître des ressemblances.

« Ainsi s'énonce le résultat de notre observation : nous voyons un réseau complexe de ressemblances qui se recouvrent et se croisent mutuellement. Ressemblances d'ensemble comme de détail.

« Je ne puis caractériser mieux ces ressemblances que par le mot "ressemblance de famille" ; car c'est de la sorte que se recouvrent et se croisent mutuellement les différentes ressemblances qui existent entre les différents membres d'une famille : la taille, les traits du visage, la couleur des yeux, la démarche, le tempérament, etc. — Et je disais : les "jeux" constituent une famille. »

19. AS II 110.

20. Certains d'entre eux n'ont pas dû attendre la publication posthume des IPh pour bénéficier des réflexions de leur auteur. Ils avaient, en effet, suivi ses leçons à Cambridge et eu connaissance d'écrits intermédiaires tel, par exemple, *Wittgenstein* (1958) qui circulait sous le manteau dès 1934-1935.

21. AUSTIN (1962) résumé dans AS I 93-97.

tratif). Dans des circonstances appropriées, l'énonciation d'une telle phrase consiste, en effet, à effectuer véritablement la nomination. En énonçant la phrase, on fait ce qu'elle dit. Si, toutefois, les circonstances n'étaient pas appropriées ou si les interlocuteurs étaient inadéquatement qualifiés, l'énoncé ne serait pas faux mais simplement « abusif » ou « raté ». Les énoncés dont l'évaluation ne se pose pas en termes de vérité et de fausseté mais de performance réalisée ou non sont appelés par Austin *performatifs* par opposition aux énoncés *constatifs*.

Cependant, à la limite, on pourrait considérer qu'un énoncé constatif (par exemple : « il neige sur la ville ») a toujours une dimension performative. En effet, il nous invite à voir les choses d'une certaine façon. C'est pourquoi Austin a remplacé sa première typologie par une autre, plus précise, qui met en évidence, dans toute énonciation, trois aspects nettement distincts. L'aspect *locutionnaire* d'une énonciation consiste en son *sens* et sa *référence*. Ainsi, l'énoncé « Pierre est un bon écrivain » se réfère à l'objet Pierre sous l'angle d'une évaluation de son style. On dira que le prédicat « un bon écrivain » est attribué à l'objet Pierre. Mais cette attribution peut s'effectuer selon diverses modalités : le souhait « Pourvu que Pierre soit un bon écrivain », l'interrogation « Pierre est-il un bon écrivain ? », la négation « Pierre n'est pas un bon écrivain » ou le regret « C'est dommage que Pierre ne soit pas un bon écrivain ». Ces diverses modalités de l'attribution du prédicat au sujet constituent l'aspect *illocutionnaire* de ces énonciations. Celles-ci sont, en effet, affectées, dans chaque cas, d'un marqueur de force illocutionnaire différent. L'aspect locutionnaire d'une énonciation est modifié par son aspect illocutionnaire qui marque son insertion dans un jeu de langage particulier. Le jeu des regrets n'est pas celui des souhaits... L'aspect *perlocutionnaire* d'une énonciation est relatif à sa dimension pragmatique : l'énonciation est-elle efficace ? atteint-elle son but ou, au contraire, manque-t-elle son objectif ? L'aspect perlocutionnaire d'une énonciation reflète sa finalité.

Dans l'exemple précité, « Je vous nomme directeur de cette école », l'aspect locutionnaire de l'énonciation reflète le rapport établi entre l'objet *vous* et le prédicat *directeur de cette école ;* l'aspect illocutionnaire précise que ce rapport consiste en un acte de nomination ; et l'aspect perlocutionnaire, qui est relatif aux circonstances et aux qualifications des interlocuteurs, manifeste la performance accomplie par l'acte d'énonciation : la nomination est effective ou, si les conditions appropriées ne sont pas remplies, nulle et non avenue.

Dans la perspective ouverte par les travaux d'Austin, on pourrait formuler ainsi la question des rapports entre science, philosophie et théologie : comment les énoncés appartenant aux langages scientifique, philosophique et théologique sont-ils marqués illocutionnairement ? C'est surtout Searle qui a étudié la logique des marqueurs de force illocutionnaire [22].

Sa théorie des *actes de langage,* inspirée également par les travaux de Strawson [23], se situe explicitement dans le sillage du « second » Wittgenstein. Elle se fonde, en effet, sur le principe que « parler un langage, c'est s'engager dans une forme hautement complexe de conduite régie par des règles » et propose une formulation explicite de ces règles. On peut considérer, semble-t-il, que la théorie des forces illocutionnaires est la véritable mise en œuvre de la philosophie des jeux de langage.

Searle étudie, notamment, le cas de la promesse et, à cette occasion, il est conduit à préciser certaines des notions introduites par Austin. D'un point de vue logique, estime Searle à la suite d'Austin, un acte de langage est généralement de la forme suivante :

$$F (p).$$

Dans cette formule, F désigne la *force* illocutionnaire et p la proposition logique affectée par F. Mais p est elle-même composée d'une référence à un objet (R) et d'un prédicat attribué à cet objet (P). On peut donc décrire formellement un acte de langage de la façon suivante :

$$F (p) = F (R,P).$$

Searle estime que la référence et la prédication sont également des actes de langage. Ainsi, par exemple, une promesse est un acte de langage complexe composé d'actes de langage élémentaires.

C'est dans ce cadre théorique que Searle tente d'expliciter les conditions d'effectuation correcte d'une promesse sincère. Soient

---

22. Searle (1969).
23. Strawson (1959) et (1971). C'est surtout sur la question des relations entre Référence et Prédication que l'influence de Strawson est sensible dans la théorie de Searle.

e, l'énoncé formé par une force illocutionnaire F et par une proposition p elle-même composée d'une référence R et d'un prédicat P ; L, un locuteur et A un auditeur. Ainsi complétée, la formule d'un *acte de langage* s'écrit :

$$L : e : A$$
$$\text{ou} \quad L : F (p) : A$$
$$\text{ou encore} \quad L : F (R,P) : A$$

On dira alors que L, en énonçant e, effectue à l'égard de A une promesse sincère si et seulement si les conditions suivantes sont remplies :

(1) L'énonciation de e peut établir une communication entre L et A ou, plus précisément, e est énoncé intelligiblement par L et A peut l'entendre intelligemment. (Condition de communicabilité.)

(2) En énonçant e, L exprime que p, c'est-à-dire attribue un prédicat P à un objet auquel il se réfère en utilisant R. (Condition de contenu.)

(3) En exprimant p, L se désigne lui-même comme l'objet auquel se réfère p et L prédique à son propre sujet un acte futur (en lequel consiste l'accomplissement de la promesse). Cet acte futur est noté f. (Condition d'auto-implication.)

(4) A préfère que L accomplisse f au contraire. (Condition de préférence.)

(5) L et A considèrent que L pourrait ne pas accomplir f. (Condition de liberté.)

(6) L a la ferme intention d'accomplir f. (Condition de sincérité.)

(7) En énonçant e, L se place dans l'obligation d'accomplir f. (Condition d'obligation.)

(8) En énonçant e, L fait savoir à A que (7). (Condition de communication.)

(9) Les règles de la langue de L et A sont telles que l'énonciation de e n'est une promesse sincère que si les conditions (3) à (7) sont réalisées. (Conditions de complétude.)

Les conditions (1), (2), (8) et (9) sont des conditions générales valables pour tout acte de langage réussi, tandis que les conditions (3) à (7) sont propres au type particulier d'acte de langage dont il s'agit. Autrement dit, le premier groupe de conditions définit la notion de jeu de langage et le second précise la particularité du jeu de langage envisagé. On voit bien, d'après la condition (9), qui appartient au premier groupe mais se réfère au second, qu'il n'y a pas d'acte de langage en général mais seulement des façons chaque fois particulières d'utiliser des phrases. Des ensembles de conditions de ce type peuvent être formulés pour tous les jeux de langage possibles et c'est bien en cela que la théorie de Searle pourra contribuer à clarifier les « ressemblances de famille » et les différences entre les langages scientifique, philosophique et théologique. On y reviendra plus loin.

3. LE LANGAGE AUTO-IMPLICATIF [24]

Un autre disciple d'Austin [25], Donald D. Evans, s'est intéressé plus particulièrement à l'analyse du langage religieux qu'il caractérise essentiellement par sa logique auto-implicative. Bien que son livre ait paru plusieurs années avant *Les Actes de langage,* il est préférable d'exposer ses thèses après celles de Searle. En effet, l'ouvrage de Evans, qui est le fruit de l'exercice d'un talent analytique extrêmement subtil et nuancé, demandait à être repris d'une manière plus synthétique et il a paru que le cadre général de la théorie de Searle pouvait servir d'appui à une telle reformulation. On trouvera donc ici un exposé simplifié de « La logique de l'auto-implication ». Les simplifications opérées sont de deux ordres. D'une part, on s'est efforcé d'homogénéiser le vocabulaire utilisé par les différents auteurs de la théorie des actes de langage ; et, d'autre part, on a tenté de lier entre elles de façon plus systématique des notions et des remarques que les talents analytiques de l'auteur ont laissées sans lien explicite. Il existe, du reste, de *La Logique de l'auto-implication,* une présentation française extrêmement fidèle due à Jean Ladrière [26].

Forces performatives

La question qui forme le point de départ des analyses de Evans est celle-ci : « Comment un langage peut-il impliquer logiquement un locuteur dans quelque chose de plus que le simple assentiment

24. Donald D. EVANS, *The Logic of Self-Involvement. A Philosophical Study of Everyday Language with Special Reference to The Christian Use of Language about God as Creator,* Londres, SCM Press, 1963, 1 vol. de 293 pages. (En abrégé : Lsi.)

25. Lsi p. 9.

26. AS I, chap. 4.

à l'égard d'un fait [27] ? » Autrement dit, et l'on rejoint ici le point central de la critique de la *métaphysique de la représentation,* « Comment un langage peut-il n'être pas simplement constatif ? » ou encore « Comment un locuteur peut-il être conduit à se trouver personnellement impliqué par ses propres propos, actuels ou antérieurs ? » Searle a également touché cette question lorsqu'il formule, dans l'analyse de la promesse, la condition n° 3 stipulant que « en exprimant p, L se désigne lui-même comme l'objet auquel se réfère p, et L prédique à son propre sujet un acte futur en lequel consiste l'accomplissement de la promesse ». Mais Searle, qui ne cite pas l'ouvrage de Evans de six années antérieur au sien, ne s'attache pas à élucider l'aspect proprement auto-implicatif de la promesse. Il se contente de proposer quelques remarques sur le fait que l'acte prédiqué au sujet du locuteur ne saurait être, s'agissant d'une promesse, un acte passé [28].

Le point sur lequel les analyses de Searle et Evans divergent le plus fort est la théorie des *forces illocutionnaires* (que Evans appelle *forces performatives*). Cependant, leurs analyses, comme on va le voir, ne sont pas incompatibles. La formule générale d'un acte de langage énoncée plus haut reste pertinente dans la théorie de Evans qu'elle permet d'ailleurs de systématiser quelque peu. Étant donné l'importance qu'elle prendra dans les considérations qui suivent, on l'énoncera ici en la développant complètement.

Soit les notations suivantes :

E   : pour l'*énonciation* considérée dans sa totalité (synonyme : acte de langage).

C   : pour le *contexte* dans lequel est faite l'énonciation E.

L   : pour le *locuteur* qui est l'agent de E.

A   : pour l'*auditeur* qui est le « patient » de E, celui qu'affecte (éventuellement) E.

e   : pour l'*énoncé* que forme le locuteur à l'adresse de l'auditeur.

F   : pour la *force performative* (on adopte ici le langage de Evans) qui donne à l'énoncé sa spécificité pragmatique ou communicationnelle.

p   : pour la *proposition* ou le contenu logique que l'on peut abstraire de e en ne tenant pas compte de F.

27. Lsi, p. 11.
28. SEARLE (1969) p. 99.

R : pour l'acte de *référence* que contient nécessairement e et
   donc E.
p : pour l'acte de *prédication* que contient nécessairement e et
   donc E.
La formule complète se construit donc comme suit :

$$E = C (L : e : A)$$

Un acte de langage (une énonciation) consiste, dans un contexte
particulier, pour un locuteur donné, à adresser un énoncé à un
auditeur (au moins virtuel).
Mais puisqu'un énoncé (e) est lui-même une réalité complexe composée d'une force performative et d'une proposition logique, c'est-
à-dire d'un acte de référence et d'un acte de prédication ; autrement
dit, puisque e = F (p) = F (R,P),
la formule complète s'écrit comme suit :

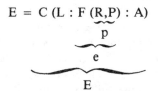

Le vocabulaire de base des analyses de Evans étant précisé, il
reste, avant d'exposer sa théorie proprement dite, à illustrer
l'usage de la terminologie ainsi définie.
Soit l'acte de langage (l'énonciation) :
E : « Je vous promets de venir demain », acte posé dans la rue
   par un passant rencontrant un ami.
C : une rencontre en rue.
L : le passant qui pose l'acte de langage.
A : l'ami du passant auquel est adressé l'énoncé proféré par L.
e : l'énoncé grammatical « je vous promets de venir demain ».
F : la force performative qui fait de e une promesse.
p : la proposition logique (ou contenu logique) abstraite de e
   soit : « X rendra visite demain à Y ».
R : la référence incluse dans p. Elle est double puisqu'il s'y agit
   de X et de Y. R est l'acte posé par L lorsqu'il parle de X et
   de Y en énonçant e, c'est-à-dire lorsqu'il parle de lui-même
   (auto-référence) et de son ami (hétéro-référence).

P : le prédicat inclus dans p. Il a ici la forme d'une relation entre deux variables. P est l'acte que pose L en mettant X et Y dans une relation particulière.

En posant E dans le contexte indiqué, L met donc X (lui-même) et Y (son ami) dans une relation (« ... rendra visite demain à... ») qui est performativement modifiée par une force particulière (promesse).

On se souvient que Searle avait énuméré différents « marqueurs de force illocutionnaire » : le constat, le souhait, l'interrogation, la négation. Evans, quant à lui, semble se situer à un niveau d'analyse plus profond lorsqu'il distingue cinq espèces de forces performatives caractérisant respectivement les énonciations qu'il appelle constats *(constatives),* verdicts *(verdictives),* décrets *(exercitives),* engagements *(commissives)* et conduites *(behabitives)* [29]. Pour Evans, toutes les énonciations appartiennent à l'une au moins de ces cinq espèces qu'il reste à définir avec plus de précision avant de pouvoir aborder la théorie des auto-implicatifs.

Les constats

Toute énonciation est un acte de langage : on fait toujours quelque chose quand on dit quelque chose. « Je conjecture qu'il y a 197 fèves dans cette urne » (d). En disant cela, le locuteur forme effectivement une conjecture [30]. Mais si l'on fait abstraction de la force performative qui caractérise cette énonciation, on obtient un *énoncé* dont l'évaluation est possible en termes de vérité : le contenu d'une énonciation, la proposition logique que modifie la force performative, se distingue de cette force. Tous les actes de langage, tous les performatifs ont un contenu logique qu'il est possible d'abstraire de l'énonciation en le séparant de la force performative caractéristique de l'énonciation [31]. Lorsque ce contenu logique est factuel, c'est-à-dire lorsqu'il peut être évalué en termes de vérité, alors l'énonciation est un *constat* [32]. L'énonciation « Il y a effectivement 197 fèves dans cette urne » faite à la suite d'un décompte rigoureux est également un *constat,* même si sa force

29. On reprend ici les équivalents français proposés par J. LADRIÈRE pour les termes techniques utilisés par Evans.
30. Lsi, p. 30.
31. Lsi, p. 32.
32. Lsi, p. 31.

performative diffère de celle de l'énonciation (d) : une affirmation n'est pas une conjecture, mais toutes deux sont des *constats* parce qu'elles contiennent une proposition logique de type factuel.

Les verdicts

Le contenu logique d'un *constat* se rapporte à une question de *fait*. Le contenu logique d'un *verdict* se rapporte à une question d'*opinion* ou de jugement [33]. Les questions de *fait* peuvent trouver une réponse justifiée par quelque méthode objective acceptée par le sens commun ou les usages scientifiques. Les question d'*opinion,* par contre, ne peuvent pas être résolues par un appel à des procédures reconnues publiquement comme objectives. Elles supposent, au contraire, l'exercice d'une certaine subjectivité, même si celle-ci se conforme à des critères socialement reconnus [34]. Evans propose pour exemple de *verdict :* « J'évalue votre bague à £ 200 » [35].

Les décrets

« Je vous nomme gouverneur du Kenya. » Dans un décret, une autorité institutionnelle, dans l'exercice de ses fonctions, produit, en disant quelque chose, un nouvel état de choses institutionnel [36]. Un décret n'a pas de contenu logique *factuel.* La proposition contenue dans un décret n'est pas évaluable en termes de vérité ; elle est cependant susceptible de rater ou de réussir [37]. En effet, un *décret* n'est effectif que s'il est fait par un locuteur qui a l'autorité voulue et s'il est adressé, dans des circonstances appropriées, à un auditeur dûment qualifié. On rejoint ici de façon plus élaborée l'intuition de Austin qui, dans sa première typologie, distinguait les constatifs et les performatifs par la nature de l'échec qu'ils étaient susceptibles d'encourir. Un constatif pouvait être vrai ou faux, un performatif, réussi ou raté. Pour Evans, comme pour Austin dans sa seconde typologie, toutes les énonciations sont des performatifs puisqu'elles sont toutes caractérisées par une force

33. Lsi, p. 36.
34. Lsi, p. 36.
35. Lsi, p. 37.
36. Lsi, p. 33.
37. Lsi, p. 28.

« illocutionnaire » (Austin-Searle) ou « performative » (Evans) particulière [38].

Les engagements

Dans le cas des *constats*, des *verdicts* et des *décrets*, le locuteur est impliqué dans la force performative de son énonciation (puisque c'est précisément lui qui *fait* l'énonciation) mais pas dans le contenu logique de son énonciation. Dans le cas des *engagements* et des *conduites*, au contraire, le locuteur s'implique également dans le contenu logique de son énonciation. Il fait référence à lui-même dans l'énoncé que comporte son acte de langage. C'est pourquoi Evans appelle « auto-implicatifs » les performatifs commissifs *(engagements)* et behabitifs *(conduites)*. Un engagement n'est ni vrai ni faux. Il est respecté ou non [39]. « Je promets de vous rendre ce livre demain » n'est pas évaluable en termes de *vérité* mais bien en termes de *fidélité*.

Les conduites

« Je vous remercie », « Je vous prie de bien vouloir m'excuser » établissent également une relation entre le locuteur et une autre personne [40]. Cependant, alors que dans le cas de l'*engagement,* il est possible d'abstraire un contenu logique de l'énonciation, ce n'est pas le cas pour les conduites [41]. Celles-ci impliquent non pas un acte futur du locuteur (comme Searle l'a montré pour la promesse) mais simplement une attitude de celui-ci, attitude dictée par les usages sociaux. Les conduites représentent une forme affaiblie d'engagements comme les verdicts représentent une forme affaiblie de constat. La *conduite* est moins « impliquante » que l'*engagement,* l'implication du locuteur y est moins forte. Le *verdict* est moins objectif, plus subjectif que le *constat,* l'implication du locuteur y est plus forte. La différence essentielle entre les *engagements* et les *conduites,* d'une part, et les *constats* et les *verdicts,* d'autre part, tient à la nature de l'implication du locuteur dans son acte de langage. Dans les quatre cas, le locuteur est impliqué dans la force performative dont il affecte l'énoncé

38. Lsi, p. 38.
39. Lsi, p. 32.
40. Lsi, p. 34.
41. Lsi, p. 35.

qu'il utilise. Mais il n'est impliqué dans l'énoncé lui-même que s'il s'agit d'*engagements* ou de *conduites* qui sont pour ainsi dire auto-référentiels.

Évidemment, la division des performatifs en cinq classes n'est pas tranchée [42]. Certains verbes, en effet, peuvent exprimer la combinaison de diverses forces performatives (pardonner, avertir) et, d'autre part, la force performative d'un verbe peut se modifier en fonction du contexte de son usage. Certains performatifs peuvent être explicites : « Je vous nomme... », d'autres implicites : « Vous êtes désormais... »

La signification d'un énoncé peut éventuellement être réduite, d'un point de vue strictement logique, à son sens et à sa référence, mais il n'en va pas de même pour la signification d'une énonciation qui, en raison même de sa nature, est liée à la force performative qui la caractérise [43]. Pour ce qui est des *conduites* et des *engagements,* la signification des énoncés qu'ils contiennent n'est pas réductible à leur sens et référence ; en effet, leur référence est précisément le locuteur et ce dernier procède à l'énonciation en s'appuyant sur une force performative particulière. Dès lors, la signification de l'énoncé contenu dans un engagement ou une conduite n'est pas dissociable de la signification de l'acte de langage considéré globalement. C'est une des raisons pour lesquelles la logique classique des propositions (constatives) ne peut s'appliquer ni aux conduites ni aux engagements [44].

Performatifs auto-implicatifs

Dans la perspective de la présente recherche, les *engagements* et les *conduites* requièrent un examen plus approfondi, car l'aspect auto-implicatif qui les caractérise paraît lié à la nature profonde du langage religieux qu'il s'agit d'élucider [45]. Les *conduites* semblent moins « impliquantes » que les *engagements* et les *constats* moins que les *verdicts.* On pourrait dire que *constat* et *engagement* s'excluent mutuellement, tandis que les *conduites* et les *verdicts* sont plus proches. En présentant des excuses à quelqu'un

42. Lsi, p. 39.
43. Lsi, p. 69.
44. Lsi, p. 13-14.
45. Lsi, p. 46.

(conduite), on implique que celui-ci vaut la peine d'être respecté *(verdict).* Et en jugeant que telle personne est éminente *(verdict)* dans tel ou tel ordre de qualité, on implique (fût-ce implicitement) que l'on adopte à son égard une attitude déférente *(conduite).*

Usages du langage

Certaines formes de langage performatif (les engagements et les conduites) sont auto-implicatives. Mais une théorie complète du langage auto-implicatif ne saurait se réduire à une théorie du langage performatif. Outre l'usage performatif du langage, Evans distingue encore un usage causal [46] et un usage expressif [47] du langage. Jusqu'ici, en effet, l'on n'a considéré, dans la théorie du langage performatif, que le rapport du locuteur et de l'énoncé, rapport établi par la force performative dont le locuteur marque l'*énoncé* et qui, dans certains cas, entraîne l'implication du locuteur lui-même dans l'énoncé. Mais il reste à examiner le rapport du locuteur à l'auditeur, rapport établi par l'*énonciation.* C'est, en effet, l'énonciation qui permet une communication éventuelle entre le locuteur et l'auditeur. Dans une perspective communicationnelle, l'usage performatif du langage apparaît comme un aspect certes important mais limité de l'usage du langage.

Dans sa seconde terminologie, Austin avait parlé d'un aspect *illocutionnaire* et d'un aspect *perlocutionnaire* du langage. Le premier était relatif à ce que *fait* le locuteur en disant ceci ou cela ; le second à l'*effet* que produit éventuellement, sur l'auditeur ou le contexte, l'acte de langage posé par le locuteur. Evans reprend cette distinction fondamentale, mais l'exprime dans une terminologie différente qui risque de prêter à confusion si l'on n'y prend garde. Evans appelle *usage performatif* du langage ce qui correspond chez Austin à l'*aspect illocutionnaire* et *usage causal* ce qui correspond à l'aspect *perlocutionnaire.* Ce préfixe *per* change donc de camp quand on passe d'une terminologie à l'autre. La différence qu'il y a entre l'usage performatif du langage et l'usage causal est la même que celle qui existe entre faire quelque chose et obtenir un résultat.

Dans un cadre communicationnel, la réussite ou l'échec d'un

46. Lsi, p. 68-73.
47. Lsi, p. 79-141.

acte causal de L apparaîtra le plus souvent par le truchement d'un nouvel acte de langage posé par A en réponse à l'énonciation que lui adressait L. Ce nouvel acte de langage est appelé par Evans *corrélatif* du premier. Soit, par exemple, l'engagement « Je vous promets de ne jamais vous abandonner » [48] et la réponse « Je vous fais confiance » [49] ; ces deux énonciations sont corrélatives. Une réponse est corrélative à un performatif lorsque l'auteur de celle-ci affirme implicitement en répondant qu'il prend l'acte de son interlocuteur « comme ayant une force performative qui fait de sa propre réponse une réponse appropriée » [50]. Celui qui répond donne, en effet, à son énonciation une forme performative telle qu'elle n'a de sens que s'il reconnaît, suppose ou attribue à l'énoncé de son interlocuteur une force performative corrélative à celle de sa réponse. Cet aspect de l'énonciation-réponse montre qu'il peut y avoir une véritable réponse même en l'absence de question explicite. Cette remarque sera utile lorsqu'il s'agira de préciser exactement la nature du langage religieux. En effet, considéré de l'extérieur, en dehors de toute adhésion à la foi qui le porte, le langage du croyant peut apparaître comme une réponse à un engagement corrélatif qui semble ne jamais s'exprimer explicitement mais est pour ainsi dire posé par la réponse elle-même. On touche ici un phénomène qui est très proche de ce que Evans appelle l'usage causal du langage qui consisterait, en l'occurrence, non pas à créer la parole du locuteur mais à la vivifier en y répondant.

Finalement, il y a trois usages possibles du langage en général et des énoncés en particulier : l'usage performatif, l'usage causal et l'usage expressif. Ces trois usages ne sont évidemment pas mutuellement exclusifs [51] ; dès lors, il y aura toujours au moins trois questions à se poser pour procéder à l'analyse d'un acte de langage [52] :

a) quelle est sa force performative ?

b) quel affect exprime-t-il ?

c) quel effet produit-il ?

Dans le cas des actes relevant soit de l'usage *performatif* soit de

---

48. Lsi, p. 76.
49. Lsi, p. 76.
50. Lsi, p. 77.
51. Lsi, p. 110.
52. Lsi, p. 110.

l'usage *expressif,* il faudra ajouter une quatrième et une cinquième question :

d) est-il auto-implicatif ou non ?

e) suppose-t-il de la part de l'auditeur une *affinité* à l'égard du locuteur ?

Science, philosophie et langage religieux

Ces cinq questions peuvent servir de cadre général à l'analyse concrète des actes de langage et l'on peut d'ores et déjà suggérer la fécondité de cette méthode d'analyse en tentant, d'une manière extrêmement générale (qui sera précisée par la suite), de caractériser les différences et les ressemblances entre les actes de langage relevant du discours scientifique, du discours philosophique et du langage religieux. Cette première caractérisation constitue une tentative pour cerner de plus près ce que Wittgenstein appelait une « ressemblance de famille ».

On a rassemblé, dans le tableau ci-après, les réponses que l'on peut, en toute première approximation, apporter aux cinq questions précitées à propos des trois grandes familles d'actes de langage qui sont en jeu dans la présente recherche.

Le discours scientifique étant le produit intentionnel de la mise en œuvre systématique d'une volonté d'objectivité, l'expression d'affects et l'auto-implication en sont bannis par principe. Et aucune affinité n'est requise de la part de l'auditeur à l'égard du locuteur puisque ce dernier relève, du moins en principe, du sujet transcendantal et non du sujet empirique. Au sens que donne Evans à ce terme, on ne fait pas non plus un usage causal des énoncés scientifiques.

D'autre part, le langage religieux suppose, du moins dans ses formes les plus spontanées, un usage à la fois performatif, expressif et causal du langage : performatif puisque l'énonciation religieuse est une conduite sinon un engagement ; expressif puisque, si elle est authentique, elle exprime la foi religieuse du locuteur ; et causal puisque l'affinité que l'énonciation religieuse suppose de son auditeur est renforcée ou déforcée par cette énonciation elle-même, renforcée si elle existe à un stade suffisamment avancé : déforcée si elle était trop faible. On touche ici à la réalité que tente d'exprimer à sa manière l'adage « la foi suppose la foi ». On reviendra, dans le chapitre 8, à cet aspect capital du langage religieux.

LANGAGE QUESTIONS	SCIENTIFIQUE	PHILOSOPHIQUE (spéculatif)	RELIGIEUX
a) Force performative prédominante :	constat (pur)	verdict	conduite engagement
b) expression d'affect :	non	éventuellement	oui
c) Effet produit :	non	construit ou détruit l'analogie	dé-/renforcement de l'affinité
d) Auto-implication du locuteur :	réduite à son caractère indépassable « asymptotique »	implicite	explicite
e) Affinité de A à l'égard de L :	non	non	oui

Enfin, le discours philosophique, du moins au sens spéculatif du mot, semble plus difficile à spécifier. Sans doute pourra-t-on former l'hypothèse qu'il relève en définitive du *verdict*. Si le verbe paradigmatique est « je constate que... » pour le discours scientifique et « je reconnais que... » pour le langage religieux, il semble qu'en ce qui concerne la philosophie, l'on puisse conjecturer qu'il s'agit de « je juge que... ». En effet, l'auto-implication du philosophe dans son discours est réelle mais volontairement mise entre parenthèses ; on dira qu'elle est implicite. D'autre part, la pensée spéculative s'accommode mal de l'expression d'affects et ne suppose pas d'affinité spéciale de la part de l'auditeur à l'égard du locuteur. Cependant, l'énonciation philosophique produit un effet : elle déconstruit ou renforce les analogies familières de l'auditeur. Il faudra, évidemment, revenir sur ce point auquel, en définitive, on consacrera tout le chapitre 7.

CHAPITRE 4

LA CRÉATIVITÉ DU LANGAGE

> « *On pourrait presque dire que la signification première est comme une rampe de lancement à partir de laquelle la signification seconde peut prendre son vol.* »
>
> J. Ladrière (AS II 186).

C'est non seulement l'implication du sujet empirique dans le discours, mais aussi le fait que tout discours a une histoire, que le scientisme feint d'oublier, discréditant ainsi toute forme de discours attestant sa propre historicité.

Or l'analyse du langage la plus générale fait apparaître le caractère fondamentalement métaphorique de tout énoncé. Et la mise au jour du processus de métaphorisation, universellement présent dans le langage, manifeste non seulement la compatibilité de la métaphore et de la rationalité, mais leur inséparabilité.

Au terme de l'analyse de l'implication du sujet dans le discours (chap. 3) et de l'insurpassable métaphoricité du discours (chap. 4), la véritable nature du scientisme apparaît en pleine lumière : réduire la rationalité aux formes de discours dont la métaphoricité et la subjectivité insurpassables ont été mises entre parenthèses (dans le cadre d'une légitime objectivation scientifique de la réalité).

Du coup s'éclaire également la véritable difficulté du discours théologique à l'âge scientifique : mettre explicitement en œuvre ce que refoule la forme dominante de la rationalité : l'auto-implication et la métaphore.

Que les énoncés de langage ne prennent une signification que dans leur énonciation qui est un acte indique que l'action et le langage ont partie liée plus que ne voulaient le reconnaître les tenants de la métaphysique de la représentation. Ce caractère profondément pratique du langage apparaît également en son sein même car le langage est non seulement agi mais encore agent. Il y a un véritable travail du langage qu'une étude du processus de métaphorisation permet de mettre en évidence. Ce travail est celui de l'*interprétation* et notamment de l'interprétation spéculative. Et la question est de savoir si un langage spéculatif peut être autre chose qu'un réseau de concepts, c'est-à-dire de métaphores usées.

Si c'était le cas, on ne pourrait voir dans un langage spéculatif que le résidu d'une entropie du langage ordinaire dont les métaphores se seraient usées : « La fleur qui éclôt finit un jour dans l'herbier, comme l'*usage* dans l'*usure* [1]. » Ou bien le langage spéculatif exerce-t-il une fonction innovatrice, néguentropique, à l'égard du langage ordinaire ? Dans ce cas, on pourrait soutenir que l'interprétation, qui est essentiellement de nature métaphorique, loin d'être un dérivé du langage ordinaire, en constitue le plus profond dynamisme créateur et que le langage spéculatif, loin d'être un langage métaphorique inavoué, cachant les raisons mêmes qui le font tenir, se donne en toute clarté pour ce qu'il est : le milieu où la parole fait advenir la signification de l'être.

C'est donc la question du rapport entre la métaphore et le langage spéculatif qui surgit au cœur même de la question de l'interprétation. Aussi convient-il de l'aborder de front avant d'examiner en détail les principaux pôles du champ des interprétations. La démarche entreprise ainsi peut paraître latérale car elle relève de la philosophie du langage. Mais il n'en est rien, car, comme le remarque P. Ricœur, à qui l'on emboîtera le pas tout au long de ce chapitre, « qu'est-ce que la philosophie du langage sinon la philosophie elle-même, en tant qu'elle pense le rapport de l'être à l'être dit » [2]. C'est donc sur une préoccupation véritablement ontologique que débouchera l'enquête sur la métaphore.

1. Paul RICŒUR, *La Métaphore vive*, Paris, Seuil, 1975, p. 362 ; cité désormais MV suivi du n° de la page dont est extraite la citation.
2. MV 386.

1. L'OUBLI DE LA MÉTAPHORE ?

« La métaphore n'existe qu'à l'intérieur de la métaphysique. »
Cette affirmation de Heidegger [3] pose que le mouvement inavoué
de la philosophie s'appuie sur le jeu inaperçu de la métaphore et,
par conséquent, qu'il n'y a pas de véritable autonomie du discours
spéculatif à l'égard du langage métaphorique. Cette critique s'inscrit, comme on sait, dans une manière « généalogique » d'interroger les philosophes qui est apparue principalement avec Nietzsche [4] et « qui ne se borne pas à recueillir leurs intentions déclarées,
mais les soumet au soupçon et en appelle de leurs raisons à leurs
motifs et à leurs intérêt » [5]. Dans cette perspective, métaphore et
métaphysique procéderaient d'un seul et même transfert du propre au figuré, du visible à l'invisible, du sensible à l'intelligible. Et
on remarquera d'emblée que cette critique suppose que l'ontologie accordée au langage métaphorique est celle du sensible et du
non-sensible qui procède elle-même de la métaphysique de la
représentation, supposition dont P. Ricœur s'attache à montrer le
caractère arbitraire notamment en précisant le type de référence
qui est en jeu dans l'énonciation métaphorique.

La déconstruction heideggerienne s'adjoignant la généalogie
nietzschéenne, la psychanalyse freudienne et la critique marxiste
de l'idéologie, c'est-à-dire les armes de l'herméneutique du soupçon, constitue une critique radicale dont on pourrait penser, avec
Jacques Derrida [6], qu'elle est en mesure de « démasquer la conjonction *impensée* de la métaphysique *dissimulée* et de la métaphore *usée* » [7]. Ne serait-ce pas à la plante de l'herbier que tien-
drait la métaphysique ?
Avec la métaphore usée, le concept, la métaphoricité

3. MV 357.
4. Cf. F. NIETZSCHE, *Rhétorique et langage,* textes introduits, présentés et
annotés par Ph. Lacoue-Labarthe et J.-L. Nancy, *Poétique,* Paris, Seuil, 1971,
p. 99-142. Et S. KOFMAN, *Nietzsche et la métaphore,* Paris, Payot, 1972.
5. MV 357.
6. J. DERRIDA, « Mythologie blanche, la métaphore dans le texte philosophique » dans *Marges de la philosophie,* Paris, Éd. de Minuit, 1972, p. 247-324.
7. MV 363. On pourra consulter à ce sujet C. NORMAND, *Concept et Métaphore,* Bruxelles, Éd. Complexe (diff. PUF), 1976, qui, s'appuyant sur une perspective psychanalytique, montre « comment la prise en compte de la métaphore
dans ses rapports au savoir peut contribuer à frapper de nullité le point de vue
empiriste sur le donné scientifique » (p. 143).

n'opérerait-elle pas à notre insu, tirant profit de l'ignorance du jeu simultané de la métaphysique inavouée et de la métaphore usée pour instaurer une sorte de neutralité métaphysique du discours spéculatif ? Ne serait-ce pas là où s'efface la métaphore que se livrerait le concept ? Ne serait-ce pas en ravivant les métaphores usées que l'on démasquerait le concept ? Et l'entropie du langage ne serait-elle pas ce que s'efforce de faire oublier une philosophie de la métaphore vive ? On reconnaît dans ces questions de J. Derrida le propos de Nietzsche : « les vérités sont des illusions dont on a oublié qu'elles le sont, des métaphores qui ont été usées et qui ont perdu leur force sensible, des pièces de monnaie qui ont perdu leur empreinte et qui entrent dès lors en considération non plus comme pièces de monnaie mais comme métal » [8]. Ce propos, observe P. Ricœur, inspire le titre même de l'Essai de J. Derrida « Mythologie blanche » : « la métaphysique a effacé en elle-même la scène fabuleuse qui l'a produite et qui reste néanmoins active, remuante, inscrite à l'encre blanche, dessin invisible et recouvert dans le palimpseste » [9]. J. Derrida rejoint ainsi la déclaration de Heidegger : « le métaphorique n'existe qu'à l'intérieur de la métaphysique ». La relève (*Aufhebung*, traduction de J. Derrida) par laquelle la métaphore usée se dissimule dans la figure du concept constituerait le geste philosophique par excellence qui, dans l'ordre de la « métaphysique de la représentation », vise, après les avoir séparés, l'invisible à travers le visible, l'intelligible à travers le sensible, le sens figuré à travers le sens propre. Et il n'y aurait fondamentalement qu'une seule « relève » : métaphysique et métaphore seraient des figures d'une seule et même transgression du discours par rapport à lui-même, transgression qui, dans le langage, porte le sens de l'empirie à l'intelligible en constituant subrepticement celui-là en image sensible de celui-ci.

On voit combien cette « déconstruction » de la métaphysique, que l'on ne peut ici qu'évoquer au passage, tend à exhumer la parole originelle dont sourd toute véritable philosophie en démantelant les réseaux de concepts dont l'apparente neutralité procède de l'oubli du processus de métaphorisation qui leur a donné le jour. Mais est-ce à dire que toute philosophie de la métaphore vive soit inféodée à la métaphysique de la représentation ? C'est ce que

---

8. MV 364.
9. *Ibidem*.

semblent supposer ses détracteurs. Aussi le point central d'un plaidoyer pour la métaphore serait-il nécessairement de démontrer que la logique de la métaphore, loin d'entériner le dualisme platonicien du sensible et de l'intelligible qui sous-tend la métaphysique de la représentation, en constitue une contestation radicale. C'est à cette démonstration qu'est ordonnée toute une partie des études que Paul Ricœur a consacrées à la « métaphore vive ». On s'emploiera ici à en donner une vue d'ensemble qui sera orientée délibérément, en dépit des limitations qu'imposera cette direction, vers l'élucidation du rapport de l'être et de l'être-dit-dans-un-discours-spéculatif. Ce survol devrait contribuer à faire apparaître que, loin d'être un dérivé inavoué du langage ordinaire, « le discours philosophique recourt, de façon délibérée, à la métaphore vive afin de tirer des significations nouvelles de l'impertinence sémantique et de porter au jour de nouveaux aspects de la réalité, à la pointe de l'innovation sémantique » [10] ou encore que « ce n'est pas la métaphore qui porte l'édifice de la métaphysique platonisante ; c'est plutôt celle-ci qui s'empare du procès métaphorique pour le faire travailler à son bénéfice » [11].

Ces thèses, que nous reprenons à Paul Ricœur, s'appuient sur une théorie de la métaphore qu'il a lui-même élaborée et qu'il est nécessaire d'évoquer ici étant donné l'importance capitale qu'elle prendra dans l'élucidation de la structure du champ herméneutique. Avant de revenir sur la question du statut du langage spéculatif, on s'interrogera donc successivement sur la « grammaire logique » de la métaphore décrite, à la suite de Wittgenstein, par certains auteurs anglo-saxons, sur la relation entre référence et métaphore et, enfin, sur le concept, central pour notre propos, de « vérité métaphorique » [12].

2. LA LOGIQUE DE LA MÉTAPHORE

Selon le dictionnaire Robert, une métaphore est un « procédé de langage qui consiste en un transfert de sens par substitution analo-

---

10. MV 374.

11. L'exposé qui suit est un simple résumé, souvent bien proche de la lettre même de Ricœur, des études III, VI, VII et VIII de *La Métaphore vive*. Le lecteur déjà familiarisé avec les thèses développées dans cet ouvrage pourra éventuellement se rapporter immédiatement à la conclusion du présent chapitre.

12. L'expression est de Paul Ricœur.

gique ». Un exemple donné pour illustrer le procédé est celui d'un transfert d' « un terme concret dans un contexte abstrait » : *la racine du mal.* Cette définition usuelle implique que les mots ont un sens propre et peuvent prendre un sens figuré. Le sens propre d'un terme concret comme *racine* apparaît si le mot est utilisé dans un contexte concret : *la racine de l'arbre.* Le sens figuré apparaît lorsqu'on substitue le mot *racine* au mot *cause,* par exemple, dans l'expression *la cause du mal.* La métaphore consiste donc, à première vue, à transférer un terme dans un contexte inhabituel qui lui donne ainsi un sens figuré.

Cependant cette conception demande à être précisée, car il n'est pas évident que la définition contextuelle de la métaphore soit liée à la distinction sens propre / sens figuré. En effet, les travaux des sémanticiens ont montré que la croyance en un sens propre des mots relève d'une « conception magique du langage » [13]. Dans la sémantique, théorie contextuelle de la signification, « Ce qu'un signe signifie exprime les parties manquantes des contextes desquels il tire son efficacité déléguée » [14]. Telle était d'ailleurs déjà la position de Wittgenstein dans le *Tractatus.* La constance du sens n'est jamais que la constance des contextes et celle-ci ne va pas de soi ; la stabilité est elle-même un phénomène à expliquer. « Ce qui irait plutôt de soi, note Paul Ricœur, ce serait une loi de procès et de croissance comme celle que Whitehead mettait au principe du réel » [15]. Certes la pratique des bons auteurs sert à fixer les mots dans des valeurs d'usage ; mais le sens des mots doit toujours être « deviné » [16] sans que jamais on puisse faire fond sur une stabilité acquise. Comme l'a montré Quine [17], l'expérience de la traduction va dans le même sens : « elle montre que la phrase n'est pas une mosaïque mais un organisme ; traduire, c'est inventer une constellation identique où chaque mot reçoit l'appui de tous les autres et, de proche en proche, tire bénéfice de la familiarité avec la langue entière » [18]. C'est donc d'abord dans l'usage

---

13. MV 102.
14. I. A. RICHARDS, *The Philosophy of Rhetoric,* Oxford Univ. Press, 1936, 1971, p. 35.
15. MV 102.
16. I. A. RICHARDS, *op. cit.,* p. 53.
17. W.V.O. QUINE, *Words and Objects,* Cambridge (Mass.), Massachussets Institute of Technology Press, 1963, trad. fr. : *Le Mot et la Chose,* Paris, Flammarion, 1977.
18. MV 103.

ordinaire qu'il faut surprendre le fonctionnement de la métaphore. Sans la métaphore, en effet, nous ne saurions saisir aucune relation inédite entre les choses. La métaphore, loin d'être un écart par rapport à l'opération ordinaire du langage, est « le principe omniprésent à toute son action libre » [19]. C'est ce qui a fait dire à Shelley que le langage est « vitalement métaphorique » [20]. La métaphore n'est pas un pouvoir additionnel du langage mais sa forme constitutive.

Dans cette perspective, la métaphore n'est plus à considérer comme simple déplacement des mots, mais comme « une transaction entre contextes » [21]. Mais toutes les transactions entre contextes ne sont pas des métaphores. Dans la métaphore, il y a un dénivellement entre deux pensées, l'une étant décrite sous les traits de l'autre, la *cause* prenant, par exemple, figure de *racine*. C'est dire que la métaphore met en jeu la ressemblance. Divers auteurs se sont efforcés de tirer au clair cette ressemblance ; P. Ricœur les a étudiés en détail ; on pourra donc ici se contenter de récapituler l'acquis de son travail.

Sens et métaphore

Pour Max Black, c'est la métaphore qui crée la ressemblance plutôt qu'elle ne formule une ressemblance existant auparavant [22]. Il distingue dans la métaphore le foyer métaphorique *(focus)* et le cadre de la métaphore *(frame)* pour désigner le mot employé métaphoriquement de la phrase à laquelle il donne une portée métaphorique. Mais comment le cadre agit-il sur le terme focal pour susciter en lui une signification nouvelle, pour faire apparaître une ressemblance inédite ? Soit la métaphore « l'homme est un loup ». Le foyer — loup — opère non pas sur la base de sa signification lexicale courante mais en vertu d'un « système de lieux communs associés » [23], c'est-à-dire en vertu des opinions et des préjugés à l'égard desquels le locuteur d'une communauté linguis-

19. RICHARDS, *op. cit.,* p. 90.
20. Cité par Ricœur : MV 104.
21. MV 105.
22. M. BLACK, *Models and Metaphors,* Ithaca, Cornell Univ. Press, 1962. Cf. MV 113.
23. M. BLACK, *op. cit.,* p. 40.

tique se trouve engagé du seul fait qu'il parle. Appeler un homme « loup », c'est évoquer « le système lupin des lieux correspondants » [24]. On parle alors de l'homme en « langage lupin ». « Par un effet de filtre ou d'écran, la métaphore — loup — supprime certains détails, en accentue d'autres, bref *organise* notre vision de l'homme » [25]. C'est ainsi que la métaphore confère un autre éclairage à ce dont elle parle. Organiser un sujet principal par l'application d'un sujet subsidiaire constitue une opération intellectuelle irréductible qui informe et éclaire comme aucune paraphrase ne pourrait le faire.

A la distinction issue du positivisme logique entre langage cognitif et langage émotif, Beardsley [26] substitue la distinction, interne à la signification, entre *signification primaire* et *signification secondaire* [27]. La première est ce que la phrase « pose explicitement », la seconde ce qu'elle « suggère » [28]. La signification explicite d'un mot est sa désignation ; sa signification implicite, sa connotation. Dans le langage ordinaire, « la gamme complète des connotations » n'est jamais parcourue entièrement dans un contexte particulier ; seule l'est une partie choisie de cette gamme : la « connotation contextuelle » du mot [29]. Dans certains contextes, les autres mots éliminent les connotations non désirables d'un mot donné ; comme on le verra plus loin, c'est le cas du langage spéculatif et particulièrement des langages technique et scientifique où chaque terme est défini par ses rapports structurels aux autres termes. Dans les langages littéraires, au contraire, les connotations sont libérées, le langage devient figuré et métaphorique. « Une œuvre littéraire est un discours qui comporte une part importante de significations implicites [30]. » La métaphore, dans le contexte, n'est qu' « une des tactiques relevant d'une stratégie générale : suggérer quelque chose d'autre que ce qui est affirmé » [31]. L'ironie est une tactique voisine : suggérer le contraire de ce qu'on dit en retirant son affirmation dans le moment même où on la pose. Dans ces deux tactiques, le tour consiste à donner des indices

24. MV 114.
25. M. BLACK, *op. cit.,* p. 41.
26. M. BEARDSLEY, *Aesthetics,* New York, Harcourt, Brace and World, 1958.
27. MV 117.
28. MV 118.
29. M. BEARDSLEY, *op. cit.,* p. 125.
30. *Ibid.,* p. 126.
31. MV 122.

orientant vers le second niveau de signification. Mais comment fonctionnent ces indices ? Reprenant la distinction de Max Black entre *foyer* et *cadre* (qu'il appelle *sujet-modificateur*), Beardsley met l'accent sur la notion d' « attribution logiquement vide » et plus particulièrement sur l'incompatibilité c'est-à-dire sur l'attribution auto-contradictoire. L'incompatibilité se définit comme un conflit entre désignations au niveau primaire de la signification, qui contraint le lecteur à extraire de l'éventail entier de connotations les significations secondaires susceptibles de faire d'un énoncé qui se détruit lui-même une « attribution auto-contradictoire signifiante ». Beardsley dit que « lorsqu'une attribution est indirectement auto-contradictoire et que le *modificateur* (*cadre* dans le vocabulaire de Max Black) comporte des connotations susceptibles d'être attribuées au *sujet (foyer)*, l'attribution est métaphorique » [32].

Le point important à souligner pour la discussion ultérieure concerne ce que Paul Ricœur appelle *le travail du sens* [33]. C'est, en effet, le lecteur qui élabore les connotations du *modificateur-cadre* susceptibles de faire sens. Et c'est un trait fort significatif du langage vivant de pouvoir reporter toujours plus loin la frontière du non-sens ; il n'est pas de mots si incompatibles que quelque poète ne puisse jeter un pont entre eux. Le pouvoir de créer des significations contextuelles nouvelles paraît bien être illimité ; telles attributions apparemment « insensées » peuvent faire sens dans quelque contexte inattendu ; l'homme qui parle n'a jamais fini d'épuiser la ressource connotative de ses mots et il en est de même pour le lecteur à l'égard des mots qu'a écrits l'auteur. Beardsley souligne par ailleurs [34] avec force que « l'opposition qui rend une expression métaphorique opère à l'intérieur de la signification elle-même » [35]. L'apparition logique qui contraint le lecteur à passer des significations centrales aux significations marginales peut être définie indépendamment de toute intention ; la distinction des deux niveaux — primaire et secondaire — de signification, aussi bien que l'opposition logique à un même niveau — celui de l'attribution — sont des faits sémantiques et non psychologiques. Le glissement de la *désignation* à la *connotation*

32. M. BEARDSLEY, *op. cit.*, p. 141.
33. MV 123.
34. M. BEARDSLEY, « The Metaphorical Twist », in *Philosophy and Phenomenological Research,* mars 1962.
35. *Ibid.*, p. 289.

peut être entièrement décrit avec les ressources d'une analyse sémantique de la phrase et du mot. La théorie de Beardsley résout partiellement quelques-unes des difficultés laissées en suspens par Max Black. En donnant à l'absurdité logique un rôle décisif, il a souligné le caractère innovateur de l'énoncé métaphorique. L'avantage est double : d'une part la vieille opposition du *sens figuré* et du *sens propre* reçoit une base entièrement nouvelle. Le sens propre est le sens d'un énoncé qui ne recourt qu'aux significations lexicales enregistrées d'un mot, celles qui constituent sa désignation. Le sens figuré n'est pas un sens dérivé d'un mot, mais le sens d'un énoncé entier résultant de l'attribution au sujet privilégié des valeurs constatives du *modificateur-cadre*. Si donc on continue à parler du sens figuré des mots, il ne peut s'agir que de significations entièrement contextuelles, d'une « signification émergente » [36] qui existe ici et maintenant seulement. Mais la notion de « gamme potentielle de connotations » suscite les mêmes réserves que la notion de « système associé de lieux communs » chez Max Black. Et Paul Ricœur de s'interroger : « les métaphores d'invention ne sont-elles pas plutôt celles qui ajoutent à ce trésor de lieux communs, à cette gamme de connotations ? » [37]. La théorie de Beardsley conduit donc à un degré plus loin dans l'investigation de la métaphore neuve ; mais, à son tour, elle bute sur la question de savoir d'où viennent les significations secondes dans l'attribution métaphorique. Une seule réponse demeure possible, estime Paul Ricœur : il faut prendre le point de vue de l'auditeur ou du lecteur et traiter la nouveauté d'une signification émergente comme l'œuvre instantanée du lecteur [38]. Cette manière « herméneutique » de traiter la métaphore suppose cependant que soit encore approfondie la question de la véritable nature du « travail de la ressemblance ». C'est dans la mutation de sens opérée par la métaphore que la ressemblance joue son rôle. Mais ce rôle ne peut apparaître que si l'on comprend que la ressemblance est un caractère de l'attribution des prédicats et non de la substitution des noms. Ce qui fait la nouvelle pertinence, c'est la « proximité » sémantique qui s'établit entre les termes en dépit de leur « distance » (« une obscure clarté », « une mort vivante »). Ce rapprochement évoque l'idée d'une « ressemblance

---

36. MV 125.
37. *Ibidem*.
38. MV 127.

de famille » chère à Wittgenstein [39], à quoi pourrait être lié le statut logique de la ressemblance dans le procès métaphorique.

C'est à élucider cette « proximité à distance » que s'est employé Nelson Goodman dans son ouvrage sur les langages de l'art [40], ouvrage sur lequel on reviendra plus longuement à propos de la question de la référence. On trouve dans son livre un intéressant apologue : la métaphore est la « ré-assignation des étiquettes » [41], mais une ré-assignation qui fait figure « d'idylle entre un prédicat qui a un passé et un objet qui cède tout en protestant » [42]. « Céder en protestant, voilà le paradoxe », constate Paul Ricœur : « la protestation est ce qui reste du mariage ancien — l'assignation littérale — que la contradiction défait ; céder est ce qui arrive finalement par la grâce du rapprochement nouveau » [43]. Mais, du point de vue strictement logique, la ressemblance n'est pas un concept très précis puisque « n'importe quoi ressemble à n'importe quoi, ... à une différence près ». Dans l'énoncé métaphorique, le « semblable », estime Goodman, est aperçu *en dépit de* la différence, *malgré* la contradiction. La ressemblance est alors la catégorie logique correspondant à l'opération prédicative dans laquelle le « rendre proche » rencontre la résistance du « être éloigné » ; autrement dit, la métaphore montre le travail de la ressemblance parce que, dans l'énoncé métaphorique, la contradiction littérale maintient la différence ; le « même » et le « différent » ne sont pas simplement mêlés, mais demeurent opposés. Par ce trait spécifique, l'énigme est retenue au cœur de la métaphore au sein de laquelle le « même » opère *en dépit du* « différent » [44].

C'est ce qui a fait dire à Gilbert Ryle que « la métaphore est une méprise catégoriale calculée » [45]. La métaphore n'est pas seulement la forme abrégée de la comparaison mais son principe dynamique. Ne pourrait-on pas dire, avec Paul Ricœur commentant Ryle, que « la stratégie de langage à l'œuvre dans la métaphore consiste à oblitérer les frontières logiques et établies, en vue de

39. IPh. 140-141, 147-148, 774.
40. N. GOODMAN, *Languages of Art, An Approach To A Theory of Symboles,* Indianapolis, The Bobbs-Merill Co, 1968.
41. *Ibid.,* p. 69.
42. *Ibid.*
43. MV 249.
44. MV 250.
45. G. RYLE, *The Concept of Mind,* Londres, Hutchinson and Co, 1949, p. 8. Tr. fr. *Le Concept d'esprit,* Paris, Payot, 1978.

faire apparaître de nouvelles ressemblances que la classification antérieure empêcherait d'apercevoir [46] » ? Dans cette hypothèse, le pouvoir de la métaphore serait de briser une catégorisation antérieure afin d'établir de nouvelles frontières logiques sur les ruines des précédentes. Il s'agit d'une hypothèse, car il n'y a aucun accès direct possible à une telle origine des genres et des classes. Paul Ricœur, qui forme l'hypothèse que la métaphore est peut-être *le* phénomène *génétique* par excellence du langage [47], aborde la question du conflit, dans la métaphore, entre identité et différence à partir de l'examen d'un livre de Marcus B. Hester [48].

Qu'est-ce que le « voir comme » ? C'est, selon Marcus B. Hester interprétant Wittgenstein [49], établir un lien positif entre le *cadre* et le *point focal* de la métaphore. Dans la métaphore, le *cadre* est vu, d'un point de vue mais pas de tous les points de vue, comme le *point focal*. Expliquer une métaphore, c'est énumérer les sens appropriés dans lesquels le cadre est « vu comme » le point focal. Le « voir comme » est la relation intuitive qui fait tenir ensemble le sens et l'image. Selon Ludwig Wittgenstein, le « voir comme » est à demi-pensée et à demi-expérience [50].

Le « voir comme » offre le chaînon manquant dans la chaîne de l'explication. Le « voir comme » est la face sensible du langage poétique ; mi-pensée, mi-expérience, il constitue la relation qui fait tenir ensemble le sens et l'image grâce à son caractère sélectif. « Voir comme, écrit Marcus B. Hester, est un acte-expérience de caractère intuitif, par lequel on choisit, dans le flot quasi sensoriel de l'imaginaire que l'on a en lisant, les aspects appropriés de cet imaginaire » [51]. « Voir comme », c'est à la fois une expérience et un acte ; car, d'une part, le flot des images échappe à tout contrôle volontaire : « l'image survient, advient, et nulle règle n'apprend à "avoir des images" ; on voit ou on ne voit pas » [52]. D'autre part, « voir comme » est un acte : comprendre, c'est faire quelque chose ; l'image n'est pas libre mais liée ; et en effet, « le

46. MV 251.
47. MV 252.
48. M. B. HESTER, *The Meaning of Poetic Metaphor,* La Haye, Mouton, 1967.
49. Cf. à ce sujet P.J. WELCH, « Métaphores et jeux de langage », in J.-F. MALHERBE (éd.), *Langage ordinaire et philosophie chez le « second » Wittgenstein,* p. 43-56, Louvain-La-Neuve, Cabay, 1981.
50. IPh. 2ᵉ partie, § XI.
51. M.B. HESTER, *op. cit.,* p. 180.
52. MV 270.

"voir comme" ordonne le flux, règle le déploiement iconique ». C'est de cette manière que l'expérience-acte du « voir comme » assure l'implication de l'imaginaire dans la signification métaphorique : « l'image qui survient est aussi celle qui signifie » [53]. « "Voir comme" définit "ressembler" et non inversement » [54]. L'approche de Marcus B. Hester respecte la tension propre à la conception sémantique de la métaphore : « voir le temps comme un mendiant, selon la métaphore shakespearienne, c'est précisément, note Paul Ricœur, savoir aussi que le temps n'est pas un mendiant » [55]. La métaphore transgresse donc les frontières du sens mais sans les abolir.

Métaphore et référence

La ressemblance sous un certain angle est un fruit de la métaphore. Mais que dit la métaphore de la réalité où elle « fait voir » des ressemblances ? L'on a tenté jusqu'ici de préciser comment la métaphore fait *sens*. Il s'agit maintenant de s'interroger sur sa référence, sur ce dont elle parle. Deux hypothèses fondamentales sous-tendent cette problématique. La première est que la distinction frégéenne du *sens* et de la *référence* vaut pour tout discours [56]. La seconde est celle-ci : « De même que l'énoncé métaphorique est celui qui conquiert son sens comme métaphorique sur les ruines du sens littéral, il est aussi celui qui acquiert sa référence sur les ruines de ce qu'on peut appeler, par symétrie, sa référence littérale » [57]. Cette audacieuse hypothèse du dédoublement de la référence métaphorique implique que la suspension de la référence, au sens défini par les normes de la métaphysique de la représentation, est la condition négative pour que soit dégagé un mode plus fondamental de référence.

Pour P. Ricœur, la manière même dont le *sens* métaphorique se constitue donne la clé du dédoublement de la référence. C'est à une sorte d'argument de quatrième proportionnelle qu'il recourt pour exposer son point de vue :

---

53. M.B. HESTER, *op. cit.*, p. 188.
54. *Ibid.*, p. 183.
55. MV 271.
56. MV 274.
57. MV 279.

L'auto-destruction du sens, sous le coup de l'impertinence sémantique, est seulement l'envers d'une innovation de sens au niveau de l'énoncé entier, innovation obtenue par la « torsion » du sens littéral des mots. C'est cette innovation de sens qui constitue la métaphore vive. Ne tenons-nous pas du même coup la clé de la référence métaphorique ? Ne peut-on pas dire que l'interprétation métaphorique, en faisant surgir une nouvelle pertinence sémantique sur les ruines du sens littéral, suscite *aussi* une nouvelle visée référentielle, à la faveur même de l'abolition de la référence correspondant à l'interprétation littérale de l'énoncé ? L'argument est un argument de proportionalité : l'autre référence, celle que nous cherchons, serait à la nouvelle pertinence sémantique ce que la référence abolie est au sens littéral que l'impertinence sémantique détruit. Au sens métaphorique correspondrait une référence métaphorique comme au sens littéral impossible correspond une référence littérale impossible [58].

Cette suggestion vient d'ailleurs s'articuler à une autre que l'on peut tirer des remarques de Marcus B. Hester sur le « voir comme » : la proximité dans le sens soulignée par le « voir comme » n'est-elle pas en même temps une promixité dans les choses mêmes ? Ne pourrait-on pas considérer, en effet, que « la classification antérieure, liée à l'usage antérieur des mots, résiste et crée une sorte de vision stéréoscopique où le nouvel état de choses n'est perçu que dans l'état de choses disloqué par la méprise catégoriale [59] » ?

La première tâche à accomplir pour donner corps à ce programme est de surmonter l'opposition entre dénotation et connotation et d'inscrire la référence métaphorisée dans une théorie de la dénotation généralisée. L'ouvrage déjà évoqué de Nelson Goodman sur les langages de l'art [60] élabore le cadre général dans lequel on pourra construire une théorie dénotative de la métaphore. Le titre du premier chapitre : *Reality remade* est à cet égard très significatif : les systèmes symboliques « font » et « refont » le monde. *Works, Words, World* se répondent ; l'entendement « réorganise le monde en termes d'œuvres et les œuvres en termes de monde » [61]. L'auteur s'attache à montrer que l'attitude esthétique « est moins attitude qu'action : création et ré-création » [62] et refuse de distinguer entre cognitif et émotif :

58. MV 289-290.
59. MV 290.
60. MV cf. note 40.
61. N. Goodman, *op. cit.*, p. 241.
62. *Ibid.*, p. 242.

« Dans l'expérience esthétique, les émotions fonctionnent de façon cognitive » [63]. Le but de Goodman dans cet ouvrage est de « faire quelques pas en direction d'une étude systématique des symboles et des systèmes de symboles de la manière dont ils fonctionnent dans nos perceptions et dans nos actions, nos arts et nos sciences, et donc dans la création et la compréhension de nos mondes » [64]. La métaphore est une pièce essentielle de cette théorie du symbolisme et ce que Goodman tente de faire apparaître, c'est la différence entre la vérité métaphorique ou littérale et la simple fausseté. Cette entreprise exige la mise en place d'un réseau conceptuel original comprenant des notions telles que dénotation, description, représentation, expression, etc.

Soit un *tableau gris*. On peut dire à la fois que l'*étiquette* « gris » dénote le tableau et que le tableau est un *échantillon* de gris ou qu'il *exemplifie* le prédicat « gris ». La relation de référence entre l'objet tableau et le prédicat gris circule donc dans les deux sens : le prédicat dénote l'objet et l'objet exemplifie le prédicat ; la *dénotation,* qui consiste à appliquer un prédicat à son objet, se distingue de l'*exemplification,* qui consiste en la possession d'un prédicat par un objet, par sa direction. Dénotation et exemplification sont toutes deux des relations de référence, mais elles fonctionnent en sens inverse. « Ainsi, note P. Ricœur, un geste peut dénoter ou exemplifier ou faire les deux : les gestes du chef d'orchestre dénotent les sons à produire sans être eux-mêmes des sons ; parfois ils exemplifient la vitesse ou la cadence ; l'insle mouvement commandé, qui dénote le mouvement à produire ; la le mouvement commandé qui dénote le mouvement à produire ; la danse dénote des gestes de la vie quotidienne ou d'un rituel et exemplifie la figure prescrite qui, à son tour, réorganise l'expérience » [65]. Le tableau 2 reprend schématiquement une version légèrement simplifiée du réseau conceptuel de Goodman. On trouvera un schéma plus complet chez Ricœur [66].

Soit un *tableau triste*. L'étiquette « triste » dénote le tableau qui est, d'autre part, un échantillon exemplifiant le prédicat « triste ». Mais dans ce cas, la possession par le tableau du prédicat « triste » résulte d'un transfert du registre de la couleur au

63. *Ibid.*, p. 248.
64. *Ibid.*, p. 178.
65. MV 295.
66. MV 293.

registre des sentiments. C'est pourquoi on dira que le tableau est un échantillon qui possède littéralement le prédicat « gris » et *exprime* métaphoriquement le prédicat « triste ». Ainsi, dans la métaphore, un échantillon possédant (littéralement) un prédicat devient par transfert un échantillon possédant (métaphoriquement) un prédicat d'un autre ordre. La métaphore consiste donc pour un échantillon en un transfert d'exemplification. Autrement dit, une expression métaphorique suppose une dénotation renversée (c'est-à-dire une exemplification) et un transfert d'un ordre de prédicats ainsi exemplifié à un autre ordre de tels prédicats (le tableau 2 reprend schématiquement dans sa partie droite le mécanisme de la métaphore dans le réseau conceptuel de Goodman). On remarquera en passant, avec Paul Ricœur, que l'opposition entre représenter et exprimer (le tableau *représente* le gris et *exprime* la tristesse) n'est pas, pour Goodman, une différence de domaine entre, par exemple, le domaine des objets ou des événements et celui des sentiments. En effet, *représenter* est un cas de dénoter et *exprimer* est une variante par transfert de posséder, qui est un cas de faire référence se distinguant de la dénotation par sa seule direction.

L'hétérogénéité apparente du cognitif et de l'émotif devient chez Goodman une symétrie par inversion, de sorte que la distinction même du cognitif et de l'émotif, dont dérive celle de la dénotation et de la connotation, se trouve exclue de la problématique de la métaphore. C'est ce qui a fait dire à Ricœur : « Voilà la métaphore solidement amarrée à la théorie de la référence : par transfert d'une relation, qui est elle-même l'inverse de la dénotation, dont la représentation est une espèce. Si l'on admet (...) que l'expression métaphorique (la tristesse du tableau gris) est le transfert de la possession, et que la possession, qui n'est autre que l'exemplification, est l'inverse de la dénotation, dont la représentation est une espèce, alors toutes les distinctions tombent à l'intérieur de la référence, sous la condition d'une différence d'orientation » [67].

Mais qu'est-ce exactement qu'une possession transférée ? et comment la possession peut-elle être l'inverse de la dénotation ?

Revenons à l'exemple proposé : la peinture est littéralement grise mais métaphoriquement triste. Le premier énoncé porte sur

67. MV 296.

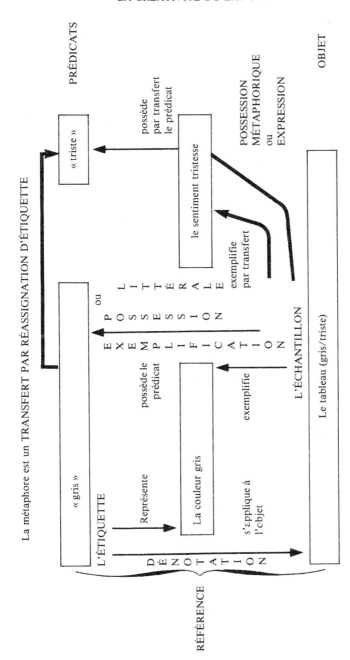

Tableau 2 : *La métaphore dans le réseau conceptuel de Goodman*
L'illustration de « la tristesse du tableau gris »

un « fait », le deuxième sur une « figure ». Mais « fait » est à entendre ici au sens du premier Wittgenstein : non pas comme une donnée mais comme un état de choses, c'est-à-dire comme le corrélat d'un acte prédicatif ; similairement, la « figure » n'est pas l'ornement d'un mot, mais un usage prédicatif dans une dénotation inversée, c'est-à-dire une possession-exemplification. « Fait » et « Figure » sont donc des manières différentes d'appliquer des prédicats, d'échantillonner des étiquettes.

Pour Nelson Goodman, la métaphore est une application insolite, c'est-à-dire l'application d'une étiquette familière, dont l'usage par conséquent a un passé, à un objet nouveau qui, d'abord résiste puis cède en protestant. Par jeu, on pourra dire avec Goodman : « Appliquer une vieille étiquette d'une façon nouvelle, c'est enseigner de nouveaux tours à un vieux mot ; la métaphore est une idylle entre un prédicat qui a un passé et un objet qui cède tout en protestant [68]. »

Comme le remarque P. Ricœur, on retrouve ainsi, mais cette fois dans une théorie de la référence et non plus seulement du sens, l'essentiel de la théorie sémantique de l'énoncé métaphorique développée par Marcus B. Hester ainsi que l'idée de *category-mistake* de Gilbert Ryle. On dit que la peinture est triste plutôt que gaie, *bien que* seuls les êtres pensants soient gais ou tristes. Il y a pourtant là une vérité métaphorique, car la méprise dans l'application de l'étiquette équivaut à la réassignation d'une étiquette telle que triste convient mieux que gai. La fausseté littérale — par assignation fautive — est convertie en vérité métaphorique par réassignation d'étiquettes [69].

D'autre part, Paul Ricœur propose une extension intéressante de la métaphore qui, souligne-t-il, ne couvre pas seulement ce qu'on a appelé « figure », c'est-à-dire le transfert d'un prédicat isolé fonctionnant en opposition avec un autre, mais ce qu'on pourrait appeler « *schème* » qui désigne « un ensemble d'étiquettes tel qu'un ensemble correspondant d'objets — un « règne » — est assorti par cet ensemble » [70]. Ce n'est, en effet, que lorsqu'un règne entier est transposé que la métaphore développe son pouvoir de réorganiser la vision des choses. Parler, par exemple, de la sonorité d'une peinture, ce n'est plus faire émigrer un prédicat

68. N. GOODMAN, *op. cit.*, p. 69.
69. *Ibid.*, p. 70.
70. MV 297.

isolé, mais assurer l'incursion d'un règne entier sur un territoire étranger ; le transfert métaphorique prend alors la forme d'une *migration conceptuelle.* Le point intéressant, souligné par Paul Ricœur, dans cette migration est celui-ci : « l'organisation effectuée dans le royaume étranger se trouve *guidée par* l'emploi du réseau entier dans le royaume d'origine ; ce qui signifie que si le choix du territoire d'invasion est arbitraire (n'importe quoi ressemble à n'importe quoi à une différence près), l'usage des étiquettes dans le nouveau champ d'application est réglé par la pratique antérieure : ainsi, l'usage de l'expression "hauteur des nombres" peut guider celui de l'expression "hauteur des sons". La loi d'emploi des schèmes est donc la règle du "précédent" ; ici encore Nelson Goodman est servi par son nominalisme qui lui interdit de chercher des affinités dans la nature des choses ou dans une constitution eidétique de l'expérience [71] ».

Pour Goodman, « l'application d'un prédicat n'est métaphorique que s'il entre en conflit avec une application réglée par la pratique actuelle ; une vieille histoire peut faire surface, le refoulé peut faire retour ; il reste que l'expatrié selon les lois actuelles reste un étranger quand il retourne dans sa patrie. Une théorie de l'application se meut dans l'actuel » [72]. Il est donc vain de chercher ce qui justifie l'application métaphorique d'un prédicat : la différence du littéral et du métaphorique introduit de toute manière une dissymétrie dans la convenance ; une personne et un tableau se ressemblent-ils en étant tristes ? Mais l'une l'est littéralement, l'autre métaphoriquement, selon l'usage établi de la langue. Si néanmoins l'on veut encore parler de ressemblance, il faut dire, avec Max Black, que « la métaphore crée la ressemblance plutôt qu'elle ne la trouve et ne l'exprime » [73]. L'assortiment métaphorique sous un schème donné s'apprend comme l'assortiment littéral. Dans l'un et l'autre cas l'application est faillible et soumise à connexions ; l'application littérale est seulement celle qui a reçu l'aval de l'usage. Finalement, si tout langage, si tout symbolisme consiste à « refaire la réalité », il n'est pas de lieu dans le langage où ce travail se montre avec plus d'évidence que lorsque le symbolisme transgresse ses bornes acquises et conquiert des terres inconnues [74]. Pour Nelson Goodman, en effet, « la

71. MV 297-298.
72. MV 298. Cf. N. Goodman, *op. cit.,* p. 77.
73. MV 298. Cf. Max Black, *op. cit.,* p. 37.
74. MV 298.

métaphore n'est pas une figure de discours parmi d'autres, mais le principe de transfert commun à toutes ». Si l'on prend comme fil conducteur la notion de « schème » ou de « règne », plutôt que celle de « figure », tous les transferts d'un règne à un autre sans intersection apparaissent comme appartenant à un premier groupe ; la personnification comme transfert de personne à chose ; la synecdoque de tout à partie ; l'antonomase de chose à propriété (ou étiquette). Tous les transferts d'un règne à un autre en intersection appartiendront à un deuxième groupe : l'hyperbole comme déplacement vers le haut ; et la litote vers le bas. Un troisième groupe comprendra les transferts sans changement d'extension comme le renversement sur place en quoi consiste l'ironie. C'est donc le transfert comme tel qui passe au premier plan et ce n'est plus qu'une question de convention de savoir s'il faut appeler métaphore la fonction générale ou l'une des figures [75].

On pourra sans doute conclure ces réflexions empruntées largement à Paul Ricœur, en remarquant que dans le discours métaphorique — au sens élargi de « métaphore » —, la puissance référentielle est jointe à l'éclipse de la référence ordinaire. Il restera à examiner plus loin dans quelle mesure on peut dire de tout langage spéculatif, et en particulier du langage scientifique, qu'il est un langage métaphorique.

Vérité et métaphore

On pourra retenir des remarques qui précèdent que « la métaphore est (...) cette stratégie de discours par laquelle le langage se dépouille de sa fonction de description directe pour accéder au niveau mythique où sa fonction de découverte est libérée » [76] et l'on se risquera alors à parler de vérité métaphorique pour désigner l'intention « réaliste » qui s'attache au pouvoir de redescription du langage métaphorique. Cette hypothèse, cependant, appelle une remarque, car elle implique que la théorie de la tension, qui a été constamment le fil conducteur de l'enquête de Paul Ricœur, soit étendue au rapport référentiel de l'énoncé métaphorique au réel. L'idée de tension, en effet, s'est trouvée appliquée

75. MV 299.
76. MV 311.

jusqu'ici dans trois cas : (a) la tension à l'intérieur de l'énoncé métaphorique entre le *cadre* et le *point focal,* (b) la tension entre une interprétation *littérale* que défait l'impertinence sémantique et une interprétation *métaphorique* qui fait sens avec le non-sens ; (c) la tension entre l'identité et la différence dans la fonction relationnelle de la copule. L'idée d'une « vérité métaphorique » suppose que la *tension* s'applique à la référence elle-même et à la prétention de l'énoncé métaphorique à atteindre la réalité elle-même. Il s'agit, en définitive, d'introduire la tension dans l'être métaphoriquement affirmé.

« Quand, commente Paul Ricœur, le poète dit : "la nature est un temple où de vivants piliers...", le verbe être ne se borne pas à relier le prédicat "temple" [77] au sujet "nature" selon la triple tension qu'on vient de dire ; la copule n'est pas seulement relation prédicative, *est* réduit en *qui est ;* elle dit *qu'*il en est bien ainsi [78]. » Proposer pareil commentaire implique que le verbe être lui-même puisse avoir non seulement un sens littéral, mais encore un sens métaphorique dans lequel serait retenue la tension déjà mise au jour dans les mots (entre nature et temple), entre les deux interprétations littérale et métaphorique et entre identité et différence. « Pour porter au jour cette tension, intime à la force logique du verbe être, il faut faire apparaître, explique Paul Ricœur, un "n'est pas", lui-même impliqué dans l'interprétation littérale impossible, mais présent en filigrane dans le "est" métaphorique. La tension serait alors entre un "est" et un "n'est pas" [79]. » Autrement dit, il faudrait faire passer le « comme » du côté de la copule, et écrire « La nature *est-comme* un temple... »

La question qui fait l'enjeu de la notion de *vérité métaphorique* est de savoir si la tension qui affecte la copule dans sa fonction relationnelle n'affecte pas aussi la copule dans sa fonction existentielle. Pour démontrer cette conception « tensionnelle » de la vérité métaphorique, Paul Ricœur procède dialectiquement [80]. Il montre d'abord l'inadéquation d'une interprétation qui, par ignorance du « n'est pas » implicite, cède à la naïveté ontologique dans l'évaluation de la vérité métaphorique [a]. Puis il montre l'inadéquation d'une interprétation inverse, qui manque le « est »

77. Une coquille semble s'être glissée dans le texte de P. Ricœur : MV 313, l 7 à compter du bas, il faut lire « temple » et non pas « temps ».
78. MV 311.
79. MV 312.
80. MV 313.

en le réduisant au « comme si » du jugement réfléchissant, sous la
pression critique du « n'est pas » [(b)]. La légitimation du concept
de vérité métaphorique, qui préserve le « n'est pas » dans le
« est », procède alors de la convergence de ces deux critiques [(c)].
On reprendra ici l'essentiel de cette argumentation dont la conclusion fait émerger une ligne de faîte dans la structure du champ des
interprétations.

— (a) Dire « cela est », tel est le mouvement de la croyance
ontologique pour laquelle le langage lui-même est conçu comme
une forme de la vie. La correspondance du langage et de l'être
serait une relation vivante. Ainsi, Philip Wheelwright, dans *Meta-*
phor and Reality [81] lie son ontologie à des considérations générales sur la puissance de l'imagination et relie étroitement celle-ci à
une conception du langage, considérée à la fois comme *tensive* et
alive. Et la réalité portée au langage par la métaphore est dite *pre-*
sential and tensive. Dans cette conception, c'est l'indistinction du
langage et de l'être qui domine. Mais alors, l'imagination n'est
plus le travail, foncièrement discursif, de l'identité et de la différence. La « naïveté ontologique » est incompatible avec la théorie
tensionnelle de la métaphore dont Paul Ricœur s'est attaché à
souligner les avantages.

— (b) La contrepartie dialectique de la naïveté ontologique est
offerte par Collin Murray Turnbayne dans *The Myth of Meta-*
phor [82] qui, à l'instar de Gilbert Ryle qui parlait de *category-*
mistake, considère la métaphore comme une faute calculée, une
transgression catégoriale et estime que la croyance ontologique
procède, dans le cas de la métaphore, d'un mouvement spontané
transformant un faire-semblant que quelque chose est tel alors
que ce n'est pas le cas en l'intention correspondante de faire-croire
qu'il en est bien ainsi [83]. Il résulte de ce mouvement que la
croyance, prise au jeu de son faire-semblant, se convertit subtile-
ment en « faire-croire ». Il y aurait donc dans la métaphore une
dissimulation qui appelle une riposte critique : il faut démasquer
la métaphore pour l'empêcher de faire voir les choses comme elles
ne sont pas [84]. Mais comme il n'est pas possible de « présenter la
vérité littérale », ni de « dire ce que sont les faits » comme l'exi-

---

81. Ph. WHEELWRIGHT, *Metaphor and Reality,* Indiana University Press, 1968.
82. C.M. TURBAYNE, *The Myth of Metaphor,* Yale Univ. Press. 1962.
83. MV 317.
84. MV 318.

geait l'empirisme logique, Turnbayne conclut que « nous ne pouvons pas dire ce qu'est la réalité, mais seulement comme quoi elle nous apparaît » [85]. Il n'y a donc pas d'autre issue, conclut Paul Ricœur, que de remplacer les masques mais en le sachant. Et s'il en est ainsi dans la théorie de Turnbayne, c'est parce que l'auteur se meut dans un ordre de réalité homogène à celui du positivisme qu'il critique. Il s'agit toujours de « faits » et donc aussi de vérité en un sens vérificationniste qui n'est pas fondamentalement altéré. Et le présupposé que la métaphore est un procédé manipulable et maîtrisable, quelque chose dont on pourrait choisir d'user ou de ne pas user, ne semble pas compatible avec la dimension créatrice du langage et les aspects créateurs de la réalité elle-même mis en évidence par les remarques précédentes. Ici encore, c'est le concept de vérité-adéquation qui règne [86] et, derrière lui, la métaphysique de la représentation.

— (c) Par-delà la naïveté ontologique et la démythisation de la métaphore, Paul Ricœur propose un concept de vérité métaphorique. En effet, la convergence entre la critique interne de la naïveté ontologique et celle de la démythisation, aboutit à réitérer la thèse du caractère « tensionnel » de la vérité métaphorique et du « est » qui porte l'affirmation. Elle souligne aussi l'existence d'un paradoxe indépassable qui s'attache au concept de vérité métaphorique. Il consiste en ceci : « il n'est pas d'autre façon de rendre justice à la notion de vérité métaphorique que d'inclure la pointe critique du "n'est pas" (littéralement) dans la véhémence ontologique du "est" (métaphoriquement) » [87]. La thèse de Paul Ricœur tire donc la conséquence la plus extrême de la théorie de la tension ; la distance logique est préservée dans la proximité métaphorique de la même manière que l'interprétation littérale impossible n'est pas simplement abolie par l'interprétation métaphorique, mais lui cède en résistant ; et c'est de la même manière aussi que l'affirmation ontologique obéit au principe de tension. « C'est cette constitution tensionnelle du verbe qui reçoit sa marque grammaticale dans « l'être-comme » de la métaphore développée en comparaison, en même temps qu'est marquée la tension entre le *même* et l'*autre* dans la copule relationnelle [88]. »

85. C.M. TURBAYNE, *op. cit.,* p. 64.
86. MV 319.
87. MV 321.
88. *Ibidem.*

3. LA DYNAMIQUE DE LA SPÉCULATION

Mais quelle est la logique du discours spéculatif ? Paul Ricœur montre dans *La Métaphore vive,* d'une part, que le discours spéculatif a sa *possibilité* dans le dynamisme sémantique de l'énonciation métaphorique et, d'autre part, que le discours spéculatif a sa *nécessité* en lui-même, dans la mise en œuvre des ressources d'articulation conceptuelle qui sans doute sont l'esprit lui-même se réfléchissant [89].

La possibilité du discours spéculatif

Le gain en signification qui résulte de l'instauration d'une pertinence sémantique nouvelle inhérente à la torsion entre l'interprétation littérale de l'énoncé métaphorique, bornée aux valeurs établies des mots, et l'interprétation métaphorique, issue de la torsion imposée à ces mots pour « faire sens » avec l'énoncé entier, n'est pas encore un gain conceptuel, car l'innovation sémantique est inséparable du va-et-vient entre les deux interprétations alors qu'on attendrait d'un concept qu'il soit autonome à l'égard de l'interprétation littérale. « Ce qui résulte du choc métaphorique, note Paul Ricœur, est une demande en concept, mais non encore un savoir par concept [90]. » Autrement dit : le gain en signification n'est pas porté au concept, dans la mesure où il demeure pris dans le conflit du « même » et du « différent », bien qu'il constitue l'ébauche et la demande d'une instruction par le concept. Cependant, si l'on reporte la tension métaphorique jusque dans la copule de l'énonciation, comme on l'a fait ci-dessus en considérant qu'*être comme,* c'est *être* et *n'être pas,* on aperçoit que le dynamisme de la signification donne accès à une vision dynamique de la réalité qui n'est autre que l'ontologie implicite de l'énonciation métaphorique. Ce qu'il s'agit dès lors de montrer, c'est que le passage à l'ontologie explicite est inséparable du passage au concept demandé par la structure sémantique de l'énoncé métaphorique. Il s'agit en définitive de lier entre elles les conclusions partielles acquises précédemment en montrant que « tout gain en

89. MV 375 s.
90. MV 376.

signification est à la fois un gain en sens et un gain en référence » [91].

En ce point précis, Paul Ricœur s'inspire d'un travail de J. Ladrière [92] dans lequel le dynamisme de la signification est décrit comme un entrecroisement d'actes, actes de prédication et actes de référence. Adoptant l'analyse faite par P.F. Strawson [93], J. Ladrière décrit l'acte propositionnel comme la combinaison d'une opération d'identification singularisante et d'une opération de caractérisation universalisante. Puis, comme John Searle [94], il replace cette analyse dans le cadre de la théorie des actes de langage comme « un dynamisme double et croisé où toute avance dans la direction du concept a pour contrepartie une exploration plus poussée du champ référentiel » [95].

Dans le langage ordinaire, on ne peut maîtriser les significations abstraites en position de prédicat qu'en les rapportant à des objets désignés sous le mode référentiel. Le prédicat, en effet, ne fonctionne selon sa nature propre que dans le contexte de la phrase, en visant, dans un référent déterminé, tel ou tel aspect relativement isolable. C'est en faisant varier ces conditions d'emploi, rapportées à des référents différents, qu'on en maîtrise le sens. Inversement, on n'explore des référents nouveaux qu'en les décrivant aussi exactement que possible. Ainsi le champ référentiel s'étend-il au-delà des choses visibles et perceptibles. C'est ainsi que prédication et référence se prêtent mutuellement appui, soit que des prédicats nouveaux soient mis en rapport avec des référents familiers, soit que des expressions prédicatives dont le sens est déjà maîtrisé soient utilisées pour explorer un champ référentiel non directement accessible. C'est cette dynamique du langage que Jean Ladrière a appelée la *signifiance,* afin d'en souligner le caractère opératoire. La signifiance, c'est l'entrecroisement de deux mouvements. Le premier vise à déterminer plus rigoureusement les traits conceptuels de la réalité ; le second vise à faire apparaître les référents, c'est-à-dire les entités auxquelles les termes prédica-

91. *Ibidem.*
92. AS II, chap. 9.
93. P.F. STRAWSON, *Les Individus,* Paris, Seuil, 1973 ; *Études de logique et de linguistique,* Paris, Seuil, 1977.
94. J.R. SEARLE, *Speech Acts,* Cambridge University Press, 1969, trad. fr. *Les Actes de langage,* Paris, Herman, 1972.
95. MV 377.

tifs appropriés s'appliquent. Cette circularité de l'abstraction et de la concrétisation fait que la signifiance est un travail inachevé, une « incessante odyssée ». Et « c'est donc toujours dans une énonciation particulière que l'histoire sédimentée des significations mobilisées peut être reprise dans une visée sémantique nouvelle » [93]. La signification ainsi considérée apparaît moins, dès lors, comme un contenu déterminé que comme un « principe inducteur » susceptible de guider l'innovation sémantique. Telle est la synthèse qu'il convient de faire aujourd'hui entre la théorie des actes de langage et la théorie de la métaphore.

Il est aisé de replacer dans le cadre de la théorie des actes de langage la théorie de la tension sémantique élaborée à propos de la métaphore. Car « s'il est vrai que la signification, sous la forme même la plus élémentaire, est à la recherche d'elle-même, dans la double direction du sens et de la référence, l'énonciation métaphorique ne fait que porter à son comble ce dynamisme sémantique » [97]. Mais l'énonciation métaphorique opère sur deux champs de référence à la fois : un champ de référence connu, c'est-à-dire le domaine des entités auxquelles peuvent être attribués les prédicats considérés eux-mêmes dans leur signification établie ; et un champ de référence inconnu pour lequel il n'est pas de caractérisation directe, pour lequel, par conséquent, on ne peut procéder à une description identifiante au moyen de prédicats appropriés, faute de pouvoir recourir au va-et-vient entre référence et prédication. La visée sémantique de l'énonciation métaphorique a recours à un réseau de prédicats fonctionnant déjà dans un champ de référence familier. Le sens préalable est alors délié de son appartenance au champ de référence premier et projeté dans le nouveau champ de référence dont il fait apparaître la configuration. Mais ce transfert d'un champ référentiel à l'autre suppose que ce dernier soit déjà préparé à prendre une configuration nouvelle. Ce travail préparatoire est précisément l'œuvre de l'énoncé métaphorique dont la visée sémantique du champ nouveau fournit l'énergie capable d'opérer l'arrachement et le transfert qui rendent proche le discours spéculatif.

C'est ce qui explique que l'énonciation métaphorique ne constitue qu' « une esquisse sémantique, en défaut par rapport à la détermination conceptuelle » [98]. Elle ne dispose, en effet, pour se

96. MV 378.
97. *Ibidem*.
98. MV 379.

dire, que d'*indications* de sens qui ne sont point des *déterminations* de sens. Dans la métaphore, une expérience cherche à se dire, qui est plus qu'une simple épreuve ressentie ; son sens anticipé trouve dans le dynamisme de la signification simple, relayé par celui de la signification dédoublée, une *esquisse* qui demande à être reprise au niveau proprement conceptuel.

La nécessité du discours spéculatif

Le discours spéculatif offre un espace conceptuel au déploiement de sens qui s'esquisse métaphoriquement. Sa *nécessité,* explique Paul Ricœur, ne prolonge pas sa *possibilité* inscrite dans le dynamisme du métaphorique. Du discours métaphorique au discours spéculatif, « on ne passe que par *épochè* »[99], rupture que Nietzsche, Heidegger et Derrida n'avaient pas véritablement perçue.

En effet, le discours spéculatif met en place les principes qui articulent l'espace du concept. Et « si le concept, tant dans le langage ordinaire que dans le langage scientifique, ne peut jamais effectivement être dérivé de la perception ou de l'image, c'est parce que la discontinuité des niveaux de discours est instaurée, au moins à titre virtuel, par la structure même de l'espace conceptuel dans lequel s'inscrivent les significations quand elles s'arrachent au procès de nature métaphorique dont on a pu dire qu'il engendre tous les champs sémantiques (...). C'est la puissance du spéculatif, qui, même si l'on ne reconnaît pas son pouvoir de s'articuler dans un discours distinct, fournit l'horizon ou, comme dit Wittgenstein, l'espace logique à partir duquel l'élucidation de la visée signifiante de tout concept se distingue radicalement de toute explication génétique à partir de la perception ou de l'image »[100]. S'il est possible de discerner dans la signification du concept un sens univoque, c'est parce qu'on peut le relier à un réseau de significations de même degré, selon les lois constitutives de l'espace logique lui-même. Le spéculatif manifeste que la visée de l'universel est autre chose que le déploiement des images qui l'accompagnent. Le spéculatif est le principe même de l'inadéquation entre illustration et intellection. Si l'*imagination* est le règne du « sem-

99. MV 380.
100. *Ibidem.*

blable », l'*intellection* est celui du « même ». Et, dans l'horizon
ouvert par le spéculatif, c'est le « même » qui fonde le « semblable » et non l'inverse [101].

Cette limitation du discours métaphorique par le discours spéculatif peut d'ailleurs être énoncée dans le langage de Jean
Ladrière : la visée signifiante du concept ne s'arrache aux interprétations, aux schématisations, aux illustrations imageantes que
si l'on dispose d'avance d'un « horizon de constitution », celui du
logos spéculatif.

En vertu de cette ouverture d'horizon, commente Paul Ricœur, le concept devient capable de fonctionner sémantiquement par les seules vertus
des propriétés configurationnelles de l'espace dans lequel il s'inscrit. Les
ressources de systématicité impliquées par le seul jeu des articulations de
la pensée spéculative se substituent aux ressources de schématisation
impliquées par le jeu de l'assimilation prédicative. Parce qu'il fait *système,*
l'ordre conceptuel est capable de s'affranchir du jeu de la double signification, donc du dynamisme sémantique caractéristique de l'ordre
métaphorique [102].

Le discours spéculatif et la réalité

Le rapport du langage métaphorique à la réalité est une référence dédoublée. Qu'en est-il du rapport à la réalité du langage
spéculatif ? Cette question est philosophique et non sémantique,
car « la sémantique ne peut qu'aligner le rapport du langage à la
réalité et non le penser comme tel » [103]. Il est bien vrai qu'on ne
peut parler du rapport langage-réalité à partir d'un lieu extérieur
au langage ; c'est encore et toujours *dans* le langage qu'on prétend parler *sur* le langage. Mais si le discours spéculatif est possible, c'est parce que « le langage a la capacité *réflexive* de se mettre
à distance et de se considérer, en tant que tel et dans son ensemble,
comme rapporté à l'ensemble de ce qui est. Le langage se désigne
lui-même et son autre » [104]. Cette réflexivité prolonge la fonction
métalinguistique, mais l'articule dans le discours spéculatif où elle
devient « le savoir qui accompagne la fonction référentielle elle-

101. MV 381.
102. MV 382.
103. MV 384.
104. MV 385.

même, le savoir de son être-rapporté à l'être » [105]. Le langage se sait ainsi dans l'être et renverse son rapport à son référent : « il s'aperçoit lui-même comme venue du discours de l'être sur lequel il porte » [106]. Cette conscience réflexive implique la possibilité d'énoncer des propositions sur ce qui est et de dire que cela est porté au langage en tant que cela est dit. « Quand je parle, dit Paul Ricœur, je sais que quelque chose est porté au langage. Ce savoir n'est plus intra-linguistique, mais extra-linguistique : il va de l'être à l'être-dit dans le même temps que le langage lui-même va du sens à la référence » [107].

Et par conséquent, c'est d'abord comme « *instance critique,* retournée contre notre concept conventionnel de réalité », que la pensée spéculative reprend, dans son espace propre d'articulation, la notion de référence dédoublée. Or la référence dédoublée signifie que la tension caractéristique de l'énonciation métaphorique est portée à titre ultime par la copule *est*. *Etre-comme* signifie *être* et *ne pas être*. Mais par quel trait le discours spéculatif sur l'être répondra-t-il au paradoxe de la copule, au *est/n'est pas* apophantique [108] ?

S'inspirant d'un passage de la *Rhétorique* d'Aristote [109], Paul Ricœur forme l'hypothèse que la distinction radicale de l'être comme puissance et de l'être comme acte est de nature à fonder en définitive la légitimité de la référence dédoublée. Si tel est bien le cas, il en découle que la visée sémantique de l'énonciation métaphorique est en intersection, de la façon la plus décisive, avec celle du discours ontologique au point où la référence de l'énonciation métaphorique met en jeu l'être comme acte et comme puissance [110].

Mais que signifie l'expression aristotélicienne dont s'inspire ici Paul Ricœur : « mettre sous les yeux, c'est signifier les choses en acte ». Aristote précise : quand le poète prête vie à des choses inanimées, ses vers « rendent le mouvement et la vie : or l'acte est mouvement » [111]. Plusieurs interprétations sont possibles de ce

105. *Ibidem.*
106. MV 385-386.
107. MV 386.
108. MV 388.
109. ARISTOTE, *Rhétorique,* III, 1411b 24-25.
110. MV 389.
111. ARISTOTE, *op. cit.,* 1412a12, cité MV 389.

qu'on peut entendre par « signifier les choses en acte ». Ce peut être vouloir dire les choses comme des *actions* ; ou les voir à la façon d'une œuvre de l'art, d'une production technique ; ou encore, voir les choses comme des *éclosions naturelles*. Cette dernière hypothèse, estime Paul Ricœur, semble plus proche que les autres des exemples auxquels Aristote recourt dans la *Rhétorique* (voir les choses inanimées comme animées). « Signifier l'acte » serait voir les choses comme non empêchées d'advenir, les voir comme cela qui éclôt. Mais alors signifier l'acte, ne serait-ce pas aussi bien signifier la puissance, au sens englobant qui s'adresse à toute production de mouvement ou de repos. Le poète serait-il alors, suggère Paul Ricœur, celui qui aperçoit la puissance comme acte et l'acte comme puissance ? Celui qui voit comme achevé et complet ce qui s'ébauche et se fait. Celui qui aperçoit toute forme atteinte comme une promesse de nouveauté ? Bref, celui qui atteint « ce principe immanent qui existe dans les êtres naturels, soit en puissance, soit en entéléchie » que le grec nomme *phusis* ?

Pour nous modernes, qui venons après la mort de la physique aristotélicienne, ce sens de la *phusis* est peut-être à nouveau vacant, comme ce que le langage poétique demande au discours spéculatif de penser. C'est alors la tâche du discours spéculatif de se mettre en quête du lieu où apparaître signifie « génération de ce qui croît ».

Ainsi donc, le discours spéculatif est rendu possible par la vertu de l'énoncé métaphorique et, cependant, il garde à l'égard de la métaphore une autonomie qui, en définitive, constitue la requête ultime de ce qui tente de se dire métaphoriquement. La dynamique spéculative est ce qu'appelle de tous ses vœux la torsion métaphorique.

Il reste, avant de pouvoir spécifier le rapport respectif des langages scientifique, philosophique et théologique à la métaphore et au discours spéculatif, à approfondir les liens qui, dans la problématique de l'interprétation, nouent le langage, le monde et l'action.

CHAPITRE 5

LA PRÉCELLENCE DE L'ACTION

> « *Là où le fondement fait défaut, le sol se dérobe et ce qui s'ouvre alors, c'est la possibilité d'une chute infinie dans l'incessant retrait de tout support. Là où il n'y a plus d'appui s'ouvre l'abîme, c'est-à-dire le gouffre sans fond qui s'enfonce dans le vertige d'une insondabilité sans limite.* »
>
> J. Ladrière (ABI 188).

La mise en évidence de l'auto-implication du sujet et de la métaphoricité de son discours, que le scientisme tentait de refouler, indique que c'est dans le cadre d'une philosophie de l'action qu'il convient de manifester la légitimité et la spécificité des discours rationnels, y compris le discours scientifique.

C'est à partir d'une enquête sur les fondements du savoir scientifique que l'on dessine ce cadre. Cette enquête, en effet, débouche sur un nouvel éclatement des préjugés scientistes. Loin de n'être que le moyen d'une éventuelle transformation *(process)* contre une philosophie de la substance, tion du devenir du monde.

L'enquête sur les fondements semble donc donner raison à Héraclite contre Parménide, à une philosophie de la transformation (process) contre une philosophie de la substance, à une métaphysique de l'interprétation contre une métaphysique de la représentation.

Tout langage, qu'il soit spéculatif, religieux ou poétique, est une interprétation qui se donne à interpréter. Tenir un langage (et a fortiori s'il s'agit d'un discours) est une forme d'action. C'est donc que l'interprétation est la dimension fondamentale de l'action. C'est dire aussi que science, philosophie et théologie sont des formes d'action qu'il s'agira de préciser dans les chapitres suivants.

S'il est une leçon à retenir de la philosophie du langage, c'est sans doute l'impossibilité d'une science détachée des conditions de sa production, l'impossibilité d'une représentation du monde qui soit véritablement une re-présentation [1]. Il y a, en effet, dans le langage, une sorte de présence du monde lui-même puisque le langage n'est jamais un pur code transparent mais comporte toujours une opacité liée au substrat qu'informe l'usage du code [2]. Et, d'autre part, le monde ne prend un sens que par le langage. Autrement dit, il y a aussi, dans le monde, une sorte de présence du langage lui-même [3].

Cette mutuelle adhérence du langage et du monde conditionne toute communication : elle la rend possible en même temps qu'elle l'affecte d'une radicale indétermination. C'est pourquoi, en même temps qu'est manifestée l'impossibilité de la représentation, s'ouvre le champ de l'interprétation.

Mais l'interprétation elle-même n'est pas donnée d'emblée ; elle vient en quelque sorte à l'agent comme la rime au poète. En tant qu'elle est cheminement d'un discours qui fait advenir un sens [4], l'interprétation est une opération, à vrai dire très particulière, qui s'insère dans l'enchaînement de l'action. Interpréter, c'est agir. Mais agir, c'est aussi interpréter. Car agir, c'est poursuivre dans un monde à déchiffrer, une énigmatique destinée d'homme. C'est-à-dire que l'action, dont Blondel disait qu'elle est « un fait dans la vie » [5], requiert, dans son déploiement même, l'interprétation du monde et de la destinée. Et l'on peut de plus, semble-t-il, former l'hypothèse que c'est le concept d'action qui permettra d'établir le rapport entre le monde de l'homme et son langage, entre le cosmos et ce en vue de quoi l'homme l'interprète, c'est-à-dire sa destinée, rapport que le scientisme avait laissé dans l'ombre mais dont l'élucidation est nécessaire si l'on veut repérer le lieu exact de la théologie dans le champ des interprétations.

---

1. Au sens du « premier » Wittgenstein : *Ab-bildung, de-piction.*

2. Présence que reconnaissait l'auteur du *Tractatus logico-philosophicus* lorsqu'il remarquait que les énoncés du langage sont des faits dans le monde (T 2.141).

3. Présence qu'a mise en lumière notamment toute une réflexion phénoménologique.

4. ER 33.

5. M. BLONDEL, *L'Action* (1893), Paris, PUF, diff. éditions.

1. COSMOLOGIE ET ANTHROPOLOGIE

N'y a-t-il pas entre le monde et la destinée un irréductible antagonisme qui serait celui de la nécessité et de la liberté ? Sans doute, mais il semble que l'étude des systèmes complexes mette en évidence des interactions entre l'information et son substrat [6] qui ouvrent la voie à une réintégration, dans la connaissance du monde, de la relation sujet-objet, c'est-à-dire des couplages qui peuvent s'établir entre systèmes « physiques » et systèmes « psychiques » [7]. Selon toute vraisemblance, en effet, cette relation prend la forme d'une boucle de rétroaction qui lie les systèmes « psychiques » aux systèmes « physiques » dont ils sont issus et qu'ils contribuent, une fois constitués, à transformer. Un nouveau terrain de rencontre entre cosmologie et anthropologie semble donc s'esquisser ainsi. Mais avant de décrire les modalités de cette rencontre, il convient de mesurer la distance qui sépare *Cosmos* et *Moïra,* monde et destinée, nécessité et liberté.

La science classique cherchait à expliquer les régularités observées dans le monde en les rattachant par déduction à des principes fondamentaux [8]. Mais l'on s'aperçoit aujourd'hui que ce qui, du point de vue de la perception, peut apparaître comme un substrat relativement solide et permanent n'est, en somme, que « l'image-enveloppe d'enchaînements complexes d'interactions incessantes » [9]. La réalité devrait donc être pensée non pas comme une étoffe tissée de fils durables et résistants entrelacés et constituant la « matière » mais comme un flux de transitions et de passages successifs composant un immense « processus ». Comme l'a montré Whitehead [10], c'est la notion d'*événement* qui devrait être considérée comme première, et non celle de substance. En effet, les apparences, dont la science classique tentait de rendre compte en s'appuyant sur la notion de substance, ne sont que « des effets

6. Le Moigne, *op. cit.,* chap. 3.
7. ANCOS 154.
8. Cf. notamment la cinquième des *Règles pour la direction de l'esprit* de Descartes (p. 52 de l'édition de la Pléiade de 1953).
9. ANCOS 157.
10. Whitehead, *Process and Reality* (1929), New York, The Free Press, 1978.

d'invariance relativement locaux et momentanés, produits dans le flux des transformations incessantes de la réalité » [11].

La biologie moléculaire fournit dans son domaine, qui est l'étude des propriétés de la matière vivante, une illustration particulièrement frappante de ce point de vue. L'une des propriétés les plus remarquables des cellules est leur pouvoir de transmettre sans erreur à d'autres portions de matière vivante le « programme » qui régit leur propre fonctionnement [12]. Chaque cellule est, pour ainsi dire, équipée pour assurer la reproduction intégrale, fidèle et en principe indéfinie, dans toutes les cellules de sa descendance, de son propre « patrimoine génétique » c'est-à-dire de son propre mode d'organisation.

Dans le cas des lignées cellulaires comme ailleurs dans la réalité, on s'accordera à reconnaître avec Jean Ladrière que « la persistance morphologique n'est qu'un effet intégré d'interactions sous-jacentes qui appartiennent à un flux événementiel jamais interrompu » [13].

Mais par ailleurs, les sciences biologiques attirent l'attention sur le phénomène exactement inverse : l'apparition au fil du temps de nouvelles formes d'organisation de la matière vivante. Ce que manifeste ce phénomène, qui s'impose avec évidence, c'est que les transformations biologiques donnent naissance à des structures de plus en plus complexes et, par conséquent, de plus en plus performantes. En effet, plus s'accroît son degré d'organisation, plus un être vivant devient autonome par rapport au milieu et plus ses interactions avec ce milieu deviennent indépendantes des circonstances immédiates [14].

Ainsi, l'image de la *nature* qui s'impose dès maintenant n'est plus celle d'un ordre immuable reproduisant invariablement les mêmes configurations, mais celle d' « un milieu d'auto-structuration édifiant, dans un ordre de complexité croissante, ses propres architectures à partir d'un flux perpétuel d'interactions » [15]. Mais plus ces interactions sont auto-organisatrices, plus leur contribution à la création de formes nouvelles apparaît dominée par un principe de finalité immanent. La nature telle que

11. ANCOS 157.
12. F. Jacob, *La Logique du vivant,* Paris, Gallimard, 1970.
13. ANCOS 158.
14. Ce fait, abondamment illustré par Teilhard de Chardin, n'est plus guère contesté aujourd'hui.
15. ANCOS 159.

l'interprètent aujourd'hui les sciences biologiques apparaît donc essentiellement sous la forme d'un dynamisme créateur, d'un milieu d'autofinalisation générateur de projets. Mais les projets qu'elle suscite restent immanents aux architectures qui les soutiennent ; leur finalité est à la recherche d'elle-même et n'a pas pu encore se saisir elle-même dans le moment de la réflexion, car elle reste totalement immergée dans les opérations mêmes qui l'engendrent [16].

C'est pourquoi la nature est susceptible d'une double interprétation. Selon l'ordre de sa construction même, d'une part, elle sera interprétée en termes d'interactions, tout effet nouveau devant être expliqué à partir de ses antécédents. C'est le point de vue de la biologie. Mais, d'autre part, selon le point de vue philosophique, elle peut aussi être envisagée rétrospectivement comme un processus d'émergence qui affirme son sens à mesure qu'il se déploie. Ces deux points de vue sont étroitement complémentaires, car les interactions qui, dans la première interprétation, sont considérées comme causes des effets observés seront comprises dans la seconde interprétation comme des projections instantanées d'un projet global. Et ce projet lui-même, qui, du point de vue réflexif, apparaît comme « le ressort central de toute l'histoire de la *nature* » [17], sera considéré selon la première perspective comme une sorte d'effet global résultant de l'ensemble des interactions élémentaires.

Cette dualité de perspective fournit une indication qui pourra guider une tentative d'articulation du cosmos et de la destinée dans le cadre d'une philosophie de l'action. L'action, en effet, se prête elle aussi à une double lecture.

« Oui ou non, la vie humaine a-t-elle un sens, et l'homme a-t-il une destinée ? J'agis, mais sans même savoir ce qu'est l'action, sans avoir souhaité de vivre, sans connaître au juste ni qui je suis ni même si je suis [18] ». Ces lignes, qui sont restées célèbres, énoncent en toute clarté l'interrogation fondamentale à laquelle on tentera d'apporter quelques éléments de réponse à l'aide précisément d'une réflexion sur l'action dans le monde.

16. *Ibidem.*
17. ANCOS 160.
18. BLONDEL, *L'Action,* p. VII.

Le propre de l'action humaine est de faire passer le projet cos-
mogénique de l'état immanent à l'état réfléchi, d'en faire non plus
un effet mais, au contraire, un principe régulateur. Par l'action,
l'homme se sépare de la nature et se distingue de ce qu'il y a de
seulement biologique en lui. Mais l'action n'est pas mise en œuvre
d'une liberté purement transparente à elle-même. Elle est chargée,
au contraire, d'une double opacité.

D'une part, en raison de ses propres initiatives, l'action s'objective dans une extériorité faite d'œuvres qui acquièrent une consistance propre et deviennent par conséquent pour elle non seulement des points d'appui mais aussi de nouveaux conditionne-
ments dans lesquels elle risque toujours de perdre son autonomie.
En effet, comme on croit l'avoir montré ci-dessus à propos de la
technologisation du décor de l'existence [19], dans la mesure où une
réalisation de l'action a sa propre logique et sa propre finalité, elle
ne pourra qu'infléchir l'action qui tenterait de la reprendre à son
propre compte dans la ligne de téléonomie immanente. Les initiatives de l'action peuvent donc, par une sorte de solidification de
leurs produits, se retourner contre l'action elle-même et, en quelque sorte la re-naturaliser [20]. Mais il y a dans l'action une autre
dimension d'opacité qui est liée à sa propre nature. En effet,
comme l'a montré Maurice Blondel, l'action a pour tâche, en
vertu de sa nature intime, de s'assumer elle-même, c'est-à-dire de
réaliser, par ses actes, une figure d'elle-même qui soit adéquate à
son vouloir profond. Mais c'est là une tâche infinie, car c'est à
travers la finitude de ses interventions effectives que l'action tente
de s'égaler à elle-même. L'inévitable médiation du fini rend opa-
que à l'action son propre désir d'infini.

Il y a donc dans l'action une double opacité ou, comme l'écrit
J. Ladrière, une double *extranéité*.

S'il y a une extranéité de l'objectivation qui est consécutive à l'acte et
qui tire en quelque sorte l'action vers la nature, il y a aussi en elle une
extranéité en quelque sorte intérieure, consécutive, qui représente ce côté
de l'action par lequel elle est comme toujours déjà à l'avance au-delà de
tous ses actes, tendue comme par nature dans l'anticipation de ce qu'elle
est appelée à être, dans l'attente de sa propre vérité, de ce moment où elle
accéderait enfin à la plénitude de sa destinée [21].

19. Cf. chap. 1, 2 *supra*.
20. ANCOS 161.
21. ANCOS 162.

Cette double extranéité de l'action manifeste en celle-ci une structure analogue à celle du dynamisme de la nature. Il y a, d'une part, un mouvement fondamental qui est l'exigence constituante de l'action et, de l'autre, les actes concrets par la médiation desquels elle assume son propre vouloir et qui laissent sa trace dans le monde.

On le voit, l'action elle aussi est susceptible d'une double interprétation. En se projetant dans des systèmes, l'action, qui, pour se constituer comme instance autonome, avait dû se séparer de la nature, retourne pour ainsi dire du côté de la nature et reproduit, en le prolongeant, le mouvement auto-constitutif de la nature. Cette « naturalisation » de l'action l'éloigne d'elle-même mais lui donne aussi son effectivité. En revanche, l'action se faisant nature ne peut cesser d'être action, car il y a toujours dans les systèmes qu'elle produit « comme une faille qui appelle une initiative d'un autre ordre, comme l'attente d'une reprise qui réintégrerait au royaume de la liberté ce qui paraissait ne plus appartenir qu'au grand mouvement d'émergence de la nature » [22]. C'est en se plaçant dans le prolongement des architectures naturelles que l'action se met dans la condition de pouvoir assumer dans son ordre propre l'intégralité du mouvement qui sous-tend ces architectures. C'est en se perdant dans les figures extérieures en lesquelles elle s'exprime qu'elle assume dans son dynamisme constitutif celui de la nature. Cette lecture de l'action n'est pas réductrice ou naturalisante, elle est, à proprement parler, philosophique.

L'action comme la nature se prête donc à deux lectures. L'une tente en quelque sorte une naturalisation de la nature comme de l'action ; ce serait l'interprétation immanente. L'autre s'efforce de faire apparaître la finalité de la nature comme de l'action ; ce serait l'interprétation téléonomique. C'est à partir de cette parenté structurale que J. Ladrière articule cosmologie et anthropologie.

D'une part, l'action ne trouve son effectivité que dans la consistance que lui procure la nature. D'autre part, l'autofinalisation de la nature ne trouve son sens que dans « cette sorte de méta-finalité de la liberté qui pose par elle-même un ordre des fins » [23]. La parenté structurale de l'action et de la nature est fondée sur une

22. ANCOS 163.
23. *Ibidem.*

dualité en même temps que sur une relation caractéristique entre un mouvement constitutif profond et une exigence de concrétisation : processus d'autofinalisation concrétisé dans ses interactions d'espèces diverses du côté de la nature et, du côté de l'action, séries d'actes déterminés laissant dans la nature la trace d'un vouloir fondamental.

Cette correspondance qui se manifeste entre l'action et la nature suggère de réinterpréter le mouvement fondamental de la nature comme un vouloir c'est-à-dire comme « une tension anticipatrice qui est une sorte de possession à distance de soi » [24]. Mais le vouloir de la nature reste enveloppé dans l'opacité d'un projet qui n'atteint pas à la réflexion. Ce n'est que dans l'action et par elle que le vouloir de la nature prend, à l'instar de l'homme, conscience de lui-même.

Mais la reprise des systèmes naturels dans l'ordre de l'action ne va pas de soi, car là où commence l'action commencent aussi le risque et la responsabilité ; et l'action ne pourrait que se trahir si elle s'abandonnait à la spontanéité des régulations « naturelles ».

Parce qu'en elle le vouloir cesse d'être inconscient pour devenir réfléchi, il appartient à l'action, inéluctablement, de se ressaisir toujours à nouveau sur les pesanteurs qui la conditionnent et qu'elle suscite en partie elle-même, vers une destination qui doit être fonction de sa propre structure constitutive, le mouvement d'organisation et d'émergence des systèmes [25].

Il y a donc, finalement, une responsabilité de l'action à l'égard des systèmes naturels puisqu'il appartient à l'action de susciter des systèmes pratiques par la médiation desquels elle pourra effectivement exercer sa maîtrise sur la nature. Cette responsabilité, évidemment, reste à préciser.

2. L'ÉCHEC DU FONDEMENT

Qu'il y ait, en définitive, une responsabilité de l'action dans la cosmogenèse suppose qu'il y ait — au moins virtuellement et partiellement — une maîtrise humaine du flux cosmique. Or celle-ci n'est pas pensable sans une véritable science du cosmos. Mais

24. ANCOS 164.
25. ANCOS 165.

qu'en est-il du fondement d'une telle science ? L'impossibilité de la représentation et corrélativement la requête d'une théorie de l'interprétation n'apparaîtront en toute clarté qu'à la lumière d'une critique de l'idée de fondement telle qu'elle s'est développée au début de ce siècle.

De différents côtés la pensée philosophique du XXᵉ siècle a été marquée par l'idée de fondement. On connaît les entreprises célèbres de Whitehead et Russell, de Carnap et de Husserl ; qu'il s'agisse de réduire toute la mathématique à quelques notions de logique relativement simples, de ramener les concepts les plus abstraits des sciences au noyau expérienciel de la vie sensorielle ou de reconstruire l'intégralité de l'expérience humaine, le logicisme [26], le réductionisme [27] et la phénoménologie [28] sont autant de tentatives de fondement. Chacune de ces démarches vise finalement à mettre au jour une région privilégiée, offrant d'elle-même l'assurance de sa propre validité, et à montrer comment on peut ramener, par des opérations appropriées, les parties obscures du discours à la clarté lumineuse de la région fondatrice [29].

La mise au jour du fondement, c'est-à-dire d' « une instance capable de se tenir par elle-même dans l'évidence d'une autodonation soustraite à toute contestation et capable en même temps de servir de support à tout ce qui ne se donne que de façon dérivée (et représente, par rapport à l'instance fondatrice, une sorte de "construit") » [30] est l'une des préoccupations les plus constantes de la philosophie récente. Elle s'est exprimée notamment dans les recherches épistémologiques sur la vérité des théories scientifiques [31]. Ce sont les théories qui permettent aux différentes sciences empiriques d'anticiper l'expérience et d'imaginer les opérations expérimentales susceptibles d'apporter des informations nouvelles. La question de la vérité des propositions théoriques apparaît donc comme un problème tout à fait crucial. Si le discours théorique doit avoir une portée empirique, il faut expliquer, en termes de correspondance avec la réalité, comment il peut être

26. WHITEHEAD et RUSSELL, op. cit.
27. R. CARNAP, Der logische Aufbau der Welt, 1928.
28. E. HUSSERL, Idées directrices pour une phénoménologie, Paris, Gallimard, 1950.
29. ABI 172.
30. ABI 173.
31. On trouvera un exposé général dans M. BUNGE, Scientific research, 2 vol., New York, Springer, 1967.

vrai et il faut d'autre part s'expliquer sur la notion même de la correspondance.

C'est ce qu'ont tenté de faire les philosophes positivistes qui ont proposé, en s'inspirant du programme logiciste de Whitehead et Russell, de ne considérer comme vraies que les propositions théoriques réductibles à des propositions élémentaires (ou propositions de base) dont la vérité ne fait pas question. Mais ces tentatives de fondement ont conduit à une mise en question radicale de l'idée de fondement elle-même. En épistémologie, l'idée même d'appuyer la science sur des éléments qui auraient le statut d'une instance ultime a été battue en brèche notamment par les travaux de Popper et de Quine [32]. Si bien que l'on trouve dans l'histoire du positivisme logique une sorte de renversement de perspective qui n'est pas sans lien avec l'itinéraire philosophique de Wittgenstein : l'idée d'une déconstruction aboutissant à des éléments ultimes s'est effacée devant une conception extrêmement relativiste de la clarification du discours faisant appel à ce que l'on pourrait appeler une grammaire des contextes. Or ce renversement de perspective, en quoi l'on peut voir un véritable avatar du logicisme, conduit à une redécouverte du rôle de l'action.

La discussion de la difficile question du statut des « énoncés de base » a conduit la plupart des épistémologues à une conception toute pragmatiste. En fait, il n'y a pas de critères qui puissent faire reconnaître un énoncé comme ultime support de la vérité ; ce n'est qu'en raison de certaines conventions d'ordre pragmatique que l'on s'accorde à un moment donné à reconnaître tel énoncé pour vrai, relativement aux moyens d'investigation disponibles à ce moment.

Le développement de cette problématique a conduit à un abandon total de l'idée de correspondance aux faits comme critère de vérité. De plus en plus on s'accorde à considérer comme vrais à un moment donné les énoncés intégrables à l'ensemble propositionnel qui exprime à ce moment le maximum d'informations non contradictoires relatives à un secteur scientifique déterminé. L'on reviendra ultérieurement sur cette question, car il suffit pour l'instant de constater l'échec des tentatives de fondement. Il est d'ailleurs tout à fait remarquable que l'histoire de la physique contemporaine montre elle aussi que l'idée d'une décomposition

---

32. Cf. J.-F. MALHERBE, *Epistémologies anglo-saxonnes,* Paris, PUF, 1981.

de toutes les entités complexes en entités élémentaires ultimes est selon toute vraisemblance complètement illusoire.

Ainsi, la science empirique se montre efficace et inventive ; elle est capable de faire face avec un succès sans cesse confirmé aux défis qu'elle se propose à elle-même et de s'adapter aux situations les plus inattendues. Et pourtant, aucune de ces propositions ne peut être considérée comme établie fermement, nulle part on ne trouve une garantie ultime de ce qui est avancé. Ce corps des propositions scientifiques est comme une vaste construction qui, à certains moments, se transforme comme de l'intérieur, de fond en comble, mais qui paraît ne reposer que sur sa propre cohésion. L'empiricité elle-même n'est plus le lieu d'une donation indubitable, mais seulement comme une surface de contact entre un système conceptuel toujours marqué de précarité et un champ d'interaction qui ne s'organise lui-même qu'en fonction de ce système [33].

L'idée de fondement mise en cause, il reste à tenter de réinterpréter la problématique à laquelle elle était censée apporter une solution.

Ce qui est mis en cause dans l'idée de fondement, c'est précisément l'irréductibilité du fondement. L'analyse réductive reste possible, toute proposition peut toujours être rapportée à d'autres qui sont censées la soutenir, mais ce qui semble à jamais compromis, c'est la possibilité d'une régression qui s'arrêterait quelque part. Toute relation de fondement, tout appui d'un fondé sur un fondement, devient précaire, car tout fondement peut être mis en cause et devoir être, à son tour, fondé à nouveau. Il n'y a plus, à proprement parler de différence essentielle entre le fondé et le fondement puisque tout fondement peut devoir être fondé. Il ne peut plus s'agir de « fondement » que par abus de langage. Cela signifie que la solidité inébranlable que transmettait le fondement à tout ce qui s'appuyait sur lui fait maintenant défaut. « Une proposition apparemment bien soutenue ne peut être considérée que comme un moment de fixation dans une sorte de dérive qui renvoie toujours plus loin la charge de la preuve qui devrait être décisive [34] ».

Mais, au retranchement infini du fondement, à l'analysabilité

33. ABI 178.
34. ABI 182.

indéfinie, correspond, en sens inverse, une intégrabilité sans fin de tout système dans un système plus vaste. Il y a donc en chaque niveau de réalité ou de connaissance — car, de ce point de vue purement formel, le monde et le langage sont isomorphes — la possibilité d'un double passage : passage vers un niveau plus élémentaire ou vers un niveau plus intégrant. Or de tels passages sont en eux-mêmes indéfiniment répétables. Cette mise à l'écart définitive de tout fondement véritable, Jean Ladrière l'a appelée l'*Abîme* [35].

Comme on le pressent, ces considérations épistémologiques rejoignent, d'une certaine manière, les remarques d'ordre cosmologique formulées ci-dessus. D'une part, en effet, tout énoncé de connaissance est définitivement suspendu — pour ainsi dire — entre ce qu'il fonde et ce qui le fonde, mais le fondement lui-même, finalement, toujours se dérobe. D'autre part, les entités physiques ou biologiques ne peuvent être envisagées que comme des concrétisations, des consolidations locales dans un « processus organisateur toujours à l'œuvre, qui élève structure sur structure sans qu'on puisse discerner sur quoi il s'appuie en définitive, ni à quoi il doit ultimement aboutir [36] ». C'est que l'être, qui est à la fois l'objet du discours et son sujet, n'est plus cette substance qui se pose autarciquement comme puissance fondatrice ultime, mais ce qui advient sans cesse. Ce qui se donne à voir comme ce qui se donne à dire, ce sont « des figures qui passent, qui n'ont de consistance que dans ce passage même, qui n'ont de fonction que de donner forme au mouvement du passage » [37]. La consistance de ces figures est celle d'une trace.

L'image que propose J. Ladrière pour représenter ce qui advient sans pouvoir s'appuyer à quelque fondement solide est celle du *désert* « qui n'est fait que de sa propre infinité et de sa propre instabilité, et dans lequel le vent ne cesse de dessiner un relief toujours changeant, de faire apparaître des collines de sable qu'il déforme continuellement et qui ne reposent que sur l'inconsistance d'un sol toujours mouvant » [38]. Et l'image du désert elle-même suggère que le retrait du fondement, loin de détruire entièrement la légitimité des entreprises fondationnelles, la restaure en

35. ABI 188.
36. ABI 182.
37. ABI 184.
38. ABI 186.

en modifiant radicalement le sens. Car ce qui est mis en cause finalement, c'est l'idée de la régression fondatrice comme quête d'une justification absolue et non pas l'idée de la fondation comme *acte* de fonder, comme acte de ce qui, dans le mouvement même de la régression, tente de rendre intelligible ce mouvement lui-même.

3. LE DISCOURS DE L'EFFECTUATION

Si le fondement se dérobe, le discours de la représentation, qui laisse en place l'homme et le monde et tente pour l'homme de redoubler le monde en une image de lui-même qui soit vraie, s'avère absolument impossible. Mais à côté de ce discours de la représentation, il y a le discours de l'interprétation effectuante qui tente, à sa manière, d'assumer, au point précis où il s'y insère, le mouvement universel du déploiement [39].

Or ce discours, précisément parce qu'il est tentative d'assomption, en un de ces points précis, du flux cosmo-anthropologique, est et ne peut être qu'un discours-action, un discours de l'action dans l'action, bref un discours auto-interprétant. Mais que signifie la liaison de la volonté et du discours ? Quel est ce discours qui semble parler et prend appui sur son propre dire pour s'accomplir [40] ? En ce discours s'articulent l'un à l'autre un dire qui s'efforce de ressaisir l'incessante émergence du monde et une mise en jeu de soi-même dans l'affrontement de la destinée. Il s'agit, en définitive, du discours de l'interprétation que tient celui qui, tentant de comprendre le monde et lui-même comme être-au-monde se compromet lui-même dans un discours qui porte sur sa propre destinée. Ce discours qui resurgit toujours de son propre effacement et qui tente, à chacun de ses surgissements, de se dire en disant son histoire, ce discours évoque un exil sans fin, une quête indéfinie de la vérité. Car le moment de la vérité serait le moment où le discours se réintégrerait à lui-même en recueillant en lui le mouvement qui n'a jamais cessé de le porter. Le discours de l'interprétation évoque un interminable voyage. Non pas une circulaire *Odyssée,* car « Ithaque est encore dans le royaume de

39. ACT 17-18.
40. ACT 19.

l'illusion » [41], mais une marche au désert, un *Exode* vers une terre promise mais inconnue.

Le discours de l'interprétation est celui d'un « pèlerin qui ne peut que se confier à l'espace, s'enfoncer dans sa sollicitation en s'abandonnant à une dérive qui est comme une chute sans fin dans un champ de forces dont aucune perception ne peut donner le sentiment » [42]. Le terme ni l'itinéraire du voyage ne sont fixés. Le chemin se construit dans le cheminement. La seule chose qui est demandée à l'interprète, c'est le courage de la confiance, la force et la patience nécessaires pour recommencer chaque jour l'ébauche esquissée la veille, ébauche qui paraît ne différer en rien de celle de la veille, qui paraît ne pouvoir apporter aucune révélation nouvelle et pas même le sentiment d'avoir progressé. « La marche au désert est l'acceptation d'un éloignement qui n'en finit pas » [43] et elle devient d'autant plus inspirante que l'on s'enfonce davantage dans l'apparence d'une errance désespérément sans issue. Mais il faut poursuivre cette errance désespérée pour que se laisse peu à peu reconnaître, au creux même de la démarche, cela même qui en contient le sens et le terme. Ce terme, c'est le moment où l'action recueille en elle toute la vertu de son cheminement et, par une péripétie inédite — rupture instauratrice, passage décisif —, décide enfin ce qu'il en est d'elle-même et, assumant son propre cheminement, se trouve finalement en vérité.

L'intrication de l'action et du discours apparaît ici en toute clarté. Il faut le cheminement, l'épreuve décevante des identifications successives pour que s'élèvent, dans le milieu du discours — ce dire réglé par l'exigence logique de la concaténation —, les figures en lesquelles se dessine petit à petit la structure constitutive de l'action. Car c'est le destin de l'action de n'être pas d'abord simplement devant sa tâche essentielle mais d'avoir au préalable à se découvrir « à travers les mille péripéties où cette tâche d'une certaine manière déjà s'accomplit tout en se dérobant à elle-même et en se dissimulant sa véritable envergure » [44].

C'est en refaisant pour ainsi dire sa propre histoire que le discours se fait lui-même interprétant. C'est aussi en refaisant sa propre histoire que la volonté se fait elle-même. C'est en découvrant, inscrite en eux, l'exigence d'adéquation avec eux-mêmes qui les

41. ACT 23.
42. ACT 24.
43. *Ibidem.*
44. ACT 25.

définit, que la volonté et le discours accèdent effectivement à la condition dans laquelle cette adéquation peut réellement s'effectuer.

Seule la réduction scientiste qui avait laissé dans l'ombre la volonté a pu, l'espace d'un moment, donner à la représentation une apparence de crédit. C'est parce que le discours est toujours un discours de l'action que le langage ne peut pas être un tableau du monde. C'est parce que la volonté est toujours aussi une volonté de discours que le monde où s'insèrent la volonté et le discours ne peut pas être simplement redoublé dans le langage.

Mais le discours, en tant précisément qu'il est l'auto-interprétation de l'action qui dessine ses propres figures, est soumis à la tentation de l'amnésie. Il peut oublier que c'est le cheminement qui se donne ses propres itinéraires et vouloir dessiner par anticipation la carte de son propre parcours. C'est ce que J. Ladrière a appelé *la tentation de la représentation :*

> Il y a comme un poids des choses qui sans cesse nous porte à prêter la consistance de l'acquis et comme la réalité de l'habitable à ce qui n'est pourtant que l'éphémère apparition d'un moment évanescent, incapable de se soutenir dans la permanence et la solidité d'une existence assurée. La tentation la plus subtile peut-être, c'est celle de la représentation. C'est le moment où, fatigués d'une marche incessante et désespérant de jamais voir se concrétiser les promesses de l'invisible, les pèlerins se mettent à fabriquer des images dans lesquelles ils croient pouvoir enfermer l'infinité seulement encore pressentie de ce qui se dissimule dans l'insondabilité de l'horizon. Mais dans l'image, ils ne retrouvent que leur propre impuissance, leur lassitude et leur déception. L'image du monde, l'image de soi, c'est le double trompeur dans lequel le désir croit pouvoir se dire mais qui n'atteste jamais que son impuissance à s'égaler, par ce moyen, à lui-même. C'est qu'elle fige le mouvement, alors même qu'elle croit pouvoir se donner sous les apparences du mouvant [45].

Ce qui est demandé au discours, finalement, c'est d'être en même temps l'artisan de sa propre genèse et de sa propre déconstruction. Le discours authentique, qui — s'agissant de l'être-au-monde — est le discours de l'interprétation [46], est à la fois et indis-

---

45. ACT 26.
46. On trouve ici l'occasion de rappeler que toute une partie de la problématique développée dans ce chapitre trouve son origine chez Heidegger (*Sein und Zeit,* Tübingen, Max Niemeger, 1927, surtout dans les chap. 12-13 consacrés à l'*être-au-monde en général).*

sociablement vérité et vanité. Vérité parce qu'il constitue, à ses moments successifs, les étapes nécessaires du déploiement de l'action. Vanité parce qu'aucun de ses moments n'est en mesure de fournir à ce déploiement un espace où se produire.

L'Action de M. Blondel est sans aucun doute l'un des ouvrages qui ont le plus contribué à battre en brèche la métaphysique de la représentation. Car *L'Action,* c'est le récit du pèlerin ; récit qui d'une certaine manière est le pèlerinage lui-même. Récit qui raconte « la lente déambulation à travers les dunes toujours recommencée, à travers l'immensité éprouvante où se raréfient de plus en plus les appuis, la patience souvent menacée, que rien pourtant n'a définitivement rebutée, la fidélité dans l'obscur qui a permis chaque matin de retrouver l'invisible chemin » [47]. Et ce récit, en définitive, invite à poursuivre le pèlerinage.

CHAPITRE 6

LA VOLONTÉ DU SAVANT

> « *La lecture du monde ne repose pas sur une base d'évidences privilégiées. Elle est une création imaginative, elle est toujours transcendante par rapport au donné, elle ne peut viser ce qui est éprouvé dans l'expérience que par un immense détour, par un effort ininterrompu du* logos, *dont l'accord avec la* phusis *demeure toujours fragmentaire, incertain, conjectural, perpétuellement vacillant.* »
>
> Jean Ladrière (SCSP 132).

Parmi l'ensemble des formes de langage possibles — dont chacune est une forme d'action —, s'agissant ici en quelque sorte de la question de la scientificité de la théologie, on s'intéressera particulièrement aux formes rationnelles du langage c'est-à-dire aux discours.

A l'âge de la science, la théologie comme la science souffrent de scientisme. Mais celui-ci circonvenu, il reste à élaborer un concept non scientiste de la science. C'est ce qu'on tente de faire avant de proposer dans les chapitres 7 et 8 un concept non scientiste des discours philosophique et théologique.

L'enquête ainsi menée conduit à la conclusion que le discours scientifique est l'une des formes spéculatives du langage, c'est-à-dire une des formes de langage caractérisées par un effort de logification des réseaux de métaphores qu'elles comportent.

Au sein de la famille des discours spéculatifs ainsi définis, le discours scientifique occupe une place particulière, caractérisée notamment par la forme mathématique de l'effort de logification qu'il comporte et par l'effort entrepris en vue de constituer le sujet du discours scientifique en sujet transcendantal (ou, si l'on préfère, de désimpliquer le sujet empirique du discours qu'il tient).

Ces caractéristiques n'impliquent pas que le discours scientifique échappe à la dimension de l'interprétation mais bien que l'interprétation dont il est la mise en œuvre soit, pour ainsi dire, « trascendantalisante », c'est-à-dire tende à sa propre « dé-subjectivation » en quoi consiste l'objectivation.

Mais l'interprétation scientifique de la réalité, qui est une interprétation objectivante basée sur la répétabilité et la réfutabilité des pratiques qu'elle rend possibles, n'est jamais qu'une interprétation fragmentaire de la réalité.

Le discours scientifique apparaît donc comme une interprétation à la fois fragmentaire et opératoire de la réalité.

Le point de vue adopté dans ce chapitre est d'emblée herméneutique. Dans cette perspective, on proposera une première définition de la science comme *entreprise d'accroissement réglé de la maîtrise de la nature*. En effet, l'activité scientifique est devenue une profession parmi d'autres, qui s'exerce dans des institutions publiques ou privées, et la recherche est devenue pour les États un facteur de puissance économique et politique. D'emblée, les sciences de la nature sont considérées ici comme un savoir-faire : elles fournissent un *savoir* sur la réalité et s'efforcent de rendre possible un accroissement réglé de ce savoir et d'améliorer progressivement les moyens par lesquels elles assurent cette croissance, mais leur démarche est toujours déjà étroitement associée à un *pouvoir* sur les choses et sur l'homme lui-même. Les sciences de la nature sont donc liées à la technologie d'une façon extrêmement étroite, au point même d'en paraître, en un premier temps, indiscernables. C'est pourquoi l'on s'interrogera sur la logique du développement de ce savoir-faire avant de tenter d'en distinguer les différents moments. Dans une première partie, on montrera qu'en science le rapport à la vérité est toujours présomptif et d'ordre opératoire, car l'expérience et la théorie, qui sont les deux moments de la démarche scientifique, sont elles-mêmes essentiellement opératoires. Ensuite, on s'interrogera sur la médiation nécessaire de l'expérience et de la théorie, qui consiste en un recours à la modélisation, et l'on montrera en quel sens l'explication scientifique peut être conçue comme une redescription métaphorique de l'*explanandum*. Enfin, on considérera les présuppositions des démarches scientifiques, qu'elles soient d'ordre ontologique, épistémique ou axiologique. En conclusion, on se demandera en quel sens on pourrait définir les sciences de la nature comme interprétation.

1. LES FRUITS DU RAISONNEMENT ET DE L'EXPÉRIENCE

« La vertu de la théorie, écrit J. Ladrière, c'est d'imaginer ce qui pourrait être, non simplement de dégager le type général de ce qu'on a pu observer [1]. » En effet, lorsque le savant formule une

1. SCSP 125.

théorie, ce n'est pas seulement dans l'intention de mettre en ordre des faits déjà connus, c'est pour découvrir de nouveaux faits ; ce n'est pas avant tout pour coordonner des connaissances déjà établies, c'est pour se donner une interprétation de ce qui n'a pas encore été exploré empiriquement ; c'est, en définitive, pour disposer d'un guide dans la recherche expérimentale. Le savant, s'il veut que son investigation ait une quelconque fécondité, ne peut se contenter de « jeter des coups de sonde n'importe comment dans un champ de réalité indifférencié » [2], il doit organiser à l'avance le domaine qu'il veut explorer, c'est-à-dire proposer des hypothèses suffisamment précises pour pouvoir imaginer des plans d'expérience et baser la stratégie de sa recherche sur des choix raisonnés. L'investigation scientifique suppose toujours une vue préalable de ce qu'il y a à découvrir et la théorie n'est utile que dans la mesure où elle est anticipatrice.

Ce qui est donc essentiel, en science, c'est l'acte même que pose le savant en construisant la théorie. Cet acte est porté par une inspiration imaginative s'appuyant sur une critique adroite de l'expérience antérieure ; mais il n'atteint sa véritable efficacité que s'il réussit à se détacher de cet appui empirique pour se livrer au mouvement de l'imagination pure. Pour ce faire, le savant doit substituer au langage initial lié à ses démarches expérimentales passées, un langage de libre création qui ne soit ni purement indéterminé ni purement répétitif mais, au contraire, offre à l'imagination théorique une « potentialité réglée de structuration ». Ce langage, écrit Jean Ladrière, c'est celui de la mathématique :

> C'est bien par la médiation de la représentation mathématique que l'esquisse initiale, encore extrêmement schématique, reçoit une articulation précise et se transforme progressivement en une signification efficace, capable d'ouvrir des perspectives toujours nouvelles de sens et de guider la recherche expérimentale bien au-delà de ce qui était simplement donné. La vertu du *langage théorique,* c'est de devancer toujours l'expérience et ce qui donne ce pouvoir, c'est en définitive, l'imagination mathématique [3].

Mais le recours à l'imagination mathématique implique que le domaine étudié par le savant soit construit en même temps que découvert. La représentation mathématique n'est pas, en effet, la

2. SCSP 128.
3. SCSP 256. Voir aussi ER 36.

simple traduction dans un langage formel de ce qui était déjà formulé dans un autre langage, elle consiste intrinsèquement en « une structuration originale des objets qu'elle pose ». En mathématique, l'acquisition de nouveaux résultats et l'ouverture de nouvelles perspectives sont simultanément découverte et construction parce que « la découverte n'est pas simple reconnaissance d'un contenu qui serait donné d'emblée à la fois dans son existence brute et dans son intelligibilité, mais activité constituante qui donne forme à l'avance au secteur du réel que l'investigation empirique se prépare à interroger et qui fournit les principes au moyen desquels les résultats enregistrés pourront être interprétés » [4]. Mais cela n'implique pas que la formulation des hypothèses scientifiques soit arbitraire car, au départ, le choix des représentations est guidé par des indications venues de l'expérience et, ensuite, le développement de la théorie reste soumis à des mises à l'épreuve systématiques. Cependant, les représentations mathématiques sont douées d'une vie propre, car, lorsqu'une forme mathématique particulière a été choisie, elle impose sa propre nécessité à la démarche théorique. Cette nécessité se manifeste par des contraintes formelles obligeant la théorie à s'orienter dans certaines directions plutôt que d'autres, mais aussi par « des suggestions originales, qui indiquent des synthèses possibles, font apparaître des explications inattendues et font découvrir les questions fructueuses qu'il convient de poser à la composante expérimentale de la démarche [5] ».

Le trait le plus spécifique de la forme moderne de la théorie scientifique est son caractère opératoire. La théorie, en effet, est, comme on l'a dit, destinée à fournir au savant un cadre permettant de mener des raisonnements relatifs au domaine qu'il étudie. La théorie est donc « un milieu d'opérations logiques » et, dans les cas les plus favorables, « elle présente son contenu lui-même sous une forme qui tire toute son intelligibilité de sa nature opératoire » [6].

Ce qui est au centre des procédures théoriques, c'est donc l'idée d'opération. Mais il y a dans la démarche scientifique deux composantes essentielles : le raisonnement et l'expérience, car la théorie ne peut rendre les services qu'on est en droit d'attendre d'elle que si elle est associée à l'expérience.

4. AS II 261.
5. AS II 261.
6. ER 37.

C'est qu' « il y a un verdict du réel, finalement » [7]. Mais il ne faudrait pas imaginer que l'expérience est un contact perceptif avec le monde réel, car il s'agit en fait d'une intervention tout à fait systématique dans le cours des choses.

Au sens tout à fait strict, écrit Jean Ladrière, une expérience scientifique est une procédure consistant à faire apparaître un effet déterminé, détectable et analysable, dans des circonstances qui ont été préparées selon un plan précis et en fonction de certaines hypothèses relatives aux effets possibles [8].

Un cas typique d'expérience est celui qui consiste à faire apparaître une dépendance fonctionnelle entre des grandeurs variables. Si les hypothèses qu'a adoptées le savant l'inclinent à croire qu'une grandeur B dépend d'une grandeur A dans un système donné comportant éventuellement d'autres grandeurs, il mettra en place un dispositif expérimental permettant de faire varier systématiquement A, tout en évitant la variation des autres grandeurs, et il observera les valeurs prises par B pour chacune des valeurs prises par A. Sur base des données numériques ainsi recueillies, il tentera alors de trouver, par approximations successives, la fonction algébrique qui représente le mieux la dépendance étudiée. Ainsi il pourra, de proche en proche, découvrir par exemple que le volume d'une masse gazeuse varie en fonction inverse de sa pression si sa température est maintenue de façon constante (Loi de Boyle-Mariotte).

On voit ainsi que l'essentiel de l'expérience n'est pas l'enregistrement des observations faites, mais tout ce qui le précède, la préparation du dispositif expérimental sur base des hypothèses adoptées, et tout ce qui le suit, c'est-à-dire l'interprétation des observations. Une observation est par elle-même dépourvue de signification si elle n'est pas rapportée à une question préalable. Avant d'obtenir des observations sur un système, il faut soumettre ce système à des contraintes expérimentales, c'est-à-dire le coupler avec des systèmes artificiels, dont le comportement est connu et sur lesquels il est possible d'agir de façon efficace, en sachant à chaque instant quel est l'effet, sur l'état du système, de la manœuvre qu'on effectue [9]. L'intervention du savant dans le cours des

---

7. SCSP 251.
8. ER 37.
9. ER 38.

choses peut revêtir deux formes différentes : il tentera soit d'empêcher certains états de se produire soit, au contraire, de faire apparaître des états qui ne se manifestent pas spontanément [10]. Dans les deux cas, le travail expérimental a pour but de mettre au jour des explications ou des prédictions et de les mettre à l'épreuve. On reviendra plus loin à la question de la vérification scientifique. Pour le moment, on se contentera de remarquer que la démarche expérimentale, tout comme la démarche théorique, se caractérise par son aspect opératoire ; toutes deux consistent en opérations, opérations qui sont d'une part matérielles et d'autre part intellectuelles.

On pourrait d'ailleurs caractériser l'ensemble de la démarche scientifique comme l'interaction de deux réseaux opératoires : celui des opérations théoriques et celui des opérations expérimentales. La démarche scientifique est, en effet, constituée d' « un va-et-vient incessant entre le moment théorique et le moment expérimental » [11]. Les hypothèses adoptées par le savant suggèrent des expériences à entreprendre pour constater, par exemple, si tel effet que prévoit la théorie se produit effectivement lorsque les conditions voulues sont réalisées. L'observation des résultats de l'expérience vient alors apporter aux hypothèses utilisées un démenti ou une confirmation. Mais ce que ce schéma des relations théorie-expérience suggère en définitive, c'est que l'expérience, que d'aucuns conçoivent encore, à la manière positiviste, comme la source même de toute vérité scientifique, apparaît comme entièrement dépendante du *discours* théorique. En effet, ce qui doit servir de banc d'épreuve pour la théorie, ce n'est pas l'expérience en tant qu'elle serait une interaction entre un appareil sensoriel et un système expérimental, c'est la *proposition* en laquelle s'énonce le résultat des manœuvres effectuées à l'aide du montage expérimental. Le *verdict* du réel n'est possible que comme -*dict*. Et, comme le montre bien l'analyse du statut épistémique des termes théoriques [12], les tenants de l'épistémologie positiviste, qui s'étaient attachés à démontrer l'ancrage indispensable du langage théorique dans l'expérience perceptive, se trouvent en définitive contraints de reconnaître le primat de la théorie. Mais, si l'expérience elle-même n'est que la mise en œuvre d'un schéma théori-

10. ER 59.
11. ER 39.
12. VEPR 289-291 ; SCSP 114-132 et 250-261.

que préalable, n'est-ce pas la distinction même entre le moment théorique et le moment expérimental qui s'estompe ? Tout langage scientifique, même le langage descriptif le plus simple, est une interprétation de l'expérience et non une *représentation* adéquate de sa structure. Mais ce qui distingue le langage expérimental du langage théorique, ce sont les contextes opératoires dans lesquels ils sont utilisés. Le contexte du langage théorique est celui des opérations logiques, celui du langage expérimental est formé des manipulations concrètes qui mettent en œuvre des dispositifs matériels [13]. C'est dire qu'en science, le langage est toujours lié à un contexte opératoire.

Cela, cependant, n'implique pas que l'interprétation des faits soit arbitraire. La part de vérité de l'empirisme est d'avoir souligné que c'est vers l'expérience qu'il faut toujours revenir pour savoir si une proposition scientifique est acceptable ou non. Le savoir scientifique consiste, en effet, en un processus d'accroissement des connaissances « réglé par le critère de la vérité » [14]. Mais le rapport de la science à la vérité ne peut être que présomptif. En effet, l'idée que la science a pour objectif le progrès de la connaissance, l'acquisition de nouvelles informations sur la réalité, demande à être précisée. On pourrait dire que la science tente d'élaborer des systèmes explicatifs et prédictifs se rapportant à la réalité. Or, explication et prédiction sont des opérations logiques qui requièrent, pour être menées à bien, que le savant puisse prendre appui sur des « lois de la nature ». Le schéma le plus classique de *l'explication* est celui-ci : étant donné un état d'un système étudié à un instant considéré comme initial et une « description » (c'est-à-dire, plus justement, une interprétation) D_0 de cet état initial, étant donné d'autre part un état ultérieur de ce système interprété dans la description D_1, il s'agit de montrer comment D_1 découle logiquement de D_0 par le jeu des lois qui régissent l'évolution du système. Ce sont donc ces lois qui fournissent la clé d'intelligibilité du système. Symétriquement, le schéma de la *prédiction* est le suivant. Étant donné un état du système étudié à un moment initial interprété dans la « description » D_0, on montre, en prenant appui sur les lois qui sont censées régir l'évolution du système, qu'à tel moment ultérieur, celui-ci se trouvera dans un certain état que l'on interprète dans la « description » D_1. Les

13. SCSP 131.
14. ER 13.

deux schémas sont analogues : il s'agit de part et d'autre d'établir un lien logique entre deux descriptions de l'état d'un système, par le truchement des lois dont on estime qu'elles décrivent adéquatement l'évolution de ce système.

Mais en réalité, ces lois ne sont que des hypothèses, c'est-à-dire, comme l'a bien montré Karl Popper, des *proscriptions* ou des *prohibitions* concernant des états singuliers. En effet, les lois d'évolution des systèmes naturels sont le plus souvent exprimées sous la forme d'énoncés universels. Par exemple, la loi d'Archimède : « Tout corps plongé dans un fluide subit de bas en haut une poussée égale au poids du fluide déplacé », qui prend la forme d'un énoncé universel, est logiquement équivalente à la négation de l'énoncé existentiel [15] : « Il y a un corps plongé dans un fluide qui ne subit pas de bas en haut une poussée égale au poids du fluide qu'il déplace ». Tout énoncé d'une loi d'évolution d'un système naturel peut prendre la forme d'un énoncé « il n'y a pas » [16]. Ainsi, par exemple, la loi d'entropie peut s'exprimer sous la forme « il n'y a pas de machine à mouvement perpétuel ». C'est dire finalement que les lois de la nature n'affirment pas que quelque chose existe ou se produit mais interdisent que quelque chose se produise. Si les lois de la nature sont réfutables, c'est précisément parce qu'elles peuvent être contredites formellement par un énoncé qui affirme l'existence d'un état dont elles interdisent l'occurrence. Réfuter une loi d'évolution d'un système consiste à faire apparaître dans le cours des choses un état de ce système qu'excluaient les *prédictions* à propos de l'état futur de ce système en prenant appui sur la loi en question. A proprement parler, les lois de la nature sont toujours *conjecturales :* elles énoncent des suppositions concernant les états que ne devrait pas rencontrer l'évolution des systèmes naturels. C'est ce qui faisait déjà dire à Claude Bernard qu'en science, « la somme des vérités augmente à mesure que diminue la somme des erreurs ». Ce sont également des considérations de ce genre qui ont incité W.V.O. Quine à défendre la thèse de la sous-détermination empirique des théories scientifiques [17].

---

15. J.-F. MALHERBE, *La Philosophie de Karl Popper...,* p. 96.
16. K. POPPER, *La Logique de la découverte scientifique,* Paris, Payot, 1973, p. 67.
17. J.-F. MALHERBE, *Épistémologies...,* chap. 8.

Jean Ladrière exprime ainsi le caractère essentiellement conjectural de la connaissance scientifique :

Chaque langage scientifique fournit une certaine lecture du réel : différentes structurations sont donc possibles. Cela ne veut pas dire qu'il faille concevoir le réel comme une sorte de totalité amorphe, de substance indifférenciée que nos appareils linguistiques et conceptuels viendraient organiser. Il y a tout lieu de penser au contraire que le réel est structuré, car tous les langages, toutes les théories ne sont pas compatibles ou en tout cas pas également compatibles avec ce que nous impose l'expérience. Il y a un verdict du réel, finalement. Mais justement nous ne savons pas à l'avance quelle est la structure du réel et nous ne pouvons faire que des supputations à ce sujet en essayant pour ainsi dire sur le réel les structures que la parole nous permet d'élaborer. C'est par approches successives, par essais et erreurs que nous tentons de rendre nos discours plus adéquats à ce qu'ils sont chargés de nous faire comprendre. Il n'y a pas de tableau d'ensemble disponible une fois pour toutes ; il n'y a même pas un domaine privilégié, celui des propriétés observables ou des idées simples, où nous pourrions tenter d'imaginer le reste [18].

C'est dire que la doctrine empiriste de la vérité correspondance doit céder le pas à une doctrine de la vérité-intégration. Cela n'implique pas que la vérité se réduise à la simple cohérence, mais que l'adéquation soit conçue comme relative à « un dynamisme assimilateur ». Dire que la science tend vers la vérité signifie désormais qu'

elle tend, en vertu de ses conditions mêmes de fonctionnement, à élaborer des systèmes opératoires de plus en plus intégrés, ou plus exactement à se construire elle-même sous la forme de systèmes opératoires de plus en plus complexes et de plus en plus prégnants, réalisant pour ainsi dire sous forme tangible des figures de plus en plus substantielles de ce que l'on appelle peut-être très improprement « logos » et qui n'est en définitive ni langage, ni pensée, ni législation universelle, mais cette puissance organisatrice qui s'allie souterrainement à la vertu germinative de la « physis » pour produire, au sein du monde, non son redoublement, mais comme une vie qui serait devenue auto-production critique d'elle-même et qui est à la fois le prolongement, la consécration et la mise en question radicale de ce qui n'est simplement que la vie, telle que la nature l'a produite [19].

18. SCSP 251.
19. VEPR 305.

Cette conception de la *vérité* comme appartenance à une totalité est celle qu'illustre Nicolas Rescher dans une série d'ouvrages qui ont fait l'objet d'un autre exposé [20]. On y reviendra plus loin à l'occasion de remarques sur la dynamique des systèmes scientifiques, car il est une autre conséquence remarquable de la reconnaissance du caractère négatif des lois de la nature et il vaut la peine de la signaler au passage.

En effet, si les lois de la nature sont irrémédiablement conjecturales, qu'advient-il de leur *objectivité* ? La problématique de l'objectivité est très étroitement liée à une forme classique d'épistémologie qui conçoit la connaissance comme activité d'un sujet connaissant et distingue, dans l'opération cognitive, un « pôle » subjectif et un « pôle » objectif [21].

Dans une telle perspective, le travail de l'épistémologue consistera à tenter de distinguer dans l'acte cognitif les éléments qui relèvent de chacun de ces deux pôles et son effort opposera les qualités premières des objets, qui sont inhérentes à l'objet lui-même, à leurs qualités secondes, qui sont relatives au sujet connaissant. Cette opposition est d'ailleurs l'une des figures de l'opposition platonicienne fondamentale entre l'intelligible et le sensible. La connaissance objective sera alors le fruit d'une « ascèse rigoureuse » du sujet connaissant, tentant de mettre entre parenthèses son point de vue particulier pour ne retenir de l'objet que les traits appartenant strictement au domaine de l'intelligible. Ce qui apparaît comme essentiel dans cette perspective, note J. Ladrière, c'est d' « instaurer un mode de connaissance indépendant de toute perspective particulière et capable dès lors de fonder un accord en principe universel », ou encore de « délier la connaissance de toutes les formes concrètes d'insertion et d'enracinement qui constituent la subjectivité comme subjectivité » [22].

Mais si les lois de la nature sont des interprétations conjecturales présupposant dans l'évolution des systèmes qu'elles « décrivent » une logique qu'elles tentent de faire émerger dans le langage, c'est qu'il n'est pas possible de les délier de toutes les formes concrètes d'insertion et d'enracinement qui constituent la subjectivité comme subjectivité. Karl Popper, pour éviter cette diffi-

20. J.-F. MALHERBE, *Épistémologies...*, chap. 9.
21. ER 125 s.
22. ER 127.

culté, a proposé de définir l'objectivité par l'intersubjectivité [23] mais il est nécessaire d'aller plus loin encore et de reconnaître que, s'il doit y avoir un sens au concept d'objectivité scientifique, ce ne pourra être qu'au prix d'un déplacement dans la problématique de l'épistémologie. Il s'agit, en effet, de comprendre que l'essentiel, en épistémologie, n'est pas dans la mise entre parenthèses de la subjectivité du sujet connaissant, mais dans l'élaboration d'un mode de connaissance qui soit « de part en part critique », qui soit véritablement une « connaissance critique ». Or, selon le texte de J. Ladrière déjà cité au début de cette recherche, « une connaissance critique doit être en mesure de se juger, de discerner ce qui en elle est pertinent par rapport à l'entreprise même qu'elle constitue, et par le fait même aussi de se prononcer sur la valeur et les limites de validité de ce qu'elle finit par proposer. Une démarche critique est une démarche qui se dédouble, qui survole à chaque instant ce qu'elle est en train d'accomplir, qui sait exactement, à tout moment, quelle est la portée de ce qu'elle affirme, effectue ou projete » [24].

C'est à mesurer l'ampleur de ce déplacement que l'on s'attachera maintenant en tentant de montrer, en prenant appui sur le chapitre précédent consacré à la métaphore, comment on peut définir le concept d'explication scientifique dans une épistémologie qui récuse l'opposition radicale du sensible et de l'intelligible sur laquelle se fonde la métaphysique platonisante de la représentation.

2. LA MÉDIATION DES MODÈLES

Ce n'est que par le truchement d'une interprétation médiatrice, assurant le passage entre le langage des opérations formelles constituant la théorie et celui des opérations matérielles en quoi consiste l'expérimentation, que la théorie peut acquérir une portée véritablement cognitive à l'égard du réel tel qu'il se manifeste dans les champs d'action du savant. C'est le *modèle* qui fournit cette interprétation et permet ainsi à la théorie de donner elle-même des indications sur la manière dont elle pourra être mise à l'épreuve, et de fournir les explications qu'on est en droit d'attendre d'elle. Par

---

23. J.-F. MALHERBE, *La Philosophie de Karl Popper...*, p. 114.
24. ER 128.

rapport à la théorie proprement dite, le modèle représente un domaine dans lequel se vérifient les propositions de la théorie. Et par rapport à la réalité, qu'il structure, le modèle représente une schématisation plus ou moins adéquate et provisoirement acceptable [25]. Ainsi, par exemple, la théorie de la mécanique se rapporte au domaine empirique, formé par les corps matériels en mouvement, par l'intermédiaire d'un univers modélisé constitué de points matériels, c'est-à-dire de points doués de masse, entre lesquels s'exercent des interactions décrites par des fonctions algébriques appropriées [26]. Le concept de point matériel, apparemment contradictoire puisqu'un point est par définition infiniment petit, sert d'intermédiaire symbolique entre des corps matériels doués de masse mais non ponctuels et des points immatériels dont les coordonnées peuvent être l'objet d'opérations mathématiques. Le présupposé sous-jacent à cette modélisation est le recours à ce que les physiciens appellent le centre de gravité d'un corps matériel, point en lequel ils considèrent par hypothèse que s'appliquent les interactions de ce corps avec les autres corps. Jean Ladrière propose une illustration très simple de ce processus de modélisation : le cas d'un corps suspendu à un ressort [27]. Il décrit comme suit le modèle construit pour analyser ce genre de dispositif : « un point matériel, c'est-à-dire une entité douée d'une masse constante et réduite à un point, est soumis à une force de rappel directement proportionnelle à sa distance par rapport à un repère fixe. (Cette distance correspond à l'élongation ou au raccourcissement du ressort.) » L'état de ce système à un instant donné est donc caractérisé par sa position et sa vitesse à cet instant. La loi d'évolution du système ainsi constitué est la loi fondamentale de la dynamique : la force qui s'exerce sur le système est égale au produit de la masse par l'accélération. Et comme cette accélération est exprimée dans le formalisme par la dérivée seconde, par rapport au temps, de la distance au repère fixe, le système est bien décrit par une loi différentielle à partir de laquelle on peut aisément établir que le mouvement considéré est périodique. On peut ainsi, à partir de là, effectuer la prédiction et l'explication de tout état du système.

On remarque immédiatement, à l'aide de cette illustration, que

---

25. AS II 262-263.
26. INEP 8.
27. ER 43.

« le modèle est une idéalisation » [28] du domaine étudié. Et celle-ci une fois reconnue, l'on peut proposer de nouvelles définitions pour les concepts de théorie et d'expérience. La théorie est en réalité une description mathématisée du modèle. Ses propositions représentent sous une forme mathématique la loi d'évolution du modèle. Le modèle est un objet complexe, de nature schématique, que le savant considère comme une interprétation idéale du domaine qu'il étudie. La théorie, quant à elle, est constituée d'un corps de propositions décrivant les propriétés formelles du modèle et permettant au savant d'effectuer à son propos des raisonnements, par exemple dans le but de préciser son évolution future ou de prédire comment il réagira si l'on apportait à sa structure telle ou telle modification. D'autre part, ce n'est que par l'intermédiaire du modèle que la théorie se rapporte à l'expérience. Celle-ci, en effet, ne se déroule pas dans un domaine idéal, mais dans la réalité concrète. Or, cette réalité n'est appréhendable dans une opération théorique que selon les aspects par lesquels elle se prête à *l'interprétation* schématisante qui en donne le modèle. « C'est en cette schématisation de la réalité concrète dans l'opération de modélisation que consiste la "réduction" opérée par le savant à l'égard de la réalité du monde de la perception et des comportements vécus. » En définitive, « l'expérience est une forme d'action (...) qui obéit aux suggestions d'une modélisation préalable et se laisse guider, à chacune de ses étapes, par les indications de la théorie qui permet de raisonner sur le modèle inspirateur » [29].

« Le point essentiel, en tout ceci, remarque Jean Ladrière, est que l'approche scientifique de la réalité est commandée par le processus de la modélisation [30] ». Comme on l'a vu, c'est par le truchement du modèle que la théorie se rapporte à l'expérience et qu'elle peut suggérer au savant certaines interventions expérimentales qui lui permettront de corroborer ou de réfuter telle ou telle hypothèse. Et, en sens inverse, c'est aussi par le truchement du modèle que les résultats des interventions expérimentales pourront être interprétés en fonction de la théorie utilisée. Mais la démarche de la modélisation est elle-même guidée par un a priori d'intelligibilité et par une pré-compréhension de la réalité étudiée. On touche ici de près la question des présuppositions de la démarche

28. ER 43.
29. ER 44.
30. ER 45.

scientifique à laquelle on reviendra dans la troisième partie de ce chapitre. C'est pourquoi l'on se contentera pour l'instant de retenir de tout ceci que ce qui est le plus caractéristique de la démarche scientifique, c'est le phénomène de la co-adaptation entre un système de représentation mathématisé de la réalité et un système d'action construit selon les exigences de la maîtrise opératoire d'un secteur particulier de la réalité, cette co-adaptation s'effectuant au niveau de la pratique de modélisation. On pourrait peut-être suggérer la nature de ce phénomène en recourant à une métaphore mécanique : c'est par le modèle que la théorie scientifique « embraye » sur la réalité expérimentale. C'est à explorer plus avant la nature de cet embrayage que l'on s'attachera maintenant en revenant un instant à des considérations sur la métaphore. On pourrait, en effet, former l'hypothèse que le processus de modélisation joue dans la construction du langage scientifique un rôle analogue à celui du processus de métaphorisation dans la construction du langage spéculatif. Car, d'une part, la modélisation consiste à élaborer un système abstrait qui est censé fournir une approximation schématique destinée à faire voir son objet sous un jour tel qu'il se prête à une interprétation dans les termes de la théorie, tandis que, d'autre part, la métaphorisation consiste à élaborer un mode d'expression qui fait voir son référent, par exemple l'expérience de l'existence, sous un jour tel que celui-ci puisse être réinterprété dans les termes conceptuels du langage spéculatif. Si cette hypothèse devait être confirmée, on pourrait conclure que le modèle est la figure que prend la métaphore dans le contexte du langage scientifique. Cette conclusion, si elle devait se vérifier, fournirait un point d'appui d'une importance considérable pour opérer, dans la problématique épistémologique, le déplacement qui permettrait de faire apparaître la théologie, la philosophie et la science sous un jour non scientiste.

L'idée d'une parenté entre modèle et métaphore est si féconde, note Paul Ricœur, que Max Black l'a prise pour titre du livre déjà cité dans lequel il traite de la métaphore en général [31]. Ce livre contient une étude consacrée au problème épistémologique de l'analogie entre métaphore et modèle [32]. L'argument central de l'auteur est précisément que la métaphore est au langage poétique ce qu'est le modèle au langage scientifique quant à sa relation au

31. MV 302.
32. Chap. XIII.

réel. On est donc en droit d'attendre de cette mise en parallèle une meilleure intelligence à la fois de la métaphore elle-même et du modèle.

Max Black considère que, dans le langage scientifique, le modèle est essentiellement « un instrument heuristique qui vise, par le moyen de la fiction, à briser une interprétation inadéquate et à frayer la voie à une interprétation nouvelle plus adéquate » [33]. C'est dans la même ligne que Mary Hesse a défini le modèle comme « un instrument de re-description » [34], suggérant ainsi que c'est à la logique de la découverte qu'appartient le modèle et non à la logique de la preuve.

Le médium imaginaire n'est plus ici, remarque Paul Ricœur, qu'un expédient mnémonique pour appréhender des relations mathématiques. L'important n'est pas, poursuit-il, que l'on ait quelque chose à voir mentalement, mais que l'on puisse opérer sur un objet, d'une part mieux connu — et en ce sens plus familier — d'autre part riche en implications — et en ce sens fécond au plan de l'hypothèse [35].

« Le cœur de la méthode (de modélisation), écrit Max Black, consiste à parler d'une certaine façon [36]. » Recourir à l'imagination scientifique, c'est, dans cette perspective, user du « pouvoir essentiellement verbal d'essayer de nouvelles relations sur un "modèle décrit" » [37]. L'imagination scientifique réside dans la capacité de voir de nouvelles connexions par le détour d'une redescription. Et son exercice appartient à la logique de la découverte et non à la logique de la preuve, parce que réduire le modèle à « un expédient provisoire, substitué faute de mieux à la déduction directe » serait réduire la recherche scientifique à la déduction, ce qui serait évidemment absurde.

C'est à Mary Hesse qu'il revient d'avoir tiré les principales conséquences de cette conception du *modèle.* « Il faut, écrit-elle, modifier et compléter le modèle déductif de l'explication scientifique et concevoir l'explication théorique comme la redescription

---

33. MV 302.
34. Mary B. Hesse, « The explanatory fonction of metaphor », in Bar-Hillel (éd.) *Logic, Methodology and Philosophy of Science,* Amsterdam, North-Holland, 1965.
35. MV 303.
36. M. Black, *Models and Metaphors,* p. 229, cité MV 304.
37. MV 304.

métaphorique du domaine de *l'explanandum* [38]. » Cette thèse
peut paraître trop audacieuse, mais elle résiste bien à l'examen critique, car elle permet de surmonter une difficulté considérable que
comporte le schéma classique de l'explication scientifique exposé
ci-dessus. En effet, selon les critères de déductibilité de l'explication scientifique déjà exposés, *l'explanandum* doit pouvoir être
déduit de *l'explanans* par l'intermédiaire de ce que l'on a appelé
les « conditions initiales » ; et *l'explanans* doit contenir au moins
une « loi de la nature » empiriquement corroborée. Mais les phénomènes mis en évidence dans le travail expérimental ne se prêtent
pas d'emblée à un tel mode d'explication. Pour nouer la théorie et
l'expérience, la déduction logique ne suffit que dans des cas tout à
fait simples. Dans la plupart des cas, il n'est pas possible d'obtenir
une relation de stricte déduction entre *l'explanans* et *l'explanandum,* car les deux contextes d'opération qu'il s'agit de relier, le
contexte théorique et le contexte expérimental, sont par trop hétérogènes. C'est cette hétérogénéité fondamentale du concept et du
phénomène que tente précisément de surmonter la « préparation » du phénomène nécessaire à son appréhension théorique en
quoi consiste la modélisation. Mais la redescription métaphorique
de *l'explanandum* n'est autre que le travail de « préparation »
nécessaire à l'explication scientifique, car c'est par le truchement
de cette opération de transfert que les résultats de l'opération
expérimentale peuvent être dits dans un langage qui se prête directement à l'opération théorique. C'est ainsi, par exemple, que les
résultats de l'investigation expérimentale d'une substance chimi-
que par la méthode des résonances magnétiques nucléaires
(RMM) ne peuvent être traités en termes de structure moléculaire
que moyennant la redescription métaphorique des spectres expérimentaux dans le langage du modèle inter-atomique des molécules
chimiques.

Le mot « redescription » employé ci-dessus attire l'attention
sur le fait que le problème ultime posé par l'usage des modèles est
celui de la *référence* métaphorique déjà abordé dans un chapitre
précédent. En vertu de la « torsion métaphorique », les choses
elles-mêmes dont il s'agit sont « vues comme ». Ainsi, les spectres
RMM sont vus comme des interactions atomiques. C'est dire que,
dès qu'on a recours à la modélisation, *l'explanandum,* en tant que

38. MV 304.

référent ultime, est lui-même changé par l'adoption de la métaphore.

Il faut donc, conclut Paul Ricœur, aller jusqu'à rejeter l'idée d'une invariance de signification de *l'explanandum* et pousser jusqu'à une vue « réaliste » de la théorie de l'interaction (métaphorique) [39].

Mais alors, il faut reconnaître que ce qui est mis en cause par ce renversement épistémologique, c'est non seulement notre conception de la réalité, mais aussi celle de la rationalité. « La rationalité, écrit Mary Hesse, consiste précisément dans l'adaptation continue de notre langage à un monde en continuelle expansion ; la métaphore est un des principaux moyens par lesquels cela est accompli [40]. » On rejoint ici très exactement le point sur lequel s'achevait le chapitre consacré à la métaphore : c'est en tant qu'acte de ce qui est en puissance en tant que tel, c'est-à-dire en tant que mouvement, que la réalité se prête à l'appréhension par le savant.

S'il est vrai que l'on puisse considérer l'explication scientifique, dans le cadre d'une épistémologie faisant droit à l'usage scientifique des modèles, comme la redescription métaphorique de *l'explanandum,* on aperçoit clairement le rôle que jouent les réseaux de métaphores dans le langage scientifique. La métaphorisation, précisément en vertu du transfert qu'elle met en branle à la fois au plan du *sens* et au plan de la *référence,* est tout en même temps une schématisation de l'expérience qui la prépare à se prêter à un traitement mathématique et une préfiguration de la théorie qui prépare cette dernière à être la théorie *de* l'expérience en question. La métaphore sous-tend donc tout le processus de modélisation et le modèle est la forme que prend dans le langage scientifique un réseau de métaphores.

Ce qui est mis en cause ici, c'est le schéma hypothético-déductif de la dynamique des théories tel qu'un Popper, par exemple, l'a formulé. C'est à tirer les conséquences de ce renversement épistémologique pour une théorie des transformations scientifiques qu'est consacrée la troisième partie de ce chapitre.

39. MV 305.
40. MV 305-6.

3. INERTIE ET TRANSFORMATION
DES SYSTÈMES SCIENTIFIQUES

La médiation des modèles représente dans les sciences de la nature le nœud du formel et de l'empirique. Ces sciences peuvent être le fruit de l'expérience et de la théorie par la vertu d'une médiation modélisante. Mais si le modèle scientifique est lui-même de nature essentiellement métaphorique quant à sa relation au réel, force est de reconnaître que l'utilisation du modèle implique d'entrée de jeu que la science est mouvement. Quel est le mouvement des systèmes scientifiques ? Comment ceux-ci se transforment-ils ? Ces mouvements sont-ils autonomes ou bien des facteurs extérieurs exercent-ils une influence déterminante sur leur évolution ? Et si la science doit être considérée comme un mouvement, qu'en est-il de sa finalité ? On tentera, dans la troisième partie de ce chapitre, d'apporter à ces questions quelques éléments de réponse.

Il semble bien qu'il y ait, au fondement de la démarche scientifique, des présupposés de nature non scientifique qui constituent les principes à partir desquels se détermine la « scientificité » de la science. L'existence de ces présupposés n'enlève rien à la portée cognitive de la démarche scientifique mais impose que soit reconnu que celle-ci est commandée par une interprétation préalable du réel, interprétation qui conditionne d'avance la signification de ses résultats. La science apparaît donc comme un processus visant sans doute à l'autonomie, mais jamais complètement délié des présuppositions qui la fondent. Ces présuppositions semblent appartenir à trois ordres différents. Et l'on distinguera, avec Jean Ladrière, trois niveaux de présuppositions : des présupposés épistémiques qui guident la construction et l'utilisation des théories, des présupposés ontologiques qui sont sous-jacents à la pré-compréhension de la réalité sur laquelle s'appuie la démarche scientifique et, enfin, des principes légitimateurs de cette démarche, qui sont d'ordre idéologique ou, s'ils sont critiques, d'ordre philosophique et qui déterminent l'allure concrète que prend le travail scientifique dans les différents groupes de savants que comporte la société [41].

Les *présupposés épistémiques* concernent le choix des concepts,

41. Toute cette problématique est exposée par J. Ladrière dans INEP.

des hypothèses et des modèles qui structurent le langage que se donne une science. Ce choix ne se fait pas par hasard. Il obéit à des prescriptions très précises qui prédéterminent la façon dont le langage de la théorie structure son domaine d'application.

Ainsi, note Jean Ladrière, l'idée de la mathématisation prescrit que les concepts de base devront être représentables sous forme mathématique, que ce soit dans le langage de la géométrie, dans celui de la théorie des nombres réels, ou dans celui de l'algèbre. Ou bien le principe de l'opérationalisme impose à l'avance aux concepts utilisés de se prêter à des déterminations expérimentales, ou même, de façon plus exigeante encore, à des opérations de mesure, ce qui conduit à l'identification des concepts aux procédés de mesure correspondants.

D'autre part, le choix des hypothèses suit également des prescriptions qui précèdent la théorie et ont à son égard une fonction régulatrice. Les principes d'invariance, qui jouent un rôle déterminant dans les théories de la physique, appartiennent à cet ordre de présuppositions : un principe d'invariance, en effet, impose aux propositions de base d'une théorie de se présenter comme des équations invariantes par rapport à certaines transformations. Enfin, l'applicabilité d'une théorie est déterminée par les modèles qu'elle admet. Comme on l'a vu, en effet, le modèle sert d'intermédiaire entre la théorie et la réalité empirique et, à ce titre, il légitime les propositions qui expriment les règles d'interprétation de la théorie en termes d'expérience et vice versa. Ces propositions, qui contiennent à la fois des termes relatifs aux opérations théoriques et des termes relatifs aux opérations expérimentales, doivent être considérées comme des hypothèses épistémologiques, car elles permettent d'associer à *certaines* propositions de la théorie des propositions formulées dans le langage empirique de telle sorte que soit toujours maintenue la même valeur de vérité pour les propositions ainsi associées. Mais il faut encore que l'on dispose de critères permettant de déterminer si une proposition empirique donnée doit être considérée comme vraie ou fausse.

Les présuppositions épistémiques sont elles-mêmes fondées sur des *présuppositions ontologiques* qui ont trait à la nature du domaine étudié et aux conditions de l'interprétation de ce domaine dans le langage scientifique. Elles jouent donc un rôle prépondérant dans la construction des modèles. Un modèle peut, en effet, être considéré comme une sorte d' « ontologie régionale », car il caractérise un domaine en termes de certaines entités et de leurs propriétés et relations mutuelles. Les présuppositions ontologiques qui donnent son assise au rapport théorie-expérience sont particulièrement sensibles quand le modèle médiateur prend la forme d'un système.

Un système, écrit Jean Ladrière, est une entité idéale qui possède éventuellement une certaine structure interne, qui peut être caractérisée par certaines propriétés bien définies, en général variables au cours du temps, et qui est susceptible de se trouver, à chaque instant, dans un état en principe entièrement analysable. (...) L'état du système à un instant donné est alors fixé par les phases dans lesquelles se trouvent ses propriétés caractéristiques, ou par les valeurs numériques qu'elles prennent à ce moment. Si le système a une structure, en tout cas si l'on tient compte de sa structure, on le considère comme décomposable en un certain nombre de composantes, qui sont assimilables à des sous-systèmes et sont donc censées avoir à chaque instant un état déterminé. Ces composantes sont liées entre elles par certaines interactions et c'est l'ensemble de ces liaisons qui constitue la structure du système. Celle-ci peut évidemment changer au cours du temps si les interactions entre composantes se modifient. L'état du système à un instant donné est alors déterminé à la fois par les états des sous-systèmes composants à ce moment et par la forme des liaisons entre composantes à ce même moment.

Si le modèle revêt la forme d'un système, les présuppositions qui sont à la base même de l'idée de système se reportent sur le modèle. Or il y a, à la base de l'idée de système, une conception analytique, fonctionnaliste et, en un certain sens, déterministe du fonctionnement de la réalité. Analytique, dans la mesure où l'on considère le système comme décomposable en sous-systèmes ou comme caractérisable par des propriétés bien définies susceptibles de prendre elles-mêmes des valeurs parfaitement isolables. Fonctionnaliste, dans la mesure où l'on considère que les liaisons entre les parties du système peuvent être décrites comme des interactions fonctionnelles et que les propriétés caractéristiques sont elles-mêmes liées par des dépendances fonctionnelles. Déterministe, dans la mesure où l'on considère que les états sont liés dans le temps de façon déterminée. Il y a donc, dans la pré-compréhension modélisante, une véritable *ontologie sous-jacente,* c'est-à-dire « Un système d'interprétation de la réalité qui rend compte de celle-ci en termes d'entités d'espèces données, caractérisées d'une façon bien précise par leurs propriétés intrinsèques et par leurs interrelations ».

Cette ontologie est elle-même inspirée, du moins dans une

grande mesure, par les ontologies formelles que l'on trouve à la base des théories mathématiques, telle la théorie des ensembles. D'un point de vue intuitif, un ensemble peut être considéré comme une collection d'objets caractérisés par une relation d'appartenance : tel objet appartient ou n'appartient pas à tel ensemble. Un tel ensemble étant donné, on peut y définir des propriétés et des relations sans sortir de l'ontologie de base : une propriété sera définie comme un sous-ensemble de l'ensemble considéré c'est-à-dire comme le sous-ensemble formé des objets qui possèdent cette propriété. Tandis qu'une relation entre n objets sera définie comme un sous-ensemble de l'ensemble des n-uples d'objets de l'ensemble considéré c'est-à-dire comme le sous-ensemble formé de tous les n-uples d'objets qui ont entre eux cette relation. On remarque immédiatement que la série de notions ainsi définies se caractérisent par leur caractère opératoire, les entités sur lesquelles sont effectuées ces opérations, n'ayant aucune importance réelle.

Jean Ladrière fait à ce sujet une double hypothèse. D'une part, que « c'est dans la mesure où la modélisation tente de s'inspirer des ontologies formelles qu'elle se prête à une *interprétation* mathématique, les constructions mathématiques étant elles-mêmes fondées directement sur ces ontologies » et, d'autre part, que « c'est dans la mesure où les actions construites, qui sont à base de l'expérimentation, se laissent elles-mêmes organiser selon les prescriptions d'une ontologie formelle qu'elles se prêtent à une systématisation en termes de modèles ».

Mais d'où ce remarquable phénomène de co-adaptation entre un système d'interprétation (le modèle) et un système d'action (l'expérimentation) tient-il sa possibilité ? On pourrait penser que c'est la modélisation qui impose à l'action expérimentale son caractère opératoire. En effet, c'est dans la mesure où l'action se laisse organiser selon les prescriptions d'une ontologie formelle qu'elle se prête à une systématisation en termes de modèles. On ne ferait ainsi que retrouver, au niveau de l'action, ce qui était déjà implicite dans le modèle. Mais, d'un autre point de vue, il faut peut-être dire que « c'est l'action elle-même qui rend possible la procédure de modélisation et même en suggère l'ontologie », car « c'est peut-être dans la structure de l'action elle-même, plus exactement dans la structure des interactions entre le corps humain et les dispositifs matériels avec lesquels il peut être compté, que se trouve inscrite la possibilité du découpage analytique, de l'interdépendance fonctionnelle et de la liaison déterministe des états, dont on a vu le rôle dans la pré-compréhension modélisante ».

La structure profonde du mouvement même du développement scientifique confirme ainsi, à sa façon, la thèse déjà énoncée de la précellence de l'action dont, en définitive, l'interprétation est un mode.

Au niveau le plus fondamental, les démarches scientifiques présupposent l'appui sur des *principes de légitimation*. Ceux-ci ont pour fonction de donner une garantie ultime aux différents présupposés qui fonctionnent dans les démarches scientifiques. Ils sont donc de deux ordres : épistémologique et ontologique. Ainsi par exemple, dans l'épistémologie positiviste, le principe de l'empirisme selon lequel seule la connaissance empirique peut fournir un contenu de connaissance fonde évidemment une certaine conception de la science à laquelle on oppose ici un principe que l'on pourrait qualifier de praxéologique, soulignant ainsi à la fois le rôle de l'action et celui du logos interprétant. De tels principes recouvrent évidemment des positions ontologiques qui sont soit implicites soit explicites. Dans ce dernier cas, on a affaire à une métaphysique. L'appel réitéré à l'œuvre de Whitehead fonctionne dans la présente recherche comme un recours à une métaphysique du *process* que l'on mentionne au passage, réservant son exploration plus précise pour le prochain chapitre.

Cette caractérisation, à vrai dire assez sommaire, des présuppositions de la démarche scientifique permet d'expliquer comment et pourquoi celle-ci est essentiellement de type évolutif. Il est hors de propos de tenter ici une analyse complète de la dynamique de la science, car il faudrait, pour s'acquitter correctement de cette tâche, tenir compte à la fois des facteurs externes et internes de ce développement. On s'attachera ici essentiellement à dessiner une esquisse de la logique interne de la dynamique des systèmes scientifiques. Naturellement, la science n'est pas une pratique isolée de l'ensemble de la vie sociale, mais le projet de la présente recherche étant de structurer le champ d'action du logos interprétant, il a paru légitime, du moins dans un premier temps, de s'en tenir à repérer les points de tangence avec la vie sociale du processus analysé ici et de concentrer toute l'attention aux facteurs internes de la dynamique de la science.

Ce qui a été dit ci-dessus du rôle anticipateur des théories et du mouvement de va-et-vient entre théorie et expérience indique déjà que la science est essentiellement un processus, non cumulatif d'ailleurs, puisqu'il comporte des moments de réorganisation (...), et qu'elle s'organise en vue de permettre la relance incessante de ce processus même qu'elle est.

Le point de vue classique de l'épistémologie sur le fonctionnement qui permet le mouvement caractéristique du développement scientifique a été formulé de façon extrêmement nette par Karl Popper dans sa *Logik der Forschung* (1934). L'on pourrait exprimer schématiquement cette conception de la façon suivante : la mise à l'épreuve et la sélection des théories scientifiques se présentent toujours de la même façon. D'un énoncé hypothétique nouveau, basé sur les informations disponibles au moment où il est formulé, avancé à titre de conjecture et nullement justifié à ce stade, on déduit des énoncés singuliers que l'on compare aux énoncés expérimentaux déjà reçus dans la discipline à laquelle appartient la théorie. Si les énoncés déduits contredisent les énoncés préalablement admis, l'hypothèse est « réfutée » et rejetée. Si, par contre, ils ne les contredisent pas, l'hypothèse a réussi le test et n'est (provisoirement) pas écartée. Elle est alors « corroborée » dans une certaine mesure et le restera tant qu'elle résistera à de tels tests systématiques et rigoureux et tant qu'aucune autre ne la remplacera avantageusement dans le cours de la progression scientifique. On a soulevé par ailleurs certaines difficultés inhérentes à l'épistémologie popperienne [42]. Celles-ci pourraient être synthétisées en remarquant qu'aucun rôle n'est attribué, dans la *Logique de la découverte scientifique,* à la modélisation dont on a vu qu'elle représente le nœud indispensable entre la théorie et l'expérience. Ce que l'on a appelé le « logicisme » de Popper se manifeste de façon particulièrement claire dans le fait qu'il réduit les relations théorie-expérience à une pure déduction logique. Mais il reste que son grand mérite a été de souligner l'aspect négatif, conjectural, hypothétique du savoir scientifique. On trouve dans l'œuvre de Nicolas Rescher une tentative intéressante pour dépasser les difficultés de l'épistémologie poppérienne tout en en préservant les avantages. On a proposé ailleurs de considérer l'épistémologie de Rescher comme une logique de la systématisation cognitive dont le principal avantage est d'effectuer un pas décisif en direction d'une conception herméneutique des rapports théorie-

---

42. *La Philosophie de Karl Popper et le positivisme logique,* Paris, PUF, 1976, 2ᵉ éd. 1979.

expérience [43]. Mais, s'il est vrai que Rescher a pressenti le rôle
d'un « filtrage » entre l'expérience et la théorie, il demeure prisonnier d'un logicisme proche de celui de Popper, logicisme dont
on pourrait penser qu'il constitue le principal obstacle à la prise en
compte du rôle déterminant de la modélisation.

Cependant, il a paru possible de s'inspirer du schéma général de
la logique de la systématisation cognitive [44] pour donner une vue
synthétique du processus de développement des systèmes scientifiques, la principale innovation consistant en l'introduction de la
médiation des modèles. Le principal intérêt d'un tel schéma est de
faire apparaître clairement, dans leurs relations réciproques, les
plus importants concepts épistémologiques utilisés jusqu'ici ainsi
que quelques autres qui se trouvent recevoir une signification précise dans ce nouveau contexte. Ainsi, l'*explication* et la *prédiction,*
si elles apparaissent toujours, comme le voulait l'épistémologie
positiviste, sous la forme d'opérations symétriques, prennent
désormais une signification nouvelle. Puisque l'*explication* d'un
résultat expérimental consiste en la redescription, dans le langage
des opérations théoriques, de son interprétation dans le langage
des opérations expérimentales après sa ré-interprétation dans le
langage médiateur du modèle, on dira de la *prédiction* qu'elle consiste en l'illustration d'un théorème de la théorie, illustration mise
en perspective par une interprétation du dit théorème en termes
d'actions et de montages expérimentaux devant produire ou
empêcher l'occurrence de tel résultat expérimental. En conséquence, on pourra redéfinir la *réfutation,* et corrélativement, la
corroboration d'une hypothèse, c'est-à-dire d'un théorème de la
théorie si celle-ci est axiomatisée, comme la *contradiction* ou la
non-contradiction entre ce qui est effectivement produit par la
mise en œuvre du mode opératoire et ce que l'on avait pu prévoir
en s'appuyant sur le modèle qui avait inspiré l'interprétation de
l'hypothèse en termes de modes opératoires. Mais cela indique
que, dans une telle situation de contradiction, deux issues sont possibles : soit écarter l'hypothèse, soit rejeter le modèle. Ce dernier
cas ne surviendrait que si le maintien du modèle impliquait le rejet
de plusieurs hypothèses jugées par ailleurs importantes et plausi-
bles, par exemple en raison de leurs liens logiques avec d'autres
hypothèses qui auraient été corroborées. C'est dans la mise à

43. *Épistémologies anglo-saxonnes,* Paris, PUF, 1979, chap. 9.
44. N. RESCHER, *Cognitive Systematization,* Oxford, Blackwell, 1979.

l'écart de modèles sénescents et l'adoption de nouveaux modèles que se manifeste le plus explicitement la force de l'imagination scientifique. Mais, naturellement, les démarches scientifiques ne sont jamais entièrement transparentes à elles-mêmes et il peut se faire que la vertu heuristique d'un modèle soit telle qu'il est adopté pendant un certain temps et finit par passer pour une représentation de la réalité. Dans ce cas, le modèle devient ce que Kuhn a appelé un *paradigme* et le type de fonctionnement de l'activité scientifique ainsi instauré peut à bon droit être qualifié de *science normale* [45]. Mais à la longue, l'emprise d'un modèle absolutisé, c'est-à-dire d'un paradigme, peut être telle qu'elle devient un véritable *obstacle épistémologique* entravant de nouveaux développements du système scientifique devenu prisonnier d'une représentation du monde. On notera au passage que l'absolutisation d'un modèle peut être renforcée par des facteurs sociaux relatifs par exemple à la structuration hiérarchique des professions scientifiques ou à des « idéologies dominantes ». Dans de tels cas de blocage, il faudra que survienne une véritable *révolution scientifique* pour que puissent apparaître de nouveaux modèles qui pourront remplir effectivement leur fonction heuristique. Les transformations de la théorie, quant à elles, sont la conséquence soit d'une modification des modèles sous-jacents, soit de la réfutation de certaines des hypothèses qui avaient pu en être déduites.

Mais la transformation des systèmes scientifiques, c'est-à-dire des ensembles dynamiques associant expérimentation, modèles et théories, peut se heurter à ce que Jean Ladrière a appelé « l'inertie du champ épistémologique ». Comme on l'a vu, un système scientifique ne peut être décrit simplement comme un corps de propositions explicitement formulées et admises à un moment donné comme valides par une communauté déterminée. En effet, ces propositions sont largement tributaires de présuppositions implicites dont l'incidence est souvent plus décisive que celle des propositions explicites. « Il faut donc, conclut Jean Ladrière, utiliser la notion de système conceptuel en un sens large, non au sens de "système formel" ni même au sens de "théorie" (selon l'acception stricte de ce terme). C'est précisément ce sens large de la notion que l'expression "champ épistémologique" tente de suggérer ».

45. T.S. KUHN, *La Structure des révolutions scientifiques,* Paris, Flammarion, 1974.

Un champ épistémologique consiste donc en un ensemble formé d'une part d'un système scientifique tel que défini ci-dessus et, d'autre part, des présuppositions d'ordre épistémique et ontologique de ce système. Une telle définition implique que des relations d'inclusion, d'exclusion et d'intersection puissent exister entre différents champs épistémologiques.

Cette remarque permet d'introduire la notion de *champ herméneutique,* ou champ des interprétations. L'on pourrait, en effet, faire l'hypothèse que la science, la philosophie et la théologie sont autant de « familles » de champs épistémologiques, étant entendu que le concept de « famille », emprunté à Wittgenstein qui parlait des ressemblances de « famille », ne se prête pas nécessairement à une interprétation en termes de loi d'appartenance. C'est l'objectif assigné à la dernière partie de cette recherche que de préciser cette hypothèse, c'est-à-dire de montrer en quoi science, philosophie et théologie constituent, dans le champ herméneutique, trois familles nettement distinctes à première vue, mais héritières d'un patrimoine commun auquel chacune a donné une configuration originale. Par *champ herméneutique,* on entendra le genre dont science, philosophie et théologie sont des espèces. Science, philosophie et théologie pourront être, en d'autres termes, considérées comme trois pôles du champ herméneutique, ce qui n'implique pas qu'elles en soient les seuls pôles. Le champ herméneutique, c'est l'héritage de l'antique idée grecque de la *théoria* dans laquelle il puise « sa vertu la plus secrète ».

S'interroger sur le comportement d'un champ épistémologique à l'égard d'un nouveau résultat expérimental, d'une nouvelle idée théorique ou d'un nouveau modèle médiateur revient à se demander quels sont les facteurs d'inertie d'un champ épistémologique. Jean Ladrière propose l'hypothèse que « l'inertie d'un champ épistémologique est déterminée essentiellement par son degré d'intégration et par son degré d'autonomie ». Un champ fortement intégré résistera plus qu'un champ faiblement intégré à une menace de remaniement, car, dans un système fortement intégré, toute modification locale entraîne nécessairement un remaniement de l'ensemble. D'autre part, le degré d'autonomie est un « facteur de perméabilité » : un champ sera d'autant plus réceptif à l'égard d'éléments nouveaux qu'il engage peu les croyances fondamentales. Mais, précise J. Ladrière, « si l'intégration peut jouer dans le sens de la résistance, elle peut jouer aussi dans le sens de la perméabilité ». C'est ce qui apparaît dans les moments de crise, de révolution scientifique dirait Kuhn, c'est-à-dire lorsque ce sont des principes de caractère fondamental qui sont mis en cause. Or, pour que des ébranlements périphériques puissent atteindre la région des principes fondamentaux, il faut qu'ils puissent se propager jusqu'au noyau central, et cette propagation est évidemment facilitée par l'intégration du champ épistémique. La conséquence d'une telle crise est, le plus souvent du moins, un remaniement d'ensemble comprenant l'adoption et le rejet de certaines théories, de certains modèles et la réinterprétation de certains résultats expérimentaux. Kuhn a appelé émergence d'un paradigme nouveau le résultat d'un tel remaniement en profondeur d'un champ épistémologique. Mais ces transformations de paradigme elles-mêmes s'effectuent « sous l'égide de certains principes de niveau stratégique très élevé » qui relèvent d'une idée implicite du savoir qui règle les transformations des champs épistémologiques. « Certes, remarque Jean Ladrière, cette idée elle-même se modifie sous l'action des transformations qu'elle inspire. Mais, poursuit-il, en tant qu'idée régulatrice, immanente au devenir, elle ne cesse de contrôler le jeu des contradictions et des métamorphoses qui fait de la vie du savoir une aventure et comme une incessante question [46]. »

Les considérations développées ci-dessus permettent de proposer de la science ainsi entendue une définition qui permettra ultérieurement de lui assigner un site approprié dans le champ des interprétations. On formera l'hypothèse que la science peut être considérée comme une « interprétation opératoire de la nature ». Que la science soit un savoir marqué par un caractère opératoire prépondérant découle directement de la nature même essentiellement opératoire de la théorie et de l'expérience scientifiques. Qu'elle soit en réalité toujours une interprétation et non une représentation de la nature est une conséquence directe de la nécessaire médiation du modèle dans la dialectique théorie-expérience. Que ce soit de la nature que la science est une interprétation est un postulat dont la signification apparaîtra en pleine lumière lorsque science, philosophie et théologie pourront être comparées, de façon relativement complète, à la fin de la présente recherche. Pour être plus précis et utiliser les ressources inventoriées dans le présent chapitre, on pourra formuler en d'autres termes la même définition : la science est un langage spéculatif, régi par le formalisme mathématique, qui vise à une maîtrise opératoire de la nature et est réglé par le critère de la vérité (métaphori-

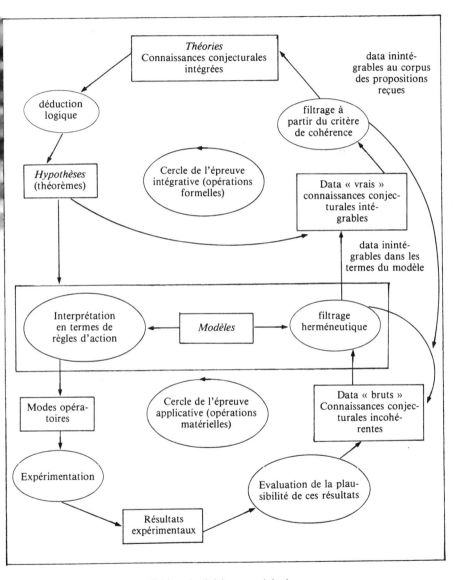

que), c'est-à-dire par l'idéal de l'intégralité de la manifestation de la *phusis* dans le *logos*.

Tableau 3 : Schéma praxéologique
de la dynamique des systèmes scientifiques.

CHAPITRE 7

L'INTENTION DU PHILOSOPHE

> « *L'imagination spéculative doit poursuivre les indications qui sont suggérées par l'expérience déjà acquise, mais elle ne peut se contenter de les prolonger par des démarches logiques de type canonique, comme s'il suffisait d'analyser des notions, de déduire des conséquences ou de généraliser des propositions singulières. Il lui faut quitter résolument le sol de ce qui est approuvé, se risquer dans un milieu où il n'y a plus de points d'appui, où l'imagination ne peut plus se soutenir que par son propre élan, et forcer pour ainsi dire le destin de la pensée en projetant, à partir d'un lieu qui n'est plus nulle part, les figures conjecturales au moyen desquelles on tentera de conjurer la part invisible du monde et de découvrir la congruence qui la relie à sa face visible.* »

J. Ladrière (SCSP 272-273).

Si le discours scientifique consiste en une interprétation opératoire de la réalité, c'est parce que le travail du savant est sous-tendu par la volonté de maîtriser la réalité.

Le philosophe, par contre, n'est pas mû par une volonté de maîtriser mais par l'intention de rendre intelligible la réalité dans sa globalité. C'est pourquoi, en philosophie, la logification des réseaux métaphoriques ne prend pas la forme mathématique du quantifiable (le philosophe est plus engagé dans son propre discours que le savant). C'est pourquoi la philosophie est moins opératoire que la science. Cependant, ce qu'il perd en opérativité, le philosophe le gagne en globalité, aucune philosophie ne pouvant échapper à la question de sa propre intelligibilité dans l'histoire de la philosophie.

L'intention du philosophe pourrait être de faire apparaître du visible la logique invisible, de provoquer du *logos* la manifestation dans la *physis*. Mais cette intention d'explicitation le distingue-t-elle véritablement de celle du savant ? Le savant et le philosophe ne sont-ils pas tous deux les héritiers des antiques « physiologues » qui, tel Héraclite, tentaient de se faire l'écho du *logos* dans la *physis* ? On pourrait répondre affirmativement à cette question tout en remarquant que le savant se distingue du philosophe par la volonté opératoire qui sous-tend son entreprise. Mais alors, la philosophie peut-elle être autre chose qu'une « science inopératoire » ? Cette conclusion péjorative, qui est celle du scientisme, est-elle justifiée ? C'est à répondre à cette question essentielle qu'est consacré le présent chapitre. L'on prendra pour point de départ la situation présente de la philosophie dont le caractère hétéroclite, disparate et multiforme a été souvent souligné par ses détracteurs. De cette multiplicité, on tentera de dégager un principe d'unité. Celui-ci, à son tour, fera l'objet d'une analyse plus approfondie visant à en faire apparaître le sens. La mise au jour de ce sens permettra alors de montrer que l'unicité même de l'intention philosophique implique la diversité de ses mises en œuvre et que cette inévitable tension de l'un et du multiple au cœur même de l'intention philosophique forme le fond sur lequel peuvent être distinguées science et philosophie.

1. LA MULTIPLICITÉ DES PHILOSOPHIES

La situation actuelle de la philosophie est marquée par la dispersion. Il n'est plus possible de parler seulement d'une multiplicité de contenus, car c'est également une multiplicité de conceptions de la philosophie, de sa nature, de son objet, qui caractérise le champ actuel de la philosophie. Cette dispersion est telle qu'il y a quelque chose de profondément étonnant dans la persistance de l'usage du mot « philosophie » pour désigner des entreprises aussi diverses. Cet usage persistant invite à chercher entre les différentes espèces de discours qui revendiquent aujourd'hui le titre de « philosophie » ce que Wittgenstein appelait une « ressemblance de famille ». Mais il ne paraît guère possible, à première vue, de découvrir le moindre trait commun sous cette variété.

Il semble cependant qu'il ne soit pas impossible de distinguer dans la multiplicité des philosophies deux grandes orientations regroupant elles-mêmes différents courants apparentés. On pourrait ainsi regrouper plusieurs courants sous le titre de « philosophie analytique » et d'autres sous le titre de « philosophie spéculative ». La « philosophie analytique », appelée également « philosophie linguistique » (ou « linguistic analysis ») se donne pour tâche la clarification du langage ; on pourrait associer sous ce titre les noms de Moore, Russell, Wittgenstein, Austin, Quine et quelques autres [1]. Cette manière de pratiquer la philosophie consiste à dénoncer toute prétention à une vision globale et à n'opérer jamais que de façon locale, en prenant un problème après l'autre sans trop se préoccuper des liens qui pourraient exister entre ces problèmes. Les *Investigations philosophiques* de Wittgenstein peuvent sans doute être considérées comme un paradigme de la philosophie analytique. Cependant, la philosophie analytique n'est pas véritablement indépendante d'autres manières de philosopher. En effet, le plus souvent, ce que l'analyste tente de dissoudre, ce sont les évidences, les préjugés sur lesquels s'appuyent certaines élaborations philosophiques antérieures. Ici encore, le cas de Wittgenstein est paradigmatique. Le *Tractatus* consiste, en effet, à « montrer » l'inanité d'un système spéculatif visant la totalité en manifestant, de l'intérieur, qu'il ne peut atteindre ce qu'il vise, c'est-à-dire qu'un discours visant à la totalité est un discours toujours déjà tenu en échec. Mais cette interprétation du *Tractatus* en termes de limite ne s'est clairement imposée qu'après que Wittgenstein lui-même ait radicalement critiqué, dans son second ouvrage, l'intention (apparemment) scientiste du premier. De façon analogue, on peut considérer que les analyses de Moore et Russell, qui consistent à remplacer systématiquement les expressions ambiguës, opaques ou problématiques du langage par des expressions dont le statut est entièrement maîtrisé, ont été conçues pour s'appliquer notamment à certaines formes de philosophie spéculative d'inspiration hégélienne qui avaient vu le jour en Angleterre à la fin du XIXᵉ siècle, et au début du XXᵉ, telle la philosophie idéaliste de F.H. Bradley. De même, les analyses d'Austin et, d'une autre manière, celles de Quine sont dirigées contre l'atomisme et l'empirisme caractéristiques du mouvement néopositi-

---

1. Cf. J.F. MALHERBE, *Épistémologies anglo-saxonnes*, P.U.F., Paris, 1981.

viste des années 1930. On pourrait donc se demander s'il peut y avoir une analyse philosophique sans spéculation préalable [2].

D'autre part, il est indéniable que la philosophie spéculative croit pouvoir être plus audacieuse que la philosophie analytique, et prétend à une vision globale procédant d'un point de vue totalisant. Il semble bien qu'il faille distinguer avec Jean Ladrière, deux variétés de philosophie spéculative : une variété anthropologique et une variété métaphysique.

La philosophie spéculative de type anthropologique est une tentative en vue de fournir une interprétation de l'expérience, capable de s'élever au-delà de la simple description rigoureuse de ce qui est donné en tant que donné pour atteindre la région du sens (...) (c'est-à-dire) le milieu universel en lequel peut se déployer l'expérience, dont elle reçoit sa clarté, à partir duquel elle peut être véritablement comprise [3].

A ce genre de démarche pourraient être rattachées les différentes œuvres s'inscrivant dans le mouvement phénoménologique ainsi que, par exemple, la philosophie de l'action de Maurice Blondel. Mais il y a une autre forme de philosophie spéculative, « qui tente de s'élever d'emblée au niveau d'une vision du tout, embrassant à la fois le "logos", la nature et l'histoire, et capable de faire apparaître les architectures fondamentales de la réalité elle-même en tant que telle » [4]. Le paradigme de la philosophie spéculative demeure, de toute évidence, la *Métaphysique* d'Aristote. Et l'on pourrait sans doute s'accorder pour reconnaître dans la construction du schème conceptuel de *Process and Reality* de A.N. Whitehead, l'une des élaborations spéculatives les plus remarquables du XXe siècle.

Avant de s'interroger plus avant sur l'éventuelle unité du champ philosophique, il s'indique d'en faire apparaître plus précisément la dispersion. Parmi les œuvres auxquelles il vient d'être fait allusion, plusieurs ont déjà fait l'objet d'exposés au moins partiels dans les chapitres antérieurs, notamment celles de Wittgenstein, Blondel, et Austin ; c'est pourquoi l'on s'attachera ici prioritairement à préciser la nature de l'entreprise spéculative de Whitehead.

2. Cf. J.F. MALHERBE, *La Philosophie de Karl Popper et le positivisme logique*, P.U.F., Paris, 1976.
3. FICH 30-31.
4. FICH 31.

Ce que Whitehead se propose d'élaborer dans *Process and Reality,* c'est un essai de philosophie spéculative. Son livre s'ouvre d'ailleurs sur cette définition : « La philosophie spéculative est l'effort pour constituer un système cohérent, logique, nécessaire d'idées générales dans les termes desquels tout élément de notre expérience puisse être interprété [5]. » Les expressions les plus importantes sont naturellement « système », « cohérent », « logique », « nécessaire », « expérience » et « interprété ». Il est hors de question de dresser ici un tableau complet de la philosophie de Whitehead ; on peut néanmoins tenter d'en esquisser le mouvement général en commentant brièvement ces expressions [6].

La philosophie spéculative ainsi entendue consiste en un ensemble structuré d'idées caractérisé par la cohérence logique, la nécessité et un rapport défini à l'expérience. La cohérence est la propriété d'un système dont tous les termes se présupposent l'un l'autre et ne sont signifiants que dans leurs relations réciproques formant « une seule texture d'ensemble dont on ne peut traiter à l'état isolé aucun aspect » [7]. L'aspect logique est la qualité d'un système qui lui assure la non-contradiction et autorise en son sein la validité des opérations classiques de la logique. La nécessité du système consiste en sa capacité de rendre compte de tout ce qui appartient à l'expérience, actuelle et potentielle ; c'est en quelque sorte une exigence interne d'exhaustivité. Enfin, le rapport à l'expérience est indiqué par le terme « interprétation ». Whitehead explique ce dernier comme suit : tout ce dont on peut être conscient doit avoir le caractère d'une réalisation particulière du schème général. Mais, dans ces conditions, le système ne fournira une interprétation acceptable que s'il est « applicable » et « adéquat », c'est-à-dire « s'il y a effectivement des aspects de l'expérience qu'il permet d'interpréter au sens qu'on vient de dire, et si *tout* aspect de l'expérience relève effectivement de cette interprétation ». « Par "tout aspect", commente J. Ladrière, il faut entendre non seulement ces contenus d'expérience qui ont déjà été éprouvés mais tout ce qui, de proche en proche, se trouve lié à l'expérience déjà constituée, dans une implication régressive ou

---

5. PR, trad. J. L.
6. Cf. SCSP 271-275 ; SEFI 62-65 ; FICH 31-32. Pour un exposé complet : A. PARMENTIER, *La Philosophie de Whitehead et le problème de Dieu,* Beauchesne, Paris, 1968.
7. SCSP 271.

162 LE LANGAGE THÉOLOGIQUE A L'ÂGE DE LA SCIENCE

prospective [8]. » Bref, le schème interprétatif, en quoi consiste la philosophie spéculative, doit rendre explicite le réseau total des relations dont l'expérience actuelle ne découvre qu'un fragment.

La présentation ainsi esquissée de la philosophie spéculative annonce en quel lieu se situe le discours de *Process and Reality*. Celui-ci n'est pas un lieu donné d'avance ; « il se constitue par la vertu du discours lui-même, au fur et à mesure de son déroulement » [9]. Ce discours est spéculatif au sens où il procure *en même temps* l'évocation (au sens le plus positif du terme, au sens où il fait véritablement venir dans le milieu du concept) d'un espace spéculatif, et le remplissement de cet espace, ou plus exactement sa structuration, grâce au système des catégories qu'il met en œuvre [10]. Il s'agit, pour Whitehead, d'utiliser « les notions spécifiques, qui s'appliquent à un groupe restreint de faits, pour augurer les notions génériques qui s'appliquent à tous les faits » [11]. La méthode de la philosophie spéculative consiste donc à prendre appui sur ce qui est suggéré par les parties accessibles de l'expérience pour s'élever, par la construction imaginative, jusqu'aux généralités constitutives c'est-à-dire jusqu'à la saisie de la texture complète de l'expérience, qui est aussi celle du monde [12]. C'est dire que la philosophie spéculative implique la croyance en « une co-appartenance constitutive de tous les éléments de l'univers ».

Mais l'imagination spéculative, on l'a déjà indiqué, ne part pas de rien, car tout nouvel effort qu'elle tente prend appui sur les réussites aussi bien que sur les échecs des tentatives antérieures à l'égard desquelles elle représente comme une reprise critique. En ce qui concerne Whitehead, outre l'héritage de la philosophie du XVIIᵉ siècle, tant de ses versions rationalistes qu'empiristes, il paraît évident qu'il reprend, à sa manière, la théorie de la relativité. Celle-ci semble lui permettre notamment de critiquer la notion de substance mise en œuvre par la philosophie classique. Il s'indique donc d'évoquer, ne fût-ce que brièvement, la théorie de la relativité et son influence sur la pensée whiteheadienne. On cédera ici totalement la parole à Jean Ladrière.

8. SCSP 272.
9. SEFI 67.
10. *Ibidem.*
11. PR, trad. J. L.
12. SCSP 272.

Selon le schème relativiste, écrit-il, l'univers n'est pas fait de choses mais d'événements. Un événement est la rencontre de deux lignes d'univers. A chaque point de l'espace-temps, on peut faire correspondre un double cône, dont le sommet se trouve en ce point. L'un des cônes représente le passé de ce point, l'autre l'avenir. L'enveloppe du cône du passé est faite de tous les signaux lumineux qui, du fond du passé, peuvent atteindre le point en question. L'enveloppe du cône du futur est faite de tous les signaux lumineux qui peuvent être émis de ce point vers les profondeurs du futur. Tous les points qui sont situés dans le cône du passé peuvent être à l'origine d'une action venant influencer, dans le moment présent, le point considéré. Et tous les points qui sont situés dans le cône du futur peuvent être atteints par une action qui a son origine au point considéré. Les points qui sont situés en dehors du cône ne peuvent avoir de connexion causale directe avec le point considéré, mais des actions issues de ces points peuvent parfaitement venir rencontrer dans le futur l'une des lignes d'univers issues de ce point, de même qu'une action issue d'un point situé dans le cône du passé peut parfaitement venir influencer un point situé en dehors du cône. Il n'y a pas d'action instantanée à distance, les actions se propagent avec une vitesse finie, mais il est parfaitement possible que des lignes d'univers fort éloignées l'une de l'autre dans le présent finissent par se rencontrer dans le futur. L'espace-temps, envisagé dans sa totalité, forme ainsi un tissu serré de lignes d'univers qui s'entrecroisent ; il est comme un immense champ d'interactions possibles. On retrouve, dans la métaphysique de Whitehead, comme une version transposée de ce schème, par exemple lorsqu'il nous explique qu' « il

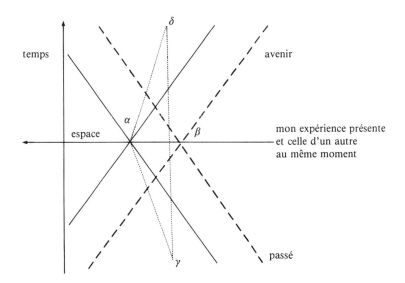

appartient à la nature d'un "être" d'être un élément potentiel à l'égard de tout "devenir" [13] ».

Ce schéma du « double cône » de l'espace-temps illustre la façon dont deux événements relativement indépendants α et β peuvent soit procéder d'un même événement antérieur γ par des chaînes de causalité différentes, soit exercer ensemble une action sur un événement à venir δ, δ se trouvant à la fois dans le cône-avenir d'α, et β et γ dans le cône-passé des mêmes événements.

Mais voyons de plus près, sur quelques exemples, comment peuvent fonctionner des catégories spéculatives. Le système de Whitehead est basé sur 45 catégories dont il décrit en détail les interrelations. Retenons seulement trois d'entre elles, qui sont particulièrement significatives : entité actuelle, préhension *(prehension)* et nexus. Une première explication nous dit que les entités actuelles « sont les choses réelles ultimes dont le monde est fait », que « Dieu est une entité actuelle, et qu'il en est de même de la plus triviale bouffée d'existence située dans le coin le plus reculé de l'espace vide », que les entités actuelles sont « des gouttes d'expérience, complexes et interdépendantes » [14]. Chaque entité actuelle est analysable d'une infinité de manières, mais le mode d'analyse qui conduit aux composantes les plus concrètes est celui qui consiste à décomposer l'entité actuelle en *préhensions*.

Une préhension a « un caractère vectoriel, elle inclut l'émotion, et le but et l'évaluation et la causalité » [15]. Une préhension est donc cet aspect d'une entité actuelle par lequel celle-ci est en quelque sorte ouverte à toutes les autres et peut donc prendre sa place dans l'interconnexion universelle qui constitue la réalité. Whitehead affirme explicitement que « les entités actuelles s'impliquent mutuellement en raison de leurs préhensions mutuelles » [16]. Il y a ainsi « des faits individuels réels de co-occurrence *(togetherness)* d'entités actuelles, et ces faits sont réels, individuels et particuliers au même sens où les entités actuelles et les préhensions sont réelles, individuelles et particulières. Tout fait particulier de co-occurrence de ce genre parmi les entités actuelles est appelé un "nexus" [17]. »

13. PR 27.
14. PR 23.
15. PR 23.
16. PR 24.
17. PR 24.

Ces indications encore très brèves sont enrichies progressivement par l'introduction des autres catégories. Ainsi, elles doivent être comprises en relation avec ce que Whitehead appelle la catégorie de l'ultime, qui est faite elle-même des trois notions d'unité, de multiplicité et de créativité. L'unité désigne la singularité d'une entité, la multiplicité, la « diversité disjonctive ». Quant à la créativité, elle est « le principe ultime en vertu duquel les éléments qui sont l'univers disjonctivement, deviennent l'occasion actuelle une, qui est l'univers conjonctivement » [18]. La créativité est donc une puissance unifiante qui introduit sans cesse de la nouveauté dans le monde, c'est une « avance créatrice » [19]. Elle produit de nouvelles formes de co-occurrence, ce que Whitehead appelle « concrescence » [20]. Une entité actuelle est « une concrescence de préhensions qui ont trouvé leur origine dans le processus de son devenir » [21]. Et un nexus « est un ensemble d'entités actuelles dans l'unité des co-relations qui sont constituées par leurs préhensions mutuelles » [22].

Toutes ces propositions nous suggèrent la vision d'un univers qui est un processus, non un système de choses, un tissu de rencontres, non un réseau de substances, un entrelacement d'événements, non un ordre formé de natures. Mais le processus n'est pas la répétition du même, ni une suite de combinaisons au hasard, il est orienté ; il va du potentiel vers l'actuel, il consiste en la progressive unification d'un divers. L'univers, à chaque instant, est analysable en entités actuelles, mais toutes ces entités sont interconnectées par leurs préhensions de façon à former un réseau de plus en plus serré. Elles intègrent en elles tout un passé, elles sont l'actualisation concrète, *hic et nunc,* d'un faisceau de lignes d'univers, et elles sont tendues à leur tour vers une intégration encore à venir dans une unité plus prégnante. Le devenir du monde est une émergence incessante de nouvelles concrescences, une objectivation de potentialités, une « ingression » dans une actualité définie de formes qui représentent la structure dans ce qu'elle a de toujours à venir. C'est aussi la montée vers une concrétion de plus en plus achevée : chaque grain d'existence se charge de plus en plus de tous les autres grains d'existence, le tissu se resserre de plus en

18. PR 25-26.
19. PR 26.
20. PR 26.
21. PR 28.
22. PR 28.

plus, l'univers s'intègre lui-même de plus en plus, ce que White-head exprime en parlant de la nature conséquente de Dieu, qui n'est autre que « l'objectification du monde en Dieu » [23], la « pré-hension de toutes les entités actuelles en lui » [24].

Il n'est pas sans intérêt de remarquer que l'idée de « schème conceptuel » ainsi esquissée peut être rapprochée de celle d'inter-prétation. En effet, lorsqu'il s'agit de comprendre un texte dont le sens profond n'est pas transparent, « il faut élaborer un schème interprétatif capable de présenter en quelque sorte à l'avance un sens possible, prolongeant celui qui s'était déjà manifesté. Et il appartient à une lecture nouvelle de vérifier que ce qui est ainsi proposé est de nature à rendre parlantes des parties du texte qui jusque-là étaient restées sémantiquement inertes » [25]. De même, le schème spéculatif est destiné à rendre compte, dans leur intelligi-bilité intégrale, de tous les éléments de l'expérience, d'une façon qui puisse se révéler adéquate à la vérification. Ce rapprochement sera approfondi lorsqu'on abordera la question de savoir com-ment des termes qui appartiennent au langage spéculatif de White-head trouvent une signification. Cette question est naturellement centrale dans la recherche entreprise ici. Ainsi, y reviendra-t-on dans la seconde partie de ce chapitre, car il reste, pour l'instant, à examiner dans quelle mesure il est possible de formuler un prin-cipe d'unité face à la diversité des philosophies qui ont vu le jour dans l'histoire et, plus particulièrement, au XXᵉ siècle.

A cet égard, on pourra retenir des paragraphes qui précèdent que le contraste le plus radical qui apparaît entre la philosophie analytique et la philosophie spéculative consiste en leur attitude respective à l'égard de la question de l'accès à la totalité. D'une part, la philosophie spéculative peut être caractérisée comme une tentative de « mettre en évidence les conditions les plus universel-les sous lesquelles la pensée peut s'exercer [26] ». Et elle est portée par la conviction que l'armature interne de la pensée correspond, au moins approximativement, aux articulations essentielles du réel lui-même. Tandis que la philosophie analytique récuse la possibi-lité même des architectures conceptuelles totalisantes. Comme on l'a déjà dit, elle se contente d'élucider les structures locales de

---

23. PR 406.
24. SCSP 273-5.
25. FICH 32.
26. FICH 32.

l'expérience et du langage ou alors elle se fait plus systématique et élabore une problématique des limites. Cette dernière voie, illustrée par le célèbre *Tractatus* de Wittgenstein déjà évoqué ici de multiples fois, est, comme on le sait, paradoxale. En effet, la démarche du philosophe autrichien, tout en récusant un discours sur la totalité, aboutit à ménager, à travers la reconnaissance des limites et de l'échec de toute tentative de totalisation discursive, un accès vers la totalité. A travers le discours, mais au-delà du discours, par un chemin de parole mais sous une forme qui ne peut plus se dire et en laquelle toute parole s'est tue, sous une forme qui est comme un état de l'âme, immédiatement accordée à l'énigme et comme abîmée dans la contingence révélatrice du « il y a » [27], Wittgenstein fait apparaître l'indicible comme condition de possibilité ineffable du discours lui-même.

On pourrait peut-être dès lors former l'hypothèse d'une « convergence contrastante » entre philosophie analytique et philosophie spéculative qui demeurent l'une et l'autre habitées par l'intention du philosophe qui est, en définitive, d'expliciter l'implicite tout en n'étant pas dupe des limites de son propre propos. A.N. Whitehead lui-même n'écrivait-il pas : « In its turn every philosophy will suffer a deposition » [28], voulant sans doute indiquer ainsi le sort de sa propre pensée. Le rapprochement de ce verdict avec la métaphore finale du *Tractatus* considéré par son auteur comme une « échelle » qu'il faut rejeter après en avoir gravi les échelons est moins superficiel qu'il ne paraît [29].

Le noyau de ce qui est approché à travers ces différentes manières de cerner le non-dicible, écrit Jean Ladrière, ne serait-ce pas précisément le projet de mettre à découvert, au moyen des ressources du langage, tel qu'il fonctionne dans ses usages les plus ordinaires, en particulier au moyen des ressources de la référence et de la prédication, l'événement même de la production de ce par quoi il peut y avoir langage [30] ?

Bref, la pensée philosophique semble pouvoir s'exercer de deux grandes manières : analytiquement ou spéculativement. Mais, de part et d'autre, c'est le projet d'une explicitation de l'implicite qui

27. FICH 34.
28. PR 7.
29. T 6.54 « Der, welcher mich versteht, um sozusagen die Leiter wegwerfen, nachdem er auf ihr hinaufgestiegen ist. »
30. SEFI 70.

anime son élaboration. La philosophie analytique tente de retrouver sous le langage hérité des philosophies antérieures le particulier dans son foisonnement interminable, tandis que la philosophie spéculative s'efforce de faire apparaître le mouvement universel du réel, considéré dans sa généralité la plus grande. De part et d'autre cependant, les présupposés sont différents : la philosophie analytique considère que le langage hérité fait obstacle à la saisie du véritable implicite, tandis que la philosophie spéculative estime que la réalité elle-même ne se donne à voir que dans le phénomène. On pourra dès lors former l'hypothèse qu'une démarche philosophique complète, telle celle qu'on tente d'esquisser ici, doit s'inscrire dans le mouvement de l'exigence critique et comporter, par conséquent, deux moments distincts mais inséparables : la dissolution des évidences et l'élaboration d'un schème conceptuel. Ces deux moments ne sont pas séparables, car l'analyse procède déjà d'une précompréhension du schème à développer et la spéculation ne peut se déployer selon le schéma que lui impose sa propre cohérence qu'en contrepoint de la dissolution critique des schèmes antérieurs. Ainsi a-t-on tenté dans les chapitres précédents de montrer comment la dissolution du positivisme scientiste est une étape dans l'effort ici entrepris pour faire apparaître une articulation des langages spéculatifs au sein de laquelle le travail théologien puisse acquérir de lui-même une conscience véritable. Avant d'en venir à l'examen de la nature de ce travail, il reste à approfondir la question du mode de signification du langage spéculatif déjà abordée au chapitre consacré à la métaphore.

2. LA SÉMANTIQUE DU LANGAGE PHILOSOPHIQUE

L'enseignement de l'enquête de Paul Ricœur sur la métaphore est qu'il y a, du moins en ce qui concerne la signification des termes d'un langage spéculatif, « une constitution intrinsèque de la connotation ». La question de la sémantique du langage spéculatif était alors de savoir « comment s'opère au juste cette constitution » [31].

Comme dans le cas des langages scientifiques, l'on peut remarquer que des emprunts sont faits à certaines formes de langage déjà

---

31. SCSP 276.

constituées. Mais l'on sait que « ces sens déjà constitués jouent
tout au plus le rôle d'indicateurs préalables : ils fournissent
comme une esquisse préalable d'un champ sémantique, qui devra
être complètement effacée et remplacée par un dessin précis, tracé
au moyen d'instruments appropriés » [32]. Ainsi par exemple, l'idée
d'expliquer toutes les apparences du monde par les propriétés
d'un seul champ généralisé est exprimée par Whitehead dans un
vocabulaire inspiré de la théorie de la relativité. Mais les termes
empruntés à la physique relativiste ne fournissent à l'imagination
whiteheadienne qu'une espèce de « terrain d'envol » ; ils apparaissent, en fait, comme « une source d'induction inspiratrice ».
Mise en mouvement par le schème relativiste, l'imagination spéculative de Whitehead « s'efforce de transposer au plan de la plus
grande généralité ce que ce schéma proposait pour une compréhension des interactions physiques » [33]. Il s'agit donc bien pour
l'imagination spéculative d'opérer une *transposition* du langage
relativiste dans le langage philosophique. Et cette transposition
revêt la forme d'une *transgression*. En effet, les termes du langage
relativiste prennent leur sens dans le contexte d'énonciation de la
physique théorique, contexte largement marqué par l'horizon
d'une interprétation opératoire. Ils ne peuvent donc pas être
transposés comme tels dans un domaine dont est absente la
dimension opératoire. Cependant, ils peuvent suggérer à la pensée
philosophique un canevas sur lequel celle-ci pourra élaborer un
nouveau réseau conceptuel, une nouvelle façon de dire le monde,
un nouveau langage qui s'inscrira dans la visée propre du philosophe : le projet de la totalisation de l'expérience.

   Le champ sémantique du langage spéculatif se constitue ainsi
par la vertu d'une transposition de termes d'un contexte opératoire à un contexte de totalisation. C'est dire que le champ sémantique spéculatif n'est pas donné d'emblée mais se forge au fur et à
mesure que de nouvelles énonciations voient le jour, qui utilisent
dans un contexte approprié des termes empruntés à d'autres contextes d'énonciation. C'est par le truchement de ces énonciations
inédites, qui tendent à la longue à s'organiser en un système logique et cohérent, que les termes ainsi empruntés à d'autres langages prennent un sens nouveau. On peut d'ailleurs former l'hypothèse d'une profonde interaction entre la construction de ce

32. *Ibidem.*
33. SCSP 277.

système inédit et le « sens premier » des termes qui le composent et qui y prennent un « sens second » : c'est du nouveau système que ces termes tiennent leur nouveau sens, mais ce système neuf n'est, en définitive, qu'un dessin plus précis qui vient lever les approximations de l'esquisse induite par le contexte dans lequel ces termes avaient leur sens premier.

Mais « ne sommes-nous pas ici en présence d'une sorte de paradoxe ? », demande Jean Ladrière : pour que puisse être comprise une phrase nouvelle, il faut que les termes qui la composent aient un sens et ceux-ci sont réputés ne tenir leur sens que des phrases dans lesquelles ils sont utilisés. Il s'avère nécessaire de prendre en compte ici le fait que la phrase n'est pas faite que de sujets et de prédicats. Elle comprend également des connecteurs logiques. Or, c'est la logique qui fait le système. Il faut donc se demander si la contribution de l'architecture formelle d'un système n'est pas précisément de donner à celui-ci une capacité inédite d'innovation sémantique. En effet, par la manière dont les termes sont mis en relation logique au sein du système, ils en viennent à s'éclairer mutuellement. Leurs sens premiers sont modifiés par leur rapprochement, à la fois sur le mode de l'élimination et sur le mode du renforcement.

La vertu de la phrase, écrit Jean Ladrière, c'est de rendre possible une rencontre de sens. Or c'est là un événement sémantique qui a une portée considérable : il inaugure une véritable genèse du sens. La productivité sémantique doit être entendue en un double sens : d'une part la langue dispose de règles telles qu'elle peut produire, sur la base d'un dictionnaire *donné,* des phrases nouvelles dont le sens n'a encore jamais été exprimé, mais d'autre part, le mécanisme de la formation des phrases permet de modifier le dictionnaire, c'est-à-dire de faire apparaître des sens nouveaux pour les *termes.* L'ensemble des propositions du système agit à la façon d'un filtre transformateur. Au départ, nous avons des termes qui ont des sens déjà fixés par toute une histoire, et nous avons d'autre part une vision flottante du schème organisateur qui n'est encore que suggéré par un système partiel. Il s'agit de faire subir aux termes choisis une métamorphose telle qu'ils en arrivent à procurer effectivement une articulation conceptuelle adéquate à la vision initiale [34].

On aura à revenir dans le prochain chapitre sur cet aspect de l'entreprise interprétative. Mais auparavant, il faut revenir une

34. SCSP 278-9.

fois encore à la question de la sémantique du langage spéculatif et s'interroger, plus concrètement cette fois, sur le mécanisme d'innovation sémantique qui est à l'œuvre dans la philosophie whiteheadienne.

Si l'on examine la façon dont le discours produit son sens dans *Process and Reality,* on peut remarquer que trois composantes interviennent dans cette production. Il y a d'abord l'héritage sémantique des termes utilisés, héritage qui provient, comme on l'a vu, de certaines théories scientifiques dont s'est inspiré Whitehead, mais aussi du langage ordinaire et des systèmes philosophiques antérieurs que le philosophe critique ou dans lesquels il puise explicitement certaines suggestions. Il y a, ensuite, les relations logiques qu'établissent les propositions du discours whiteheadien entre les termes qu'il emprunte à d'autres langages. Ces relations sont d'ailleurs de deux ordres : intrapropositionnelles ou interpropositionnelles selon que les termes en question sont précisés immédiatement en raison de leur appartenance à tel énoncé ou qu'ils s'éclairent médiatement par l'insertion de l'énoncé qui les contient dans le système plus vaste. On retrouve ici, note Jean Ladrière, « ce qu'on pourrait appeler "l'effet de système" : c'est en somme l'ensemble complet des catégories, en tant qu'il est "cohérent", c'est-à-dire interconnecté, qui fixe le sens de chacun de ses termes, car c'est seulement à son niveau que se produit la saturation du sens (que le système a précisément pour fonction de produire) ». Il y a enfin une troisième composante de sens qui est fournie par l'interaction entre les termes et l'espace spéculatif que ces termes sont chargés de construire. Ainsi chaque terme renvoie de proche en proche à toute une série d'autres termes, par l'intermédiaire d'un terme préalablement défini par rapport auquel est expliqué son mode fondamental et essentiel de fonctionnement. Ce n'est donc finalement qu'au moment où le système a été parcouru dans toutes ses parties que le sens de ce terme est complètement fixé. Mais il apparaît alors que ce sens ne dépend pas seulement des interconnexions qui ont été établies entre termes, mais aussi, et en définitive à un titre plus essentiel, de la co-appartenance de tous ces termes à un espace qui n'est jamais présenté comme tel et que le système a cependant pour fonction de faire apparaître comme silencieusement, à l'insu même de celui qui en prend connaissance. « C'est en cet espace, qu'il tente de dire sans le nommer, qui est véritablement ce dont il parle, qu'il puise sa force signifiante caractéristique et c'est en fonction de celle-ci qu'il peut conférer à ses termes le sens qu'il faut leur reconnaître en définitive, au terme du parcours » [35].

Il semble donc y avoir une analogie entre le fonctionnement sémantique du langage scientifique et celui du langage spéculatif. D'un côté, la construction progressive du champ sémantique est réglée par le recours au langage mathématique et l'inscription de la démarche dans un projet opératoire. Du côté de la philosophie, d'autre part, la construction du champ sémantique est tout aussi progressive et, s'inscrivant dans un projet de totalisation, semble faire appel à la logique là où la science fait appel à la mathématique. Mais la question la plus difficile apparaît ici, car, en définitive, ce qu'il s'agit d'expliquer, c'est précisément pourquoi il peut être fait appel de façon fructueuse à la logique. Cette question est celle du rapport entre le logique et le réel ou, plus précisément, celle de l'efficacité du logique à l'égard du réel.

De façon à vrai dire assez schématique, on pourrait définir le logique comme « ce domaine de représentation et d'opération dans et par lequel nous pouvons obtenir certaines espèces d'informations non vides de sens, non contradictoires, indépendamment d'une fourniture de contenu venant de l'expérience » [36]. C'est vraisemblablement aux ressources propres de cet appareil formel de nature opératoire que le langage spéculatif doit ce surplus de sens remarquable qui le met à distance des situations concrètes qu'il permet d'éclairer. De telle sorte qu'il faudrait sans doute comprendre le rapport du langage spéculatif à la réalité qu'il permet d'interpréter, comme une correspondance interprétative entre deux registres foncièrement différents. L'accord potentiel du logique et du réel semble donc s'établir au niveau de l'*action*. L'interprétation logique du réel, qu'elle soit de nature scientifique ou philosophique, procède d' « un va-et-vient incessant » entre « l'activité conceptuelle » qui s'effectue au niveau des configurations discursives et « l'activité pragmatique », c'est-à-dire les multiples interactions entre notre organisme corporel et les différents systèmes matériels auxquels l'action le relie [37]. C'est évidemment ce genre de processus qu'illustre la pratique scientifique, mais la portée du schème praxéologique qui sous-tend la science est plus vaste que celle-ci ; elle englobe également toute interprétation de

35. SEFI 67-69.
36. LOGR 159.
37. LOGR 163.

l'expérience, cette dernière expression étant entendue ici non seulement comme désignant les sondages opératoires que la pratique scientifique effectue en vue d'obtenir ce qu'on a pu appeler « le verdict du réel », mais plus largement, toute forme de rapport au monde. C'est donc, en définitive, la reconnaissance de la précellence de l'action, déjà évoquée au chapitre 3, qui peut offrir une réponse à la délicate question de l'efficacité du logique.

On rejoint ici l'une des intuitions les plus fondamentales mises en œuvre dans la pensée de Jean Ladrière. Intuition qu'il exprime d'ailleurs lui-même de la façon la plus lumineuse en faisant apparaître tout à la fois le ressort de l'extraordinaire fécondité du discours logique et sa limitation interne la plus profonde.

Si nos théories — et nos théories logiques en particulier — peuvent nous apporter des informations authentiques sur le monde, donc être efficaces, c'est qu'elles fournissent des schématisations modélisantes qui nous permettent en quelque sorte d'expérimenter à vide, dans l'espace toujours disponible des modèles, et qui rendent ainsi possible le montage de schémas d'*action* grâce auxquels nous pouvons invoquer le verdict de la réalité. Or la schématisation est basée sur des constructions, elle est de nature opératoire. Le secret de l'efficacité de l'ordre logique — qu'on l'entende au sens étroit de logique formelle ou au sens large de champ théorique — ne résiderait-il pas dans la correspondance qui s'instaure, de par l'activité théorisante elle-même, entre deux ordres d'opération, d'une part celui des opérations formelles de construction, opérant dans l'indétermination relative des structures abstraites, et d'autre part celui des rencontres effectives que notre action nous ménage avec le monde ? Après tout, avons-nous d'autres critères de la réalité que ceux liés à la rencontre ? Que ce soit dans l'ordre de la perception, ou de l'action matérielle, ou de l'action éthique, ou du sentiment, ou de la foi, voire de l'expérience mystique, le réel c'est bien ce qui, selon une modalité ou l'autre, directement ou indirectement, se livre à nous dans une présence qui est à la fois manifestation et retrait.

Car la donation n'est jamais absolue ; c'est pourquoi le réel n'est pas pure présentification, mais plutôt l'horizon par rapport auquel se mesurent à la fois nos représentations et nos entreprises. C'est pourquoi aussi le théorique (ou le logique) n'est jamais qu'une anticipation toujours défaillante, en quête d'une adéquation qui est par principe hors d'atteinte. Il y a comme un point de fuite de la réalité, par où elle ne cesse de mettre en échec l'effort constructif qui s'accomplit dans le logique. En somme, le logique est discours, c'est-à-dire articulation, c'est-à-dire structuration, c'est-à-dire forme, et s'il peut être partiellement adéquat et donner à l'action, au moins localement, sa cohérence, c'est sans doute dans la mesure où celle-ci rencontre dans la réalité un élément de même nature, dans la mesure où le réel se laisse en effet appréhender selon la forme, dans la mesure où il est lui-même, en un sens, discours. Mais ce qui manque au discours, c'est l'ancrage qui fait précisément du réel cette massivité concrète et insistante sur laquelle sans doute notre action prend appui mais dans laquelle aussi elle rencontre comme son autre absolu [38].

On en revient ainsi une fois de plus à la conclusion du *Tractatus* selon laquelle évoquer la totalité ce ne peut être vraiment la dire. Ce paradoxe, constitutif du langage philosophique, peut être exprimé également en d'autres termes : « La totalité se dérobe nécessairement. (...) Support ultime de tout système, elle n'est pas elle-même système. Fondement de toute parole, elle n'est pas elle-même parole. Horizon de toutes les effectuations, elle n'est pas elle-même de la nature d'un acte. (...) Dans la mesure où il (le langage spéculatif) se constitue dans et par la visée de son propre horizon constitutif, il devrait passer lui-même à l'infini de toute élaboration sémantique, s'élever jusqu'en ce point extrême où la parole se recueille dans le silence qui la fonde et l'accomplit [39]. » C'est qu'en définitive, « tout effort spéculatif est hasardeux, instable et seulement prémonitoire » [40].

On pourra retenir de ces remarques que c'est au niveau de l'action que se fonde la possibilité même du langage spéculatif, de l'interprétation philosophique de l'expérience. Et si tel est bien le cas, on ne pourra pas s'étonner que la mise en œuvre du langage spéculatif, comme d'ailleurs l'effectuation de l'action, s'ouvre sur ce que Jean Ladrière appelle « l'abîme ».

Tout se passe donc comme si le langage du discours whiteheadien ne faisait que décrire un domaine ésotérique censé être la clé d'interprétation du monde de l'expérience. Et, il semble que l'on doive considérer le discours de *Process and Reality,* non pas comme une variété de discours scientifique (puisqu'il n'est accompagné d'aucune procédure de vérification d'ordre opératoire), mais comme un discours symbolique c'est-à-dire, pour parler le langage de Ricœur, comme un discours métaphorique. Or, comme on l'avait déjà remarqué à l'occasion de l'enquête sur la métaphore, une telle interprétation du langage philosophique met en jeu un dédoublement de la référence. La production d'un langage spéculatif suppose donc d'entrée de jeu la mise en œuvre de

38. LOGR 180-182.
39. SCSP 281-2.
40. *Ibidem.*

deux champs de référence distincts : d'une part celui par rapport auquel fonctionne le langage préalable (dans le cas de *Process and Reality,* le champ des interactions physiques constituant l'univers) dont le philosophe maîtrise le fonctionnement sémantique et, d'autre part, le champ référentiel qu'il veut *faire voir* par le truchement du langage spéculatif qu'il tente d'élaborer. Ce nouveau champ référentiel est distinct du premier, mais il n'est pas sans rapport avec lui. Il en est distinct, car aucune procédure d'extension du premier champ sémantique ne permet de construire sans rupture le second. Mais il est en rapport avec le premier comme le dessin l'est à l'esquisse.

Mais quel est au juste le statut ontologique du deuxième champ ? Remarquant que le fonctionnement d'un langage symbolique peut être expliqué par la double référence tout en ne donnant au second champ qu'un statut purement linguistique, Jean Ladrière propose d'interpréter le second champ « comme formé de pseudo-entités auxquelles nous devons nous référer pour parler de certaines propriétés de notre monde d'inhérence, qui est le seul vrai monde, pour lesquelles le langage ordinaire ne nous donne pas de moyens d'expression et dont il ne serait pas non plus possible de parler dans un langage interprétable, tel que celui des théories scientifiques » [41]. Ces pseudo-entités n'auraient donc, dans cette perspective, qu'une existence purement fonctionnelle : elles serviraient à enrichir nos procédés d'expression et n'auraient pas de portée véritablement descriptive pour la simple raison que le champ auquel elles renvoient n'est pas pour le locuteur le champ d'inhérence. La fonction du langage spéculatif est proprement *symbolique :* elle consiste à faire voir le champ d'inhérence du locuteur comme étant tel et tel. Évidemment, le langage spéculatif introduit ainsi une dépendance remarquable entre référence et prédication, dépendance dont Paul Ricœur attribue à juste titre la reconnaissance à Jean Ladrière [42]. En fait, les expressions descriptives employées pour désigner les objets du second champ ne peuvent pas être considérées comme des moyens d'identification pour repérer ces objets, car, le second champ de référence n'étant pas le champ d'inhérence du locuteur, celui-ci ne dispose d'aucune procédure effective de désignation, comme la monstration en serait une par exemple. C'est que ce second champ est constitué de

41. SEFI 49.
42. MV.

« propriétés relatives au destin de l'homme, ou encore de déterminations qui contribuent à caractériser sa situation existentielle » [43]. Ce champ n'est pas donné par lui-même comme le
champ d'inhérence, « il doit être posé et articulé par le moyen des
opérations mêmes du langage ». Mais comment cela peut-il se
faire ? Si l'on ne peut simplement désigner les objets qui font partie de ce second champ, ni renvoyer à des actes de désignation,
l'on peut élaborer des procédés de descriptions qui serviront à
caractériser les objets visés, « en nous servant des prédicats appropriés » [44], mais ceux-ci ne peuvent être expliqués sans que soient
évoqués certains au moins des référents qu'ils caractérisent. Contrairement aux apparences, ce recours à des prédicats s'appliquant
à des référents qui ne sont descriptibles qu'à l'aide de ces mêmes
prédicats n'est pas véritablement circulaire puisque, comme on l'a
vu, toute élaboration d'un langage second s'enracine dans un langage antérieur. « Ce sont les prédicats de ce premier langage qui
servent de point d'appui pour la transgression symbolisante effectuée par le langage second » [45], tout comme les points de l'esquisse
servent de guides pour le tracé du dessin net.

Est-ce à dire que le langage spéculatif n'est qu'une variété du
langage symbolique ? Il ne semble pas que cette hypothèse fasse
droit aux véritables intentions de la philosophie, ni au mode de
production de son discours. En effet, comme on l'a vu sur l'exemple de *Process and Reality,* il y a deux aspects fondamentaux du
discours philosophique qui doivent être pris en compte : le fait
qu'il recourt au *concept* et qu'il s'organise en *système,* le système
étant fait de concepts qui sont eux-mêmes devenus tels par l'insertion dans le système des images qui les avaient suggérés.
S'appuyant sur une comparaison entre deux fragments du *Poème*
de Parménide, Jean Ladrière propose une distinction très nette
entre *transgression symbolique* et *transgression spéculative.* La
différence sémantique essentielle entre « les cavales qui m'empor-
tent m'ont conduit aussi bien que mon cœur pouvait le désirer » [46]
et « Nécessaire est ceci : dire et penser de l'étant l'être ; il est en
effet être, le néant au contraire n'est pas » [47] tient en effet à la

43. SEFI 49.
44. *Ibidem.*
45. SEFI 50.
46. *Le Poème de Parménide,* présenté par Jean Beaufret, Paris, P.U.F., 1955,
p. 77.
47. *Ibidem,* p. 81.

nature de la transgression sémantique opérée dans chacun des énoncés par rapport au langage ordinaire. Dans le premier énoncé, qualifié de symbolique, on a affaire à une transgression sémantique qui opère sur des termes pris séparément, tandis que, dans le second, qualifié de spéculatif, la transgression opère d'emblée sur le langage pris comme un tout c'est-à-dire sur des termes que l'opération même de transgression organise en système conceptuel. La différence entre le symbolique et le spéculatif recouvre celle de la métaphore et du concept étant entendu qu'un concept n'existe jamais à l'état isolé mais consiste en l'épuration du foisonnement imaginaire de la métaphore lorsque, saisie dans le système, elle vient prendre sa place dans l'architecture discursive du langage spéculatif. Le langage spéculatif, en définitive, naît de la synergie du langage symbolique dans lequel il s'enracine et du système logique qui en forme la structure.

Mais quel est donc le champ référentiel du langage spéculatif ? Cette question doit être reprise à la lumière des remarques précédentes, car, si le langage philosophique n'est pas un langage seulement symbolique, il doit pouvoir se rapporter au champ de référence originaire c'est-à-dire au monde auquel l'expérience donne accès. Or, le champ visé comme tel dans la transgression spéculative n'est-il pas le domaine où le locuteur a son enracinement, son « lieu d'inhérence » lorsqu'il devient ce dont on parle ? C'est-à-dire le monde de l'expérience lui-même mis en scène, par les ressources d'un langage libre de toute charge ontologique nouvelle, dans « une sorte de théâtre linguistique » sur lequel le philosophe peut faire apparaître « les personnages » dont il a besoin pour en signifier la destinée ? Comme l'avait remarqué Paul Ricœur, le champ référentiel du langage spéculatif *est le même* que celui du langage premier que transgresse le philosophe. Et il *n'est pas le même* que celui de ce premier langage. Il est le même, car les référents ne sont pas différents ; mais il n'est pas le même, car ces référents sont désormais évoqués à l'aide de prédicats qui sont eux-mêmes le fruit d'une transgression qui tout en reconnaissant leur enracinement dans la signifiance du langage premier les a arrachés à celle-ci pour les insérer dans une vie de sens nouvelle : celle du langage spéculatif.

Mais ici s'impose une nouvelle comparaison avec le langage scientifique. En effet, l'explication scientifique avait pu être définie dans le chapitre 6 comme « redescription métaphorique » de l'explanandum et l'on pourrait, par analogie, définir l'élucidation philosophique comme reformulation spéculative de l'explanandum. Cette analogie, cependant, demande à être précisée à un double point de vue. D'une part, il convient de remarquer qu'en science, la métaphore se trouve au niveau du modèle médiateur de l'expérience et de la théorie et que la véritable explication scientifique est théorique et non métaphorique au sens strict, ou si l'on veut, elle n'est métaphorique que parce que la médiation du modèle est indispensable. Le concept, qui est lié dans les sciences à la mathématisation du langage et en philosophie à son caractère logique, n'est une métaphore ni dans les sciences ni en philosophie. Il serait donc plus exact de définir l'explication scientifique comme dérivation logique médiatisée par une redescription métaphorique. D'autre part, il conviendrait également de préciser dans quel projet ou sur quel horizon s'inscrit cette opération. L'opération scientifique en quoi consiste *l'explication* s'inscrit toujours dans une démarche qui est elle-même de nature essentiellement opératoire dans son rapport au monde de l'expérience. Tandis que l'opération philosophique en quoi consiste *l'élucidation* s'inscrit dans un projet de totalisation, ou si l'on préfère sur l'horizon de la constitution universelle. Mais qu'est-ce à dire au juste ? C'est ce qu'on voudrait préciser dans la troisième partie de ce chapitre.

3. LA DYNAMIQUE DES PHILOSOPHIES

« Interpréter, écrit Jean Ladrière, c'est s'établir dans une perspective unifiante [48]. » Les sciences constituent une interprétation dont le principe unifiant est la visée opératoire d'une maîtrise technique de la nature, visée dont le terme reste à vrai dire dans bien des domaines extrêmement éloigné des possibilités actuelles de la science. Le principe unificateur de l'interprétation philosophique est d'un autre ordre. Dans la philosophie et par elle, il s'agit pour la pensée de venir à sa propre rencontre, de démêler l'énigme qu'elle est pour elle-même. L'auto-interprétation de la pensée passe donc nécessairement par le choix d'un point de vue répondant à son exigence la plus intérieure, d' « un point de vue qui soit comme accordé à l'essence même de la pensée, à partir duquel elle puisse effectivement se recueillir, revenir auprès d'elle-

---

48. FIPA 335.

même à partir de la multiplicité de ses extériorisations » [49]. C'est à partir de ce point de vue que se constitue *le schème de la totalisation*. Mais l'exigence interne d'unité que porte la pensée ne peut être satisfaite d'emblée, car la pensée, en tant qu'elle est pensée *de* quelque chose qui n'est pas seulement elle-même, commence nécessairement par se disperser dans l'extériorité, par se projeter dans les mille figures qu'on lui connaît dans l'histoire. Cet émiettement de la pensée est inévitable et même nécessaire pour que puisse se manifester sa propre puissance unificatrice. En effet, il n'y a pas d'interprétation sans histoire, pas d'unification de ce qui ne serait préalablement fragmenté, pas de mise en perspective de ce qui ne serait pas d'abord dispersé. Mais, inversement, c'est à partir de l'interprétation qu'il peut y avoir, à proprement parler, une histoire, qu'à l'insignifiance de la dispersion peut venir se substituer la vie d'un sens.

Chaque système, à sa manière, tente de s'égaler à l'exigence de la pensée en proposant, selon des ressources seulement provisoires mais indépassables dans le moment où il se construit, un mode d'unification et donc une figure de synthèse, qui n'est cependant encore qu'une anticipation de la seule véritable et unique synthèse toujours à venir. Mais le développement même des virtualités rationnelles contenues dans toute pseudo-synthèse momentanée doit inévitablement faire apparaître, tôt ou tard, ses limitations et ruiner le fragile équilibre qu'elle avait fait un instant exister dans l'ordre du concept [50].

Dans cette perspective, il y aurait comme une récapitulation sans cesse reprise de la philosophie par elle-même tentant d'incorporer son passé à son présent en lequel elle se produirait sur un mode supérieur à celui de ses manifestations antérieures. De ce point de vue, que l'on pourrait qualifier de *prospectif,* chaque moment révolu de l'entreprise historique de la philosophie doit pouvoir être compris comme une figure nécessaire du compte rendu actuel que la pensée dresse de sa propre progression. C'est en étant ainsi réinterprété à la lumière du présent que le passé prend son sens et trouve la vérité de sa propre figuration. C'est ainsi que l'impensé d'un système qui avait pu paraître, à un moment donné, indépassable, se trouve appréhendé dans une compréhension dont l'horizon transcende la série des horizons qui

49. *Ibidem.*
50. FIPA 337.

en avaient préparé l'émergence. Il y aurait donc de ce point de vue comme une montée progressive de la vérité impliquant la réévaluation périodique des « vérités » antérieures.

Tout système reçoit ainsi, au cours de l'histoire, comme une consécration de plus en plus achevée ; à mesure qu'il s'enfonce dans le passé, sa naïveté se révèle dans une clarté croissante, l'effet de dépassement s'accentue de plus en plus, mais en même temps, et par le fait même, sa vérité, toute relative, se révèle de plus en plus. Ainsi c'est seulement dans le présent de l'histoire, et dans l'ouverture qui se ménage en lui par rapport à l'*eschaton* de la pensée pleinement en acte d'elle-même, qu'un système philosophique trouve le plus haut degré de compréhension dont il est susceptible dans l'actuel [51].

Le mouvement de totalisation apparaît ainsi corrélatif d'une téléologie dont le *telos* consiste en une réconciliation définitive de la pensée avec elle-même. Mais on peut se demander si cette conception téléologique de la philosophie n'est pas, en définitive, le fruit d'une illusion. N'est-ce pas, en effet, le préjugé le plus tenace de la pensée que de se croire appelée à un perpétuel autodépassement au terme imaginaire duquel elle conquerrait son identité véritable dans la coïncidence avec elle-même ? Cet élan n'est-il pas, en fait, le fruit d'un oubli de l'origine, oubli qu'il faudrait dénoncer pour pouvoir revenir à l'authenticité du questionnement initial ? Au schème téléologique de la totalisation mis en œuvre avec un éclat particulièrement brillant au sein de l'hégélianisme, s'oppose l'effort de la déconstruction qui procède d'un schème archéologique dont la prétention est de faire apparaître l'illusion pour ce qu'elle est en soulevant le voile déployé par l'illusion pour tendre sur la réalité tout entière l'écran de ses projections. Mais ici encore, la totalisation apparaît comme un moment indispensable de l'entreprise philosophique. En effet,

Il faut que l'interprétation totalisante soit allée jusqu'en ses possibilités les plus extrêmes, qu'elle ait réussi à s'imposer à tous les secteurs de l'expérience humaine, qu'elle se soit donné l'effectivité d'un monde apparemment consistant, qu'elle ait mobilisé à partir d'elle-même toutes les ressources de l'extériorité, qu'elle se soit ainsi procuré le degré le plus élevé de crédibilité, il faut que l'oubli soit devenu total et le règne de l'illusion inconditionnel pour que commence à se manifester, dans le sentiment de l'absurdité, l'angoisse de la ruine et l'épreuve des limites, la faille par

51. FIPA 339.

où l'énigme va se montrer à nouveau, dans la déconcertante évidence d'une obscurité qui se révèle n'avoir été en fait jamais réellement dépassée [52].

Et ce n'est qu'alors que peut commencer

l'immense travail de déconstruction qui, remontant de proche en proche à travers toutes les figures que la pensée s'est léguées à elle-même, doit montrer en chacune d'elles la forme particulière qu'y a prise le mouvement de l'illusion et défaire ainsi progressivement la trame complexe de la *Maya* spéculative. L'effort de la déconstruction doit reconduire finalement la pensée jusqu'en ce moment originel où l'énigme s'est fait valoir pour la première fois dans l'inconditionnalité et la radicalité de sa requête [53].

Mais la possibilité même de cette enquête rétrograde est suspendue à la reconnaissance de l'errance métaphysique dans la figure actuelle de la philosophie. Il faut donc pour entreprendre cette déconstruction archéologique avoir déjà compris à travers ce qui doit être déconstruit ce qui est à retrouver. « Il faut avoir déjà entendu ce qui est à entendre pour pouvoir effectivement réinterpréter l'histoire comme l'histoire de l'errance [54]. »

Voilà donc la pensée philosophique tendue entre deux pôles infiniment distants. Entre la totalisation téléologique dont le système hégélien marque le provisoire achèvement et la déconstruction archéologique à laquelle l'entreprise heideggérienne a ouvert la voie. Voilà la pensée distendue entre la projection en avant de son *telos* et l'exhumation de son *archè*. Mais cet écartèlement de la pensée philosophique, qui est une nouvelle figure de sa diversité, est-il aussi indépassable qu'on pourrait le croire ? Ses pôles sont-ils aussi radicalement antithétiques qu'ils le paraissent ?

Jean Ladrière forme l'hypothèse que ces deux manières apparemment opposées de comprendre l'histoire de la philosophie sont tributaires d'une même conception du temps et de sa significaiton.

Dans la perspective de la totalisation, tout est suspendu à un moment singulier, encore et toujours à venir sans doute, mais dont il est possible cependant d'esquisser déjà les propriétés, en suivant les indications four-

52. FIPA 341.
53. *Ibidem.*
54. FIPA 342.

nies par le mouvement immanent du concept. Et dans la perspective du retour à l'origine, tout est ramené à une péripétie inaugurale, à jamais indépassable, à partir de laquelle se produit l'errance, mais en laquelle il est possible de se replonger par-dessus les siècles, dont il est possible encore aujourd'hui de recueillir l'énergie toute neuve et de revivre le jaillissement. De part et d'autre, par conséquent, il y a un point singulier du temps, qui en est comme la justification et la raison d'être, et à partir duquel seulement la pensée peut se constituer comme pensée [55].

N'y aurait-il pas sous les deux points de vue évoqués une conception purement linéaire du temps qui ne laisse place en définitive qu'à un événement fondamental unique, qui suspend le temps tout entier soit à un *prôton* dans le cas d'un point de vue hégélien, soit à un *eschaton* dans le cas d'un point de vue de type heideggérien ? Que l'histoire soit comprise comme celle d'un avènement cumulatif de la vérité ou comme celle d'une errance infinie, c'est toujours sur le modèle élémentaire de *la succession des moments* que le temps est compris.

Or, remarque Jean Ladrière, la physique moderne a fait apparaître du temps une conception moins naïve pour laquelle un instant n'est pas nécessairement antérieur à un autre intant, pour laquelle tout point de l'espace-temps est rapporté à une région du présent qui est douée d'une véritable épaisseur temporelle, et dont tous les points doivent être considérés cependant par rapport au point considéré comme simultanés [56]. Naturellement, il ne peut être question d'étendre purement et simplement au registre de l'histoire une structure de temps qui est valable pour le seul monde physique ; mais cette structure peut suggérer que *succession et simultanéité ne sont pas nécessairement des concepts incompatibles* mais correspondent à des points de vue différents à partir desquels peut être considéré ce qui fait l'étoffe du temps. Il faudrait donc pour penser correctement la concaténation des systèmes philosophiques réinterpréter le temps comme *durée,* c'est-à-dire comme un milieu où il est toujours possible de repérer après coup des rapports de succession, mais où demeure en même temps pour ce qui dure la possibilité de « s'amarrer indéfectiblement dans l'actualité de l'existence ».

55. FIPA 343-344.
56. FIPA 345.

La durée, écrit Jean Ladrière, est comme un milieu de *création* continue, où de nouvelles formes peuvent à tout instant surgir, non pas toutefois d'une manière quelconque, selon quelque disposition purement aléa-
toire, mais conformément à des conditions de champ, qui règlent les
modalités d'apparition des formes, déterminent en somme à chaque instant ce qui devient possible et ce qui ne l'est plus, ou pas encore, prescri-
vent donc à chaque figure la loi même selon laquelle elle pourra se produire et s'organiser [57].

Dans cette perspective, la production d'une nouvelle figure provoque une redistribution des tensions constitutives du champ dans
lequel elle s'inscrit ; autrement dit, elle remodèle le système des
possibilités qui définit un état donné du champ. Et le champ lui-
même, en même temps qu'il engendre des systèmes particuliers et
en organise la configuration, se réorganise lui-même sous l'effet
des structurations locales qui se produisent à partir des systèmes
qu'il a produits. C'est ainsi qu'on peut comprendre qu'il y a à la
fois permanence et donc contemporanéité des systèmes et action
des systèmes les uns sur les autres suivant le principe général des
actions retardées qui oblige à dire qu'un système ne peut exercer
son action sur un autre avant d'avoir été produit.

Pour illustrer cette interaction des systèmes successifs dans la
durée, Jean Ladrière recourt à l'image d' « un ciel étoilé où de
nouvelles constellations viennent sans cesse s'adjoindre à celles
qui peuplent déjà l'obscurité sans limite des abîmes cosmiques » :
les constellations les plus anciennes continuent à briller d'un éclat
toujours aussi rayonnant, mais les nouvelles figures célestes, se
distribuant en des régions d'étendue de plus en plus éloignées les
unes des autres, créent un effet spectaculaire de dilatation de
l'espace et en même temps induisent, par les nouveaux équilibres
distributionnels qu'elles instaurent, des modifications significatives dans la métrique sous-jacente, préparant ainsi les conditions
d'émergence des constellations encore à venir.

Au fond, commente Jean Ladrière, le champ philosophique est comme
un grand feu d'artifice cosmique qui ne serait pas soumis à la loi universelle d'entropie, où la multiplication des gerbes lumineuses s'accompa-
gnerait d'une condition de stationnarité, assurant le renouvellement perpétuel des gerbes déjà écloses [58].

57. FIPA 346.
58. FIPA 347.

Conçu de telle façon, le champ philosophique devient un espace-temps où toute nouvelle création significative entraîne le remaniement de domaines entiers sans que soit perdu pour autant quoi que ce soit de ce qui s'était déjà manifesté. En effet, dans un tel espace-temps, il peut y avoir à la fois maintien intégral de l'acquis et action réorganisatrice des nouvelles créations :

> Si l'on suit l'ordre des réorganisations, on est dans le successif. Mais si l'on prend garde que toute réorganisation affecte le champ tout entier, d'une manière instantanée, par un effet structural et non chronologique, on s'aperçoit qu'on est bien dans le simultané et même que la simultanéité a le pas, ici, sur la succession [59].

Ainsi la situation actuelle de la philosophie, dont on a pu dire au seuil de ce chapitre qu'elle est marquée par la dispersion, peut-elle apparaître désormais sous un autre jour. Cette dispersion n'est peut-être qu'apparente. Son caractère insurmontable n'apparaissait tel que de près ; le recul que peut donner au philosophe le recours aux suggestions de la théorie physique du temps permet de considérer sous un jour différent la situation de la philosophie. Celle-ci, en effet, apparaît désormais comme un champ au sein duquel s'enchaînent, se croisent et se recroisent sans cesse une multitude de questions, indépendamment de toute notation proprement temporelle. C'est la logique profonde de ces questions qui constitue la véritable structure du champ philosophique et non la disposition en systèmes chronologiquement distribués qui en constitue la manifestation visible. Et, en définitive, « la philosophie, c'est la vie même de cette problématique, telle qu'elle se construit et se reconstruit sans cesse, d'un bout à l'autre de son extension, dans la circulation qu'elle instaure entre ses différents thèmes conducteurs » [60]. Il faudrait donc, poursuit Jean Ladrière, pouvoir embrasser le champ tout entier. Mais celui-ci n'est donné que par fragments. C'est pourquoi il incombe au philosophe d'entrer dans la sollicitation des systèmes, de pénétrer leur logique interne, de saisir leurs présuppositions et leurs implications, de reconstituer leurs intentions et de deviner leurs prolongements. Mais il lui faut également s'efforcer de jeter des passerelles entre les systèmes, de passer pour ainsi dire des systèmes à leur intersys-

---

tématicité, d'apercevoir le ciel entier des constellations. Bref, le philosophe devrait pouvoir comprendre que

la philosophie est d'un seul tenant et que, s'il est vrai que la pensée n'est réelle que dans une actualité forcément fugitive, elle ne cesse pas d'être, dans l'instant même où elle se noue, contemporaine de la multiformité de son effort : dans la durée de son entreprise, tout point est réellement simultané à tout autre [61].

C'est ce dernier aspect, sans doute, qui distingue le mieux, au sein même du champ herméneutique, la volonté du savant de l'intention du philosophe. Les sciences, évidemment, sont tributaires de leur histoire, comme l'est d'ailleurs la maîtrise de la nature qu'elles fondent. Mais le champ scientifique est celui où s'exerce une volonté *actuelle* d'interprétation opératoire de la nature, volonté dont l'actualité reste certes marquée par l'héritage des étapes successives de son effectuation, mais dont l'efficace ne s'inscrit dans aucune *durée* comparable à celle qui forme des multiples intentions des philosophes de l'histoire une seule et unique intention qui, de part en part, structure le champ philosophique. Le philosophe, en définitive, c'est le *logos* lui-même qui tente de montrer la dimension à laquelle il appartient, qui est la dimension où se produisent le monde, le logos lui-même et leur co-appartenance. La philosophie, c'est l'auto-interprétation du logos innervant le monde dans la durée de son déploiement, c'est l'auto-interprétation de la pensée en chemin.

61. *Ibidem.*

CHAPITRE 8

LE RISQUE DU THÉOLOGIEN

> « *L'effort théologique est un effort d'intelligibilité porté par un souci de radicalité qui lui confère précisément le caractère de "scientifique" : il ne peut être radical qu'en se voulant à la fois critique, systématique et dynamique, comme tout effort "scientifique". Mais il ne peut aller à la découverte de son intelligibilité, et dès lors de sa scientificité spécifique, qu'en prenant d'abord fermement appui dans ce qui constitue son donné et en même temps son principe régulateur, c'est-à-dire dans l'expérience de la foi, comprise comme assomption dans la communauté ecclésiale de l'économie du salut et de l'objectivité de sa structuration. C'est seulement dans cette expérience qu'est donnée la précompréhension de ce que la visée interprétative pourra tenter ensuite d'articuler dans une construction explicitante qui en fera apparaître, autant qu'il est possible, la signification intrinsèque.* »

> Jean Ladrière (THOM 238).

L'implication du philosophe dans le discours qu'il tient peut demeurer implicite. Ce n'est pas le cas pour le théologien dont la tâche est de manifester dans son discours l'intelligibilité de la foi dont il vit. La théologie, c'est l'auto-interprétation rationnelle de la foi. C'est dire que le théologien se trouve dans la situation paradoxale de devoir prendre distance de ce qu'il interprète tout en devant, dans le mouvement même de l'interprétation qu'il produit, assumer ce qu'il interprète.

La théologie serait une philosophie — elle s'apparente d'ailleurs à la philosophie plus qu'à la science —, si elle tenait d'elle-même sa propre norme. Or ce n'est pas le cas, car, dès qu'elle ne serait plus développée comme une exigence d'intelligibilité intérieure à la foi, la théologie perdrait toute appréhension de son objet. Mais, d'autre part la théologie, qui manifeste l'intelligibilité de la foi dans la foi, conforte la foi.

C'est dire que le risque majeur que court le théologien est de croire tenir dans son interprétation une représentation de l'objet de la foi. Ce risque, qui n'est autre que le risque de scientisme, n'est pas propre au théologien, mais c'est dans l'exercice de la théologie qu'il est le plus redoutable.

La théologie est-elle une science ? Ou une philosophie ? Quel est son statut épistémique ? Répondre à ces questions suppose que l'on puisse prendre appui sur une épistémologie générale ou, si l'on préfère, sur une philosophie des langages cognitifs. Ce sont les chapitres antérieurs de l'enquête qui fourniront l'appui nécessaire. En effet, les considérations qui suivent font largement appel d'une part à la philosophie de l'action, à la théorie des actes de langage et à l'élucidation du processus de métaphorisation sous-tendant la démarche spéculative et, d'autre part, à la comparaison systématique avec les entreprises scientifique et philosophique. On reportera donc à la conclusion de ce travail la confrontation de la théologie avec la problématique scientiste.

Trois étapes marqueront le développement de la réflexion. On s'interroge d'abord sur la nature particulière du langage religieux en tant que tel, dont on soulignera les caractères métaphorique et implicatif. Ensuite, l'analyse portera sur le langage théologique proprement dit qui apparaîtra comme une reprise spéculative des langages religieux du premier ordre. Enfin, on examinera la question du statut herméneutique du langage théologique dont on spécifiera les critères de vérité. C'est donc une définition de la théologie que l'on s'attachera à formuler dans les pages qui suivent.

1. RELIGION ET AUTO-IMPLICATION

Le langage religieux est un langage qui instaure, renforce ou approfondit des liens entre celui qui le tient et celui à qui on l'adresse ou dont on parle. Il y a dans le langage religieux une réciprocité que la personne exprime à de multiples reprises « Quand je crie tu réponds, Dieu mon justicier... » Mais cette réciprocité comporte en fait un caractère paradoxal qui tient à l'absence (apparente) de l'interlocuteur. Tout se passe comme si c'était à partir des paroles qui lui sont adressées que ce dernier prend corps. L'interlocuteur est invisible et inaudible. Cependant, la conversation entretenue avec lui prend souvent la forme d'un dialogue ou, tout au moins, d'un discours dans lequel il s'agit de lui. Le langage religieux est fondamentalement ordonné à d'invisibles référents et pourtant il se présente comme un langage descriptif. Certaines formes du langage scientifique font également référence à des entités invisibles. Mais celles-ci semblent pouvoir être mises en évidence, au moins indirectement, par des opérations expérimentales systématiquement rapportées à des opérations théoriques faisant intervenir des termes qui les désignent — les termes théoriques. Rien de tel dans le cas des *langages religieux* qui, même lorsqu'ils sont rapportés à des opérations, ne comportent aucune indication opératoire. On formera ici l'hypothèse d'une descriptivité propre des langages religieux, descriptivité dont on tentera de saisir le mouvement particulier à l'aide de l'analyse de plusieurs exemples qui paraissent susceptibles d'en mettre en évidence le principe : la foi. Les langages religieux sont, en effet, des langages de la foi qu'ils présupposent et dont ils contribuent à rendre manifestes le contenu et les virtualités. On examinera d'abord le mode de fonctionnement sémantique du langage des spirituels qui, à l'instar des langages scientifiques mais d'une façon tout autre qu'eux, se rapporte à une expérience.

Le langage des spirituels constitue un langage de témoignage ; il se rapporte à l'expérience de la relation à *Dieu ;* il se propose comme témoin d'une affirmation particulière de la *foi.* Mais dans la mesure même où ce langage se rapporte à une expérience, il se donne comme descriptif : il tente de caractériser, par des moyens appropriés qu'il s'agit précisément d'élucider, une réalité vécue qui a son mode propre d'objectivité. J. Ladrière spécifie comme suit le rapport de ce type de langage à l'expérience [1] :

1° Il présuppose que c'est la *foi* du Credo qui confère à l'expérience décrite sa structuration interne.

2° Sa mise en œuvre même consiste non en une simple relation de l'expérience qu'il décrit mais en un véritable *prolongement* de cette expérience.

3° Il propose une *interprétation* parfois très profonde de la foi.

4° Il comporte un aspect de *témoignage* relatif à l'expérience même qu'il atteste.

5° Il s'inscrit le plus souvent dans le mouvement d'une *pédagogie* destinée à ménager pour d'autres un accès au type d'expérience dont il témoigne.

Si telles sont les spécifications du langage des spirituels, le problème posé peut être précisé comme suit : « Comment est-il possible de rendre, au moyen de propositions intelligibles, une expérience pour laquelle le langage ne peut fournir de termes dont le

1. AS II 68-77.

sens serait fixé par référence à la perception externe ? » Pour réussir de telles descriptions, le langage recourt à la métaphore, c'est-à-dire à un usage qui fait apparaître un sens second des expressions à partir de certaines propriétés de leur sens premier. Le mécanisme de la métaphorisation, étudié au chapitre 4, est celui-ci : on s'appuie sur le sens connu d'un terme définissable de façon ostensive et on tire parti de certaines similarités entre l'expérience perceptive qui sert de base aux définitions ostensives et l'expérience intérieure, pour *transvaluer* le terme en question et le charger d'un sens nouveau approprié à l'expression de l'expérience qu'il s'agit d'attester. Si le langage des spirituels a la capacité de décrire des expériences peu courantes, voire même extraordinaires, c'est en vertu d'une propriété tout à fait générale du langage dont la force à la fois la plus spécifique et la plus étrange est de construire l'expérience elle-même comme possible. Le langage est, en effet, « une puissance autonome de construction » : lorsqu'il est utilisé métaphoriquement, les phrases énoncées ne réussissent pas seulement à jeter un pont entre deux régions de l'expérience déjà reconnues pour leur propre compte ; « elles donnent une forme virtuelle à une expérience qui n'a pas nécessairement été réalisée déjà par celui qui les entend ou les lit, à partir de ce qu'il a déjà acquis et compris » [2]. C'est que le langage non seulement comporte un caractère dynamique qui peut mettre l'auditeur ou le lecteur dans le mouvement qu'il tente d'attester, mais encore, par la vertu de sa force poétique, évoquer l'inconnu et le rendre présent : « le langage appelle la réalité qu'il décrit et ainsi rend visible, dans le cercle purement intelligible de la parole, ce dont ni les sens ni le sentiment, ni même la pensée conceptuelle ne peuvent avoir l'appréhension ». La force poétique du langage tient, on l'a vu, à la possibilité de la métaphore. Jean Ladrière propose un exemple de ce processus qu'il nomme symbolisation, par lequel à travers le jeu inédit de rapprochements et d'oppositions, un groupe de termes interagissent pour indiquer les caractères spécifiques d'une expérience irréductible :

Soit le début du poème de Jean de la Croix, *Vive flamme :* « O vive flamme d'amour, qui blesses tendrement de mon âme le centre le plus profond... » (trad. de R. Duvivier, *Le Dynamisme existentiel de la poésie de saint Jean de la Croix,* p. 257). Sans vouloir tenter ici une analyse de ce texte complexe, retenons simplement l'intervention des termes

2. AS II 77-81.

« flamme », « amour », « âme » et « centre ». Le contexte s'organise autour du terme « âme », qui indique le registre dans lequel nous nous trouvons. Les termes « centre » (emprunté au vocabulaire des formes spatiales), « flamme » (dont le sens premier renvoie au phénomène physique de la combustion) et « amour » (emprunté au registre du sentiment) interagissant l'un avec l'autre, sous la mouvance du terme « âme », pour produire un sens inédit et évoquer l'expérience intérieure de la grâce transformante.

C'est donc par la contribution de deux facteurs que le sens second peut apparaître : il faut réunir à la fois l'anticipation de la dimension inédite et la structuration du sens connu pour qu'apparaisse une structuration inédite. Mais comme cette présomption de la dimension inédite n'est donnée elle-même que dans les termes qui permettent de l'articuler, il faut dire que ces termes contiennent eux-mêmes l'indication de leur propre transgression sémantique : celui qui saisit une métaphore comme métaphore perçoit ce qui est visé en comprenant le sens premier de la métaphore.

Ces remarques suggèrent une connexion étroite entre l'expérience et l'expression : l'expression de l'expérience participe à la vertu de l'expérience. Pour préciser ce mode spécifique d'effectuation, il est utile de s'appuyer sur la théorie des actes de langage.

La description mise en œuvre dans le langage des spirituels ne reste pas extérieure à ce qui a été vécu. Il y a à la fois distance et connexion entre l'expérience et l'expression. Les catégories précisées par Donald Evans à propos des énoncés auto-implicatifs, engagements et conduites, permettent de rendre compte de l'effectuation propre au langage des spirituels. Dans les formes auto-implicatives du langage, le locuteur déclare, en effet, ne fût-ce qu'implicitement, assumer à l'égard d'autrui une attitude particulière ou se lier à une obligation relative à ses actions futures. Par un tel acte de langage, le locuteur se trouve engagé dans sa subjectivité, en vient à opérer sur soi-même et, par conséquent, contribue à se faire soi-même. Le langage des spirituels relève manifestement de la catégorie du langage auto-implicatif. En tant qu'il est un des langages de la foi, il présuppose la confession de la foi dont la formulation paradigmatique commence par « je crois... » L'acte de langage que traduit cette formule, remarque J. Ladrière, est à la fois « un *acte d'expression* (il manifeste l'état intérieur vécu de la foi), un *acte d'engagement* (par lequel le croyant ratifie ce qui est proposé par le *Credo* et se lie à l'égard de tout ce que cela implique), et un *acte du type "conduite"* (par lequel le croyant exprime sa confiance en Dieu, sauveur et sanctificateur, par lequel il reconnaît aussi l'Église comme lieu où se produit son salut et sa sanctification) ». En posant un tel acte de langage, le croyant s'affecte lui-même de ce qu'il évoque, il se prête à l'opération salvifique qui fait l'objet de sa proclamation, il atteste l'efficacité d'une action transformante en lui. « Son acte consiste à faire que ce qu'il proclame devienne effectif en lui ; en ce sens on peut dire, note J. Ladrière, que l'acte de foi est l'effectuation de son contenu. »

La circularité qui se dessine ainsi, la transgression métaphorique instaurant une inédite dimension de sens accessible seulement à la foi qu'elle conforte et qu'elle exprime, manifeste la contribution propre du langage à l'expérience elle-même. Le langage fournit à l'expérience une armature qui la structure en lui donnant l'appui d'une articulation discursive. Mais l'avènement de l'expérience dans le discours qui la conforte la rend communicable : l'accès à la parole détache le locuteur de l'individualité de son expérience et offre à celle-ci un espace d'universalisation en quoi consiste la véritable contribution du langage à l'expérience. Par son caractère anticipateur, le langage ouvre l'accès à des expériences inédites : approfondissement spirituel par le locuteur lui-même qui pourra accéder à des formes plus élevées encore de sa propre expérience ; enseignement, initiation pour d'autres qui pourront découvrir des formes d'expérience qui leur étaient inconnues jusqu'alors. C'est l'aspect perlocutionnaire des langages de la foi.

La description proposée par le langage des spirituels n'est pas d'un type tel qu'on puisse la vérifier par une investigation d'ordre empirique. Elle ne vaut que par sa propre autorité. Mais la question qui se pose alors est celle de la crédibilité du témoignage en quoi elle consiste. « C'est le propre du témoignage d'être le garant de la vérité qu'il annonce, mais quand il a pour véhicule le langage, il faut bien que celui-ci porte en lui comme la trace de cette force attestatrice. » On pourrait suggérer que le langage des spirituels s'impose dans la mesure où sa cohérence, son originalité, son intensité apparaissent comme nourries par une sorte de nécessité intérieure. Mais s'en tenir à un tel critère, à vrai dire fort subjectif, serait isoler le langage dans lequel il s'inscrit. Et dans le cas des langages de la foi, celui-ci est nécessairement inscrit à la fois dans la tradition et dans la vie concrète de l'auteur spirituel et de ses lecteurs ou auditeurs.

Le témoignage d'un auteur spirituel apparaît comme véridique non seulement en vertu de sa force créatrice, au niveau de son propre langage, mais aussi en vertu de sa cohérence avec ce qu'atteste la tradition (qui rapporte des expériences similaires et transmet aussi le témoignage de la foi de l'Église et de sa pratique), et avec la vie concrète, les œuvres, de celui qui témoigne. Ces deux dernières conditions, écrit J. Ladrière, sont indispensables : le langage à lui seul ne fournirait pas une garantie de crédibilité pleinement satisfaisante.

Il convient toutefois de remarquer que la tradition elle-même s'exprime par le truchement du langage. La médiation du langage intervient donc aussi dans les critères extérieurs de crédibilité, d'autant que la conformité des œuvres et du témoignage ne pourra elle aussi se vérifier que dans la dimension du langage. C'est dire, en définitive, que, pour être compris, le langage des spirituels suppose, comme toute forme de langage religieux, une profonde affinité entre l'allocutaire et le locuteur.

Ces considérations plus directement relatives au langage des spirituels paraissent pouvoir être étendues à d'autres formes du langage religieux dont le rapport à l'expérience de la foi est moins original mais tout aussi essentiel. Si l'on considère, par exemple, le langage liturgique, on y trouvera également à l'œuvre un processus de métaphorisation se développant dans le contexte d'un emploi auto-implicatif du langage, emploi lié résolument à la tradition et à la vie concrète d'une communauté. Cependant, la spécificité du langage liturgique se marque davantage dans le type de performativité qu'il entraîne que dans la mise en œuvre d'une descriptivité propre (bien que cette dimension ne soit pas exclue du langage liturgique).

Jean Ladrière reconnaît au langage liturgique une triple performativité : celle d'une induction existentielle [3], celle d'une institution [4] et celle d'une présentification [5].

Par « induction existentielle », il entend « une opération par laquelle une forme expressive éveille en celui qui l'assume une certaine disposition affective qui ouvre l'existence à un champ spécifique de réalité ». On reconnaît ici la dimension perlocutionnaire de l'auto-implication déjà mise en évidence dans le cas du langage

3. AS II 57-58.
4. AS II 59-61.
5. AS II 62-65.

des spirituels. Mais la question se pose de savoir comment le langage peut fonctionner pour produire un tel effet.

Le langage liturgique semble faire un usage décisif des pronoms personnels. Ceux-ci, du moins dans la plupart de leurs occurrences, ne fonctionnent ni comme des termes prédicatifs ni comme des termes référentiels. Ils servent à marquer, dans les actes de langage, la place du locuteur et de l'allocutaire. Selon le schéma d'acte de langage proposé antérieurement :

$$C [L : F (R,P) : A]$$

Les pronoms personnels interviennent le plus souvent non en R ou en P mais en L (« je », « nous ») et A (« tu », « vous ») ; le rôle de ces termes étant de rendre effectives des énonciations qui, faute d'interlocuteurs, resteraient de simples schématismes linguistiques. On reviendra ci-dessous au « nous » qui indique une pluralité de locuteurs agissant de façon collective comme s'ils ne formaient tous ensemble qu'un locuteur singulier. D'autre part, l'allocutaire est le plus fréquemment indiqué par un « Tu » que les formules liturgiques désignent équivalemment par « Notre Père » ou « Seigneur ». On touche ici à l'opération de présentification sur laquelle on reviendra également plus loin.

Par ailleurs, le langage liturgique a recours à certaines formes verbales impératives : « prions », « rendons grâce », ... qui expriment des actes illocutionnaires présupposant certaines attitudes telles que la confiance, la gratitude et la vénération.

Ces attitudes, remarque J. Ladrière, sont mises en œuvre dans le moment même où, en vertu de l'énonciation de la phrase, l'acte correspondant est accompli. Le verbe performatif n'est pas une description de l'attitude que son énonciation présuppose, sa fonction n'est pas de signaler l'existence de cette attitude ; il est pour ainsi dire, l'attitude elle-même, il la fait exister de façon effective par la vertu de l'acte illocutionnaire qui sous-tend son énonciation.

Ces indications permettent de définir la façon dont le langage liturgique induit une forme d'existence particulière.

Par l'intermédiaire du « Nous », les membres de la Communauté liturgique assument certains actes illocutionnaires et se revêtent pour ainsi dire des attitudes que ceux-ci présupposent. D'autre part, en utilisant le pronom de la deuxième personne, « Tu », ils prennent pour interlocuteur Celui-là même qui leur parle dans les textes que la liturgie reprend et que désignent les termes d'invocation tels que « Seigneur » et « Père ». Les attitudes contribuent à donner à ces termes leur sens et, en direction inverse, par leurs connotations propres, ces termes spécifient la portée des attitudes. Or ces attitudes forment système ; elles se renforcent l'une l'autre et composent, par leur rencontre même, une disposition fondamentale qui, en tant précisément qu'elle est une disposition, est de l'ordre de l'affectivité, non de la représentation.

C'est dire que le langage liturgique induit chez le locuteur une disposition qui accorde celui-ci à la réalité même qu'il rend présente. C'est dire aussi que cette préparation du locuteur ne peut s'effectuer que si celui-ci est préalablement disponible pour cet accord dans lequel le domaine du mystère devient présent pour ceux qui y prennent part.

L'usage liturgique du « nous » montre bien que le langage liturgique est une institution dont la vertu est d'instaurer une communauté parmi ceux qui participent à ce « nous ». C'est dans la rencontre liturgique des locuteurs assumant ensemble les engagements qu'ils célèbrent que la communauté advient.

Le langage n'est pas l'expression d'une communauté qui serait constituée avant lui et en dehors de lui ; il n'est pas non plus la description de ce que serait une telle communauté. Il est le lieu dans lequel et l'instrument par lequel la communauté se constitue ; c'est dans la mesure où il donne à tous les participants, en tant que colocuteurs, la possibilité d'assumer les mêmes actes, qu'il établit entre eux cette réciprocité opérante qui fait la réalité d'une communauté.

Mais la communauté de fait qui prononce les paroles liturgiques et reçoit d'elles sa propre cohésion, n'est qu'une cellule d'une communauté plus vaste qui s'édifie notamment par l'acte liturgique lui-même. Comme on le verra plus loin dans la partie consacrée à la théologie, « c'est par la participation au repas liturgique, dans lequel le Christ donne son corps en nourriture, que les participants sont agrégés à Lui et deviennent ainsi véritablement membres de son Corps ». Cette réalité ultime n'est plus de l'ordre du langage, mais elle est signifiée par lui en vertu de l'aspect le plus fondamental de la performativité du langage liturgique : *la présentification*.

Par les actes qu'il met en œuvre, le langage liturgique rend présente une réalité de salut dont les participants assument l'effectivité en leur vie même. Le langage liturgique ne rend pas cette réa-

lité présente à la manière d'un langage descriptif qui fait voir ce
dont on parle ; c'est en lui prêtant l'opérativité même des actes qui
le constituent que le langage liturgique rend opérante dans la communauté croyante la réalité qu'il célèbre. Cette présentification ne
peut évidemment se comprendre qu'en présupposant la foi qui la
met en œuvre. Car c'est la foi qui donne son vrai sens au « Tu »
marquant l'espace de l'allocutaire, c'est elle qui fait du Credo « la
proclamation de ce à quoi elle adhère ».

   Mais le rapport du langage liturgique à la foi est double. D'une
part, la foi assume ce langage et lui donne son efficacité propre.
Et, d'autre part, comme c'était déjà le cas pour le langage des spirituels, la foi reçoit sa structuration du langage qui l'affermit et la
renforce.

   On pourra, peut-être, en guise de conclusion provisoire, proposer une caractérisation des langages religieux en général : ce sont
des langages métaphoriques dont la « production » poétique consiste à ménager un accès vers le mystère religieux et à le rendre présent ; ils attestent ce mystère tout en le consolidant par la force de
l'auto-implication qu'ils requièrent des locuteurs. Mais le processus de métaphorisation, qui, dans les langages religieux du premier ordre tels le langage des spirituels, de la liturgie, de la proclamation ou de la prédication, prend une forme essentiellement poétique, évocatrice à l'égard du mystère du salut, se trouve également à l'œuvre dans ce qu'on pourrait appeler le langage religieux
de second ordre, la théologie, où il prend une forme spéculative
sous l'influence de réseaux conceptuels dont nombre d'éléments
sont empruntés à d'autres langages spéculatifs. Le caractère auto-
implicatif du langage religieux s'étend lui aussi au langage théologique mais selon une modalité qui reste à préciser.

2. LA FORME SPÉCULATIVE DU LANGAGE RELIGIEUX : APPLICATION A L'EUCHARISTIE

   Le langage théologique, qui est la forme spéculative du langage
religieux, est un langage du second degré puisqu'il présuppose un
autre ou d'autres langages dans lesquels l'expérience religieuse à la
fois s'exprime et se structure. Le langage théologique apparaît
d'emblée comme une sorte de métalangage qui prolonge et explicite le langage de la proclamation de la foi, de la liturgie, de la prédication, etc. Mais l'aspect essentiellement auto-implicatif des

langages religieux est-il compatible avec une entreprise de type spéculatif ? Le langage spéculatif ne se doit-il pas de prendre distance à l'égard de l'expérience ? Le langage théologique a-t-il la même force illocutionnaire que le langage religieux du premier ordre ? D'une part, si la théologie veut être une reprise des contenus du langage religieux du premier ordre, elle devrait, elle aussi, comporter l'aspect auto-implicatif essentiel à tout langage religieux. D'autre part, si la théologie veut être fidèle à la raison spéculative, elle se doit de prendre distance à l'égard du contenu de l'expérience religieuse elle-même.

Avant de tenter d'articuler ces requêtes contradictoires, il est nécessaire de se demander pourquoi la théologie [6] ? La pensée spéculative en tant que telle n'a pas de limitation quant à son objet. Elle peut s'attaquer tout aussi bien aux phénomènes naturels qu'à l'histoire ou à la religion. La théologie est-elle une philosophie de la religion ? Il semble, du point de vue de la foi, qu'une réponse positive à cette question ne serait pas satisfaisante, car ce que requiert la foi, ce n'est pas d'être, de l'extérieur, l'objet d'une curiosité spéculative mais bien de se penser elle-même, de l'intérieur, dans son authenticité. L'expérience de la foi se met d'elle-même en quête d'une compréhension d'elle-même. Et si elle convoque l'aide de la raison, c'est pour comprendre elle-même ses raisons et non pour se mesurer à l'aune d'une instance extérieure. L'appel de la foi à la raison est une démarche autonome : il s'agit pour l'expérience de foi de comprendre elle-même sa propre loi. En ce sens, on pourrait dire de la foi ce que Kant disait de la science : elle est « gardienne de ses propres lois ». C'est donc à partir de la foi elle-même que se constitue la démarche théologique.

Mais se pose alors un redoutable problème : l'effort de la raison impliquant une mise à distance de ce qu'il vise à éclairer, peut-il exister une mise à distance de la foi qui ne soit pas une suspension de la foi ?

L'intervention de l'effort rationnel semble devoir transformer la force illocutionnaire du langage religieux, lui ôter son caractère auto-implicatif et le remplacer par la modalité illocutionnaire du constatif. Comment la foi elle-même pourrait-elle appeler une telle intervention, qui implique sa mise entre parenthèses ? Quelle est donc, demande J. Ladrière, cette

6. AS II 214-220.

expérience paradoxale d'auto-compréhension ? Y a-t-il vraiment place pour une reprise réflexive qui demeure sous la mouvance de la foi ?

La réponse à cette question n'appartient qu'à la théologie elle-même, car elle suppose la mise en œuvre d'une compréhension préalable de la foi. Partant du principe que « c'est à la théologie qu'il appartient de se comprendre comme théologie », J. Ladrière suggère la ligne de réflexion suivante :

La vie dans la foi n'est pas une vie qui viendrait simplement se surajouter à l' « expérience naturelle » et à celle de la raison, c'est une vie qui reprend et assume en elle toutes les puissances de l'homme et toutes les modalités de la vie, en particulier la dimension représentée par le projet spéculatif, qui vise à une compréhension en principe radicale des structures constitutives de l'expérience et de la réalité. Interprétée de la sorte, la foi comporte dans sa vie même, à titre de composante constitutive, le déploiement de l'intelligence ; il lui appartient de prendre en charge le projet spéculatif, en vue d'en venir à une compréhension de toute l'expérience, et donc à une compréhension d'elle-même en tant qu'expérience intégratrice.

Mais alors, la théologie a-t-elle à reprendre sous la mouvance de la foi un discours spéculatif déjà constitué tel un discours philosophique par exemple ? ou bien à forger ses propres concepts en vue de réaliser l'intention qui est la sienne ? De ces deux voies, ni l'une ni l'autre n'est praticable isolément sans que la théologie ait à renoncer à sa mission propre. En effet, d'une part une philosophie déjà constituée en tant que telle ne peut qu'être imperméable à ce qui représenterait pour elle une norme extrinsèque et non un principe et, d'autre part, on ne voit pas comment une entreprise théologique pourrait tirer exclusivement du fond du langage religieux l'armature conceptuelle nécessaire à l'élaboration d'un schème spéculatif. Mais si aucune des voies n'est praticable isolément, cela n'implique pas qu'une démarche originale qui combinerait étroitement les deux approches ne puisse voir le jour. En effet,

si la foi, comme le suggère Jean Ladrière, reprend en elle l'expérience, dans toutes ses dimensions, son effort d'auto-interprétation ne pourra être que le prolongement de l'effort spéculatif par lequel, dans la vie de la raison, l'expérience tente de se reprendre elle-même dans un dire adéquat. Elle est donc appelée à reprendre le langage élaboré par la pensée spéculative rationnelle, quitte à l'enrichir pour le saturer au niveau de sa propre envergure.

Bref, il s'agit pour la théologie d'être un moment de prise de distance dans le processus d'approfondissement de la foi. La théologie pourrait donc être caractérisée comme un langage auto-implicatif qui suspend son auto-implication pour en mieux épouser le mouvement même. Ou, si l'on préfère, c'est un effort spéculatif se donnant pour tâche la mise en évidence de la structure constitutive de l'expérience de la foi en tant que telle.

Mais comment la théologie peut-elle faire apparaître les structures selon lesquelles s'organise cette expérience ? « Comme celle-ci s'exprime en des paroles qui produisent ce qu'elles signifient, cet effort d'auto-compréhension, indique Jean Ladrière, devra forcément prendre la forme d'un déchiffrement des significations, donc d'une herméneutique. » Mais comme il ne peut y avoir de démarche herméneutique en l'absence de catégories interprétatives, la question reste posée de savoir comment la théologie pourra se faire l'interprète des langages religieux du premier ordre tout en tirant parti des ressources sémantiques propres aux discours spéculatifs disponibles. C'est la question que l'on voudrait examiner à partir d'un exemple choisi au cœur de la foi chrétienne : l'Eucharistie.

Pour préciser la nature et le mouvement des emprunts pratiqués par la théologie dans les catégories spéculatives de la philosophie, l'on pourrait se demander quelle peut être la contribution du langage philosophique à l'élucidation de l'expérience chrétienne de l'Eucharistie.

Dans un article intitulé « Approche philosophique d'une réflexion sur l'Eucharistie », Jean Ladrière se demande quelle peut être la contribution de la philosophie à une réflexion interdisciplinaire sur la signification de l'Eucharistie. A cette fin, il examine quelques concepts philosophiques susceptibles de retenir l'attention du théologien : les concepts d'*événement,* de *performativité,* de *corporéité,* d'*historicité.* On s'attachera à préciser pour deux d'entre eux leur signification dans l'horizon philosophique avant d'entreprendre à leur égard le travail de transmutation sémantique qui pourra — du moins on l'espère — les rendre adéquats à l'expression d'une véritable théologie de l'Eucharistie. Le propos de J. Ladrière sera suivi de très près, et en plusieurs endroits, l'exposé qui suit n'en constituera qu'un simple résumé ou une paraphrase [7]. La foi de l'Église, c'est que les paroles qui

---

7. AS II, chapitre XIV. On trouvera dans ce chapitre des remarques complémentaires sur les concepts d'*événement,* d'*historicité,* d'*ordre des fins* et d'*action.*

forment le centre de la célébration eucharistique, moment où le célébrant reprend les paroles du Christ sur le pain et le vin, ont le pouvoir de rendre réel ce qu'elles disent. Comment penser théologiquement cette efficacité de la parole (propre d'ailleurs à tous les sacrements) ? La notion philosophique de *performativité,* servira de point de départ [8].

Le langage religieux, on l'a montré, met en jeu des actes illocutionnaires spécifiques dont un exemple tout à fait caractéristique apparaît dans l'expression « Credo ». L'opérateur phatique impliqué dans un acte de langage dont l'expression commence par les mots « je crois » fait des propositions qui suivent « l'objet d'une attestation ratifiante par laquelle le croyant inscrit activement sa propre existence dans l'économie du salut, dont ces propositions rappellent les articulations essentielles ». Mais les paroles de l'Eucharistie ne sont en fait connues qu'à travers le récit qu'en ont fait certains témoins. Et le célébrant les reprenant, reprend, au moins schématiquement, le récit des événements au sein desquels elles ont pris leur sens originaire. La question se pose dès lors de savoir si un récit peut également être marqué illocutionnairement par un opérateur d'auto-implication. Cette question peut recevoir une réponse positive, car, même lorsque le langage religieux prend une forme narrative, il ne se réduit pas à la simple évocation des événements qu'il rapporte. Il met en œuvre la signification de ces événements, qui n'apparaît comme telle que dans la foi. Dans la mesure où un récit a valeur religieuse, il implique de la part du narrateur qu'il se lie d'une manière spécifique à l'égard de ce qu'il raconte, qu'il reprenne à son compte un engagement caractéristique par lequel il assume pour lui-même ce qui est rapporté par le récit et lui permette ainsi de révéler son sens. Mais le récit évangélique lui-même, dans le passage relatif à la Cène, rapporte des paroles du Christ qui elles-mêmes mettent en jeu un opérateur d'auto-implication. Dans le cas particulier d'une célébration eucharistique, l'analyse du langage fait donc apparaître un enchâssement d'actes auto-implicatifs : l'acte originaire de Jésus est repris par le narrateur évangélique dont les paroles sont elles-mêmes reprises par le célébrant. Or, ce qui est frappant, c'est que cette dernière reprise s'effectue en un moment de l'histoire du salut séparé chronologiquement de la parole originaire par un intervalle de temps considérable. Celui-ci n'a pu être surmonté

8. AS II 316-319.

202 LE LANGAGE THÉOLOGIQUE A L'ÂGE DE LA SCIENCE

que grâce à la reprise incessante des paroles originaires par les générations successives de croyants célébrant le mystère du salut. La structure logique de cette reprise incessante peut se lire à l'aide de la formule générale d'un acte de langage pour autant que l'allocutaire reprenne à son propre compte, en les proclamant à nouveau, les paroles qu'il a entendues.

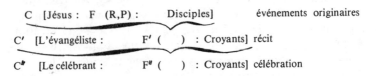

Tableau 5 : la « tradition » comme acte de langage

Les paroles prononcées par Jésus sur le pain et le vin et adressées à ses disciples dans le contexte de la Cène sont reprises par l'évangéliste — dont on peut faire l'hypothèse qu'il appartenait au groupe des auditeurs originaires — dans le contexte d'une prédication adressée à une communauté particulière de croyants. Parmi ceux-ci, il s'est trouvé des présidents d'assemblée qui, dans le contexte d'une remémoration des événements salvifiques originaires, ont repris ces paroles en présence de la communauté. On touche sans doute ici à un aspect majeur du concept théologique de tradition comprise comme réeffectuation attestatrice des événements salvifiques originaires.

Si la notion philosophique de performativité peut suggérer une manière théologique d'aborder l'étude du langage religieux, c'est précisément parce que ce n'est pas le seul fait de prononcer certaines paroles qui leur confère leur performativité. Si la notion de performativité peut servir d' « analogon », c'est parce qu'il faut que des paroles soient portées par une visée signifiante qui les fait valoir comme revêtues, dans les circonstances concrètes où opère le locuteur, de telle valeur performative, pour qu'elles effectuent en réalité ce qu'elles sont censées opérer. Ce qui rend possible la réeffectuation des événements originaires par les paroles de la célébration eucharistique, c'est la parfaite identité illocutionnaire des paroles réeffectuatrices et des paroles originaires. C'est aussi parce qu'une parole ordinaire peut être le support d'une action — « Pensez à des remerciements » dirait Wittgenstein — que l'on peut comprendre comment une bénédiction peut réeffectuer l'événement salvifique fondateur. Cependant, la notion philosophique de performativité subit, lorsqu'elle est incorporée au réseau conceptuel du théologien, une transvaluation sémantique qui la détache radicalement du contexte philosophique dans lequel elle prend son sens premier. En effet, comme on l'a déjà remarqué, l'opérateur d'auto-implication propre à la foi chrétienne n'est lisible en tant que tel qu'aux yeux de la foi chrétienne. L'Eucharistie ne prend son sens véritable que dans le contexte de l'expérience chrétienne, et une approche purement philosophique de l'Eucharistie n'y verrait sans doute qu'un rituel religieux parmi d'autres. On devra nécessairement revenir d'une façon plus approfondie à cet aspect spécifique des langages de la foi. On se contentera pour l'instant de céder une nouvelle fois la parole à Jean Ladrière qui s'est astreint à éclairer certains aspects de la réalité chrétienne de l'Eucharistie en s'inspirant du concept philosophique de performativité.

La parole eucharistique se caractérise d'abord par le fait qu'elle est, chaque fois, la réeffectuation de la parole originaire par la vertu de laquelle a eu lieu la première consécration eucharistique et qui, en même temps, a été la parole instituante par la vertu de laquelle le sacrement a été fondé. Le contexte liturgique dans lequel cette parole est prononcée a précisément pour fonction de préparer les conditions qui lui donnent d'être réeffectuante et pas simplement évocatrice, comme pourrait l'être la même parole insérée par exemple dans un récit. Le mode d'opération de la parole eucharistique est donc le même que celui de la parole originaire. Il consiste en ceci que cette parole accomplit exactement ce qu'elle signifie. Elle dit littéralement que le pain tenu dans les mains du célébrant est le corps du Christ et que le vin contenu dans la coupe est le sang du Christ. Ce qui signifie qu'au moment où elle est prononcée (elle est dite au présent), le pain et le vin doivent être tenus comme médiations immédiates de la présence du Christ. (A la manière dont le corps est manifestation de la présence ; en un sens il n'est qu'un intermédiaire, et donc il est une médiation, mais en même temps il est la personne même rendue présente, et donc il est médiation immédiate.) Or cela a lieu par le fait que cette parole est prononcée dans les conditions appropriées. La matérialité linguistique (les mots prononcés) est donc revêtue d'une efficacité singulière, qui ne lui vient évidemment pas de ses propriétés sémantiques propres mais d'une intention, qui est ici l'intention ecclésiale de réeffectuation, s'appuyant sur les paroles instituantes et la mission qu'elles ont confiée à l'Église. On pourrait parler d'une performativité proprement sacramentelle, qui ne prend son sens que de l'ordre de grâce en lequel s'inscrit le geste sacramentel. La performativité qui appartient à la parole eucharistique dérive de celle de la parole originaire, qui fut celle du Christ à la Cène. Ce qui rend possible cette dérivation, et la réeffectuation qu'elle implique, c'est évidemment la vertu même de la parole originaire. Et cette vertu est aussi celle qui a donné à cette parole sa performativité propre, à savoir l'intention eucharistique du Christ lui-même. C'est l'intention efficace par laquelle Il a voulu se rendre présent à travers les siècles, non seulement en souvenir mais de façon réelle, non sous une forme symbolique, mais de façon immédiate et sensible, non sous une forme universelle, mais sous un signe localisé, chaque fois particulier, créant autour de lui l'unité d'une communauté déterminée, bien circonscrite dans le temps et dans l'espace [9].

Ce texte contient une expression singulièrement paradoxale dont on pourra former l'hypothèse qu'elle reçoit un éclairage particulièrement révélateur à partir de la problématique de la métaphore vive développée par P. Ricœur. On se souviendra que Ricœur exprimait le rapport entre le référentiel du sens second d'une métaphore et celui de son sens premier à l'aide de la catégorie aristotélicienne du mouvement : la métaphorisation est l'acte de ce qui est en puissance en tant que tel. Et le mouvement est son terme en tant que puissance mais ne l'est pas en tant qu'acte. Autrement dit, la métaphore, la transvaluation sémantique, est tout à la fois ce qu'elle dit *et* ne l'est pas. La nature est un temple et n'est pas un temple. Le temps est un mendiant et n'est pas un mendiant. Lorsque Jean Ladrière parle du pain et du vin comme *médiations immédiates* de la présence du Christ, cela signifie, d'un point de vue théologique, que le pain et le vin sont réellement la présence du Christ *et* que le Christ est présent sous les espèces du pain et du vin.

L'affirmation que les énoncés du langage théologique sont des énoncés métaphoriques est aussi souvent contestée que mal comprise. Si l'on conçoit la métaphore comme un processus de transvaluation sémantique et que l'on accepte, à l'instar de Paul Ricœur, que la référence métaphorique n'est pas vide, ou — ce qui est équivalent — que la question de la vérité métaphorique loin d'être dénuée de signification, peut trouver une réponse satisfaisante dans le cadre d'une conception dynamique de la réalité, il n'y a aucune incongruité à soutenir la thèse de la métaphoricité radicale du langage théologique. La fonction du langage théologique dans l'histoire du salut n'est-elle pas précisément de *faire voir* l'histoire des hommes *comme* histoire du salut ? C'est-à-dire que l'histoire du salut *est* l'histoire des hommes (un événement affec-

9. AS II 318-319.

tant effectivement leur existence) *et n'est pas* l'histoire des hommes (mais un don de la générosité suréminente de Dieu). L'histoire du salut est d'ailleurs, du point de vue de la foi, la périgrination du monde des hommes vers le royaume de Dieu qui n'est pas de ce monde. Le pain et le vin sont des médiations immédiates de la présence du Christ. C'est d'une façon analogue que le langage religieux et singulièrement le langage théologique est la médiation immédiate de la foi. Médiation indispensable et insurmontable ménageant, du moins en principe, un accès décisif à la silencieuse immédiateté de la vraie foi. On reviendra sur cet aspect paradoxal mais essentiel du langage religieux.

Ce qu'il y a vraisemblablement de plus déconcertant dans l'Eucharistie pour une pensée strictement philosophique, c'est que le Christ s'y soit rendu présent en son corps, lieu de manifestation de son humanité. Pour comprendre cette réalité, le théologien pourrait recourir au concept de *corporéité* dont se servent les philosophes pour penser la connexion du corps et de la présence [10].

Dans le langage des philosophes, la corporéité désigne une dimension de l'existence humaine qui n'épuise pas l'essence de l'être humain : il est essentiel à l'homme d'exister sous une forme corporelle mais son existence ne se réduit pas à sa manifestation corporelle. La personne est à la fois un centre d'initiative habitant un corps et un corps exprimant une conscience.

Dans les moments où son corps se prête à ses intentions, où le geste suit immédiatement le mouvement de la volonté, où l'effort même semble aisé et naturel, le soi éprouve fortement son unité, de façon toute spontanée, sans avoir à recourir à une réflexion expresse. Mais il arrive que le corps même oppose à nos visées intentionnelles une résistance insurmontable, comme dans la maladie. Il manifeste alors une opacité qui nous fait prendre conscience de la corporéité comme limite, comme puissance étrangère, comme extériorité toujours menaçante.

L'être humain à la fois a un corps — qu'on appelle « corps objet » — et est son corps — qu'on appelle « corps vécu » —. Par son corps objet, qui à l'instar de tous les organismes obéit aux lois de la nature, l'être humain est solidaire de toute la réalité cosmique. Et en même temps, « le corps vécu est à la fois le retentisse-

10. AS II 319-323.

ment du monde en nous et notre prise sur le monde ; il est la proximité des autres et notre mode d'accès à autrui ». La corporéité, pour les philosophes, c'est en un mot la présentification effective de la personne. L'essentiel de la corporéité, c'est une modalité de présence qui rend la personne solidaire du cosmos.

C'est en établissant un rapport original entre deux corporéités que le théologien pourrait tenter d'exprimer un des aspects les plus décisifs de la réalité eucharistique.

L'Eucharistie est un mode de présence qui prend appui sur un signe sensible, sur une réalité qui appartient au monde des corps. Or ce support prend la forme d'un aliment. Lorsque le pain devient le corps du Christ, il devient l'effectivité de sa présence dans la communauté liturgique, et il le devient en signifiant, par sa nature propre, que le Christ devient présent corporellement comme nourriture. Or il ne s'agit pas là d'un pur symbolisme, d'une simple représentation de l'œuvre spirituelle que le Christ accomplit dans les âmes. Si la présence eucharistique est réelle, il est littéralement vrai que le corps du Christ est saisi comme nourriture, au sens réel du terme. Dans l'Eucharistie, c'est en notre corporéité que nous recevons le corps du Christ. Et cela en un acte qui est hautement expressif du statut de la personne. En absorbant un aliment, nous mettons à la disposition de notre organisme des ressources qui lui permettent de maintenir sa structure et ses conditions de fonctionnement, c'est-à-dire un niveau de très haute néguentropie, en dépit de la tendance universelle des systèmes matériels vers la désorganisation. Mais ce n'est là que le compte rendu biologique de ce qui se passe ; la signification de ce processus, du point de vue du corps vécu, c'est de rendre pleinement opérante notre solidarité avec le cosmos. Non seulement nous héritons de tout le dynamisme évolutif qui a porté la vie jusqu'au niveau requis pour que le phénomène humain puisse apparaître, mais nous recueillons en nous, tout au long des jours, les énergies cosmiques qui permettent au système que nous sommes de se stabiliser et de rendre possible, de façon continue, l'émergence en lui de la vie de l'esprit. En recevant le corps du Christ, nous sommes reliés par lui au cosmos transfiguré, qui a en lui son principe, et, par le fait même, nous sommes traversés par les énergies salvifiques qui sous-tendent cette vie nouvelle qu'instaurent la vie, la mort et la résurrection du Christ. Ces énergies nous atteignent, certes, en notre être spirituel, au cœur même de ce qui fait de nous des personnes. Mais elles nous viennent par l'extériorité d'un acte qui est bien celui d'une personne incarnée, acte à la fois matériel et hautement signifiant, réalisant dans l'ordre spirituel ce qu'il accomplit dans l'ordre corporel. S'il est vrai que la corporéité est l'effectivité sensible de la présence, la réception du corps du Christ est l'effectivité sensible — essentielle au statut de la personne en tant qu'humaine — de l'émergence en nous de la vie transfigurée qui est le fruit de la résurrection, ou, ce qui revient au même, de notre incorporation réelle, pas simplement symbolique, au Corps mystique en acte de croissance [11].

Ici encore, l'usage théologique de la catégorie de la corporéité se démarque de son usage philosophique en raison de l'acte de foi qui sous-tend le propos du théologien et dont il forme l'objet. Ce n'est en effet que dans la foi qu'il peut y avoir un sens à parler d' « énergies salvifiques » et de « cosmos transfiguré » ; mais c'est aussi dans ce langage spécifique que la foi peut trouver une structuration qui la conforte. Ici encore, le langage théologique représente la médiation entre la foi et la foi « cogitée », réfléchie. Mais dans le langage du théologien, la catégorie de la corporéité, par rapport au langage du philosophe, fait l'objet d'une véritable transmutation sémantique dont un aspect essentiel peut être repéré en remarquant que, si le concept d'entropie est lié, dans le langage philosophique, à celui de corporéité, ce n'est pas le cas dans le langage théologique dans lequel la corporéité est pour ainsi dire préservée tout en étant soustraite au principe d'entropie qui régit le cosmos. Les énergies salvifiques ne sont pas, comme les énergies cosmiques, soumises à un processus de dégradation inévitable. C'est ce qui fait que, du point de vue de la thermodynamique, par exemple, le concept d'énergie salvifique semble contradictoire. A vrai dire, avec le mot « énergie », on se trouve ici en présence d'un terme tenant son sens courant d'un contexte scientifique (même si, en fait, certains usages plus anciens de ce terme n'étaient pas scientifiques) et dont la signification a été déjà transmutée à l'occasion de son incorporation dans le langage philosophique. L'usage théologique du terme « énergie » procède donc d'une (au moins) double transmutation sémantique.

Le texte que Jean Ladrière a consacré à l'Eucharistie [12] représente en dépit de son intitulé philosophique *une* authentique théologie de l'Eucharistie, c'est-à-dire une mise en forme intelligible, spéculative, de l'expérience eucharistique du croyant. Cette expression est d'ailleurs exemplaire du point de vue épistémologique en raison de la lucidité inscrite au cœur même du propos tenu, à l'égard de ses propres conditions de production sémantiques, comme en témoigne l'admirable clarté de ce dernier texte, extrait de l'introduction du même article, et intitulé : « La contribution de la philosophie à la réflexion théologique. »

11. AS II 322-323.
12. « Approche philosophique d'une réflexion sur l'eucharistie. »

Mettant les ressources de la raison humaine au service de la foi, en vue
de permettre à celle-ci de mieux se comprendre et de mieux s'exprimer, la
théologie est amenée à réassumer dans son propre discours ce que l'effort
spéculatif de la pensée humaine, méditant sur la signification de l'existence, sur le statut de la réalité, sur le rapport de l'existence humaine aux
déterminations ultimes de la réalité, a pu inventer au cours de son histoire
en vue de s'articuler et de se dire aussi lucidement que possible. Le moyen
par lequel la pensée, en son effort naturel, tente de se dire, c'est le concept. Et lorsque la pensée porte non pas sur le fonctionnement détaillé de
tel ou tel secteur de l'expérience — comme c'est le cas pour la pensée
scientifique — mais sur la structure même de l'expérience, sur ce à partir
de quoi elle est possible, sur ce que la plus ancienne tradition philosophique appelle « les principes », le moyen par lequel elle se construit et
s'exprime, c'est le concept spéculatif.

Mais un concept ne peut jamais être considéré à l'état isolé. De même
que — selon une doctrine actuellement largement reçue en philosophie du
langage — un mot ne prend sa signification effective que dans le contexte
d'une phrase, ainsi un concept ne prend sa signification précise que dans
le contexte d'un discours, c'est-à-dire dans le contexte d'un enchaînement
de propositions, grâce auxquelles il est mis en relation avec un certain
nombre d'autres concepts qui contribuent à fixer les sens. Chaque philosophie s'exprime dans ce qu'on pourrait appeler un réseau conceptuel.
C'est un réseau qui est présenté concrètement dans le discours en lequel
cette philosophie se rend accessible et communicable. Mais ce discours
lui-même est sous-tendu par une visée inspiratrice et par laquelle l'esprit
s'accorde à l'horizon de signification, qui se découvre à la pensée avant
même qu'elle ne commence à s'exprimer de façon précise et explicite, et
qui donne sens à toutes ses démarches particulières. Cet horizon, le discours philosophique tente de le dire grâce aux concepts qu'il met en
œuvre ; à ce titre, il peut être considéré comme l'effort de rendre explicites les conditions mêmes de son déploiement. Chaque grande philosophie
se rapporte ainsi à un horizon de signification, qu'on peut appeler « horizon spéculatif », et cet horizon n'est rien d'autre que la manière dont
apparaît à la philosophie en question le fondement le plus essentiel de
l'existence et de la réalité. Toute réflexion philosophique de quelque
ampleur est l'effort en vue de saisir ce fondement. Mais il n'y a jamais de
saisie adéquate, de vision pure ; l'effort spéculatif est toujours de l'ordre
de l'interprétation. L'horizon spéculatif par rapport auquel se pose et se
définit une philosophie déterminée est le principe à partir duquel cette
philosophie développe son interprétation du fondement qu'elle vise. Mais
s'il est vrai que les concepts utilisés par une philosophie forment système
et que le fonctionnement de ce système est commandé par un horizon spéculatif qui est le principe ultime d'interprétation de cette philosophie, il
faut reconnaître que la signification d'un concept spéculatif est en étroite
dépendance du système d'interprétation dont il relève.

Lorsque la théologie reprend un concept spéculatif — qu'il s'agisse par exemple du concept de substance, ou de personne, ou de matière, ou de forme, ou de signe — elle ne peut lui garder intégralement la signification qu'il avait dans le contexte philosophique dont il provient, comme s'il s'agissait d'un simple instrument, séparable en principe de ses conditions d'utilisation. Il lui faut détacher ce concept du système interprétatif dont il faisait partie et le réintégrer dans un réseau de significations nouveau, commandé lui-même par un horizon original d'interprétation et de compréhension, qui n'est autre que l'horizon de sens constitué par la foi elle-même. C'est bien la foi qui devient ici principe ultime d'intelligibilité et d'articulation discursive. Et ce sera du reste une des tâches de la théologie que d'expliquer comment la foi peut être principe de clarté et quelle est la véritable source de la lumière qui vient par elle. La conceptualisation propre de la théologie est donc tout autre chose qu'une simple reprise. C'est une véritable transmutation, qui réinscrit dans un nouvel horizon les concepts qu'elle emprunte à la philosophie, les chargeant ainsi d'un sens qui est entièrement émergent par rapport à leur sens purement philosophique. Ce n'est pas à dire pourtant que les concepts théologiques ne gardent rien de leur héritage philosophique. S'il y a une réelle transcendance de l'ordre de la foi par rapport à l'ordre de la raison, il n'y a pas cependant entre ces deux ordres totale discontinuité ; le discours de la foi peut s'appuyer sur celui de la raison. Il y a donc, dans le travail de l'intelligence spéculative, comme des préparations inconscientes de l'effort théologique. De telle sorte que l'intelligence théologique sera vraiment fondée à reprendre à son compte tel ou tel concept, ou même tel ou tel système conceptuel, qui lui paraît particulièrement apte à se prêter au travail de transmutation dont elle a à se charger. Du reste, tout concept n'est pas également approprié à une utilisation théologique ; un discernement est nécessaire, et certaines formes de conceptualisation, ou plus exactement de reconceptualisation, apparaissent rétrospectivement comme plus heureuses, plus adéquates que d'autres. C'est à la foi elle-même, et à ceux qui en ont la garde, d'en juger en définitive. Mais si un concept se prête à une réinterprétation théologique, c'est bien parce qu'il possède déjà en lui-même, en vertu de son mode proprement philosophique de fonctionnement sémantique, de quoi fournir à la visée théologique comme l'assise signifiante, ou le noyau de signification, dont elle a besoin pour réussir à se nouer discursivement, à s'exprimer en un langage à la fois adéquat (par rapport à la foi), cohérent (par rapport à lui-même et aux exigences de la pensée) et réellement parlant (par rapport à l'attente de la communauté qui doit pouvoir l'utiliser pour dire, ou mieux dire, sa foi) [13].

13. AS II 309-313.

3. LE RISQUE DE PRÉVARICATION

L'art du théologien, qui s'apparente à celui du philosophe et même dans une certaine mesure, que l'on précisera dans le prochain chapitre, à celui du chercheur scientifique, consiste à disposer ses phrases et ses mots de façon à faire apparaître dans la cohérence du discours un réseau de significations capable de renforcer la vacillante certitude de l'expérience de foi. On a vu la lucidité avec laquelle cet art subtil est pratiqué par Jean Ladrière dans son texte sur l'Eucharistie. A partir de cet exemple, on formera ici l'hypothèse que *la théologie est un discours spéculatif qui tente, de l'intérieur même de la foi, de structurer la foi en l'explicitant.*

Cette définition de la théologie comporte un élément paradoxal relatif au rapport qui la lie à la foi. Celui-ci consiste d'une part en une radicale *suspension* de l'expérience de la foi puisqu'il s'agit de l'expliciter, ce qui n'est possible qu'au prix d'une mise à distance. Et d'autre part, la théologie, qui est une démarche requise par la logique même de la foi, suppose une intégrale *assomption* de la foi au cœur même de son propre discours. Suspension *et* assomption de la foi, telles sont les conditions difficiles de la théologie. Comme on l'a vu, la théorie des langages auto-implicatifs permet d'articuler ces exigences apparemment contradictoires : suspension et assomption forment pour ainsi dire le mouvement de la foi qui se meut en tentant de s'appuyer sur la logique de son propre mouvement : la foi requiert l'intelligence de la foi qui suppose la foi. C'est dire que le théologien se doit de satisfaire deux exigences antinomiques entre lesquelles un difficile équilibre est requis en raison même de la nature de la foi qui est une expérience et de la loi de la raison qui est de chercher les principes de toute expérience possible.

Le théologien, dans l'exercice de son art, court par conséquent des risques symétriques. L'un est mineur, l'autre majeur. Le théologien peut n'avoir pas pris à l'égard de son expérience de la foi la distance que requiert le bon exercice de la création spéculative. Souvent, ce sera faute d'une véritable maîtrise de la pensée spéculative elle-même que le théologien ne parviendra pas à transcender les limites de l'expérience subjective. Son discours prendra alors en fait le tour de l'exhortation, du témoignage ou de la prière. Ce risque est mineur, car il n'est pas un risque encouru par la foi elle-même. Ce n'est, à proprement parler, un risque que de la théologie, et l'on peut penser que la requête de rationalité que chacun porte fera resurgir la question théologique au cœur même de la foi chaque fois qu'on n'aura pu y satisfaire. Il n'y a donc pas d'authentique théologien qui n'ait intégré à son art l'exigence de la raison spéculative c'est-à-dire, en définitive, l'exigence philosophique elle-même. Cependant, il ne faudrait pas conclure de cette remarque que la philosophie est une condition de la foi, car, même si l'exigence de la rationalité est profondément inscrite au cœur de chaque homme, l'expérience de la foi qui engage l'homme à jouer sa destinée sur le don gracieux de Dieu, demeure la condition et non la conséquence de la théologie, même si la pratique de la discipline théologique lui permet de s'approfondir.

Le second risque du théologien est un risque majeur, car il affecte non seulement la théologie mais la foi elle-même. Certaines entreprises spéculatives, enracinées au départ dans une foi authentique, se prennent à leur propre jeu, et, pour ainsi dire, creusent la distance légitime de la théologie à l'égard de la foi au point de rompre le lien vital. C'est ici la suspension qui l'emporte sur l'assomption. Privée de son lien à l'expérience de la foi, la théologie devient, à dire vrai, une pseudo-théologie dont le caractère pernicieux consiste à se donner pour authentique et définitive expression de la foi. La « théologie » dans ces conditions, loin d'être une salutaire assomption de la foi médiatisée par une clarifiante suspension de la foi, devient par la vertu d'une diabolique perversion, mise en scène idolâtre de sa propre vérité, refoulant dans l'ombre la vérité de son imposture. C'est le risque de prévarication, le risque de collusion avec la partie adverse, qui forme la menace majeure pesant sur l'art du théologien. Coupée de l'expérience qui la nourrit et qu'elle tente d'élucider, la théo-logie devient ido-lâtrie. L'interprétation se donne pour représentation.

A l'âge de la science, qui est marqué au fer du scientisme, un dualisme profond, on l'a dit, menace la culture, dualisme qui oppose et même parfois substitue le construit au vécu, le théorique à l'existentiel, le temps à la durée, l'espace à la situation, l'abstrait au concret... C'est dire que, dans ce contexte, l'art du théologien est plus que jamais menacé d'insignifiance ou de prévarication. On reviendra, dans le prochain chapitre, à la question de savoir si la théologie est une science. On se contentera pour l'instant de remarquer que l'*imitatio scientiae* pourrait être pour la théologie une espèce d'idolâtrie à la seconde puissance : imitation adorante et effrayée d'une modalité herméneutique passant pour une représentation authentique.

Il y a un paradoxe de la théologie : « dans la mesure où elle éclaire, elle obscurcit », car la clarté qu'elle gagne à l'aide des emprunts qu'elle fait aux langages spéculatifs implique nécessairement un obscurcissement. « C'est qu'elle ne permet jamais, à cause précisément de l'emprunt qu'elle implique à un domaine qui n'est pas celui du salut, de mettre en évidence qu'une partie de la signification originaire des termes du langage de la foi [14]. »

Mais ce paradoxe, qui lui est essentiel, ne tient pas uniquement à l'aspect antinomique qui marque le langage théologique. Il y a à l'œuvre dans la dynamique des langages spéculatifs elle-même un processus qui implique un paradoxe analogue. *Suspension* et *assomption* également sont les deux moments de la *métaphorisation* (que J. Ladrière appelle symbolisation) qui est le ressort des langages spéculatifs. Si ceux-ci, qu'ils soient scientifiques, philosophiques ou théologiques, ne sont pas et ne pourraient pas être des langages de la représentation, c'est en raison de leur caractère métaphorique. Les discours spéculatifs articulent des interprétations qui demandent toutes à être interprétées. Cet aspect d'elle-même n'est donc pas propre à la théologie qui se distingue des autres langages spéculatifs principalement par sa modalité illocutionnaire auto-implicative.

Le risque majeur du théologien est donc partagé, à certains égards, par le philosophe et le savant : prendre une interprétation pour une représentation est une erreur qui menace toute entreprise spéculative. Mais le savant qui tombe dans cette illusion ne commet qu'une erreur épistémologique. Celle-ci peut nuire à son entreprise, assurément, mais n'en altère pas l'objet. D'une façon analogue, le philosophe est dans l'erreur qui tente d'établir une correspondance biunivoque entre le schème spéculatif qu'il élabore et la réalité, mais il n'en altère pour autant ni l'intelligibilité de la réalité ni son intention de la rendre manifeste. Mais le théologien qui cède au piège de la représentation, parce qu'il objective ainsi inévitablement l'inobjectivable, se forclot cela même dont il tente de faire apparaître l'intelligibilité : la foi.

C'est pourquoi le théologien accomplira sans arrogance la tâche paradoxale qui est la sienne et, à l'instar de Maître Eckhart, priera humblement Dieu de le délivrer de dieu.

---

14. ROLE 243.

CHAPITRE 9

LES PÉRIPÉTIES DE LA VÉRITÉ

« *L'historicité de la réflexion théologique n'est pas la même que celle de la réflexion philosophique.* »

J. Ladrière (THOM 72).

« *Mais s'il est vrai que l'entreprise philosophique est marquée par une historicité spécifique, que toute nouvelle possibilité de pensée qu'elle fait apparaître appelle une réinterprétation des figures déjà constituées, si la raison n'est pas donnée d'un seul coup à elle-même mais doit se découvrir dans un cheminement plein d'aléas et d'incertitudes, il appartient à la pensée chrétienne, quelles que soient ses assurances propres, d'assumer la situation présente de la raison, à la fois dans son aspect problématique et dans ses pressentiments, non pas pour la reprendre telle quelle à son compte mais pour s'instruire de ce qu'il y a d'authentique dans une démarche qui s'efforce de dire tout ce qui est impliqué dans l'expérience historique de la modernité.* »

J. Ladrière (THOM 97-98).

Science, philosophie et théologie sont toutes trois des discours spéculatifs, c'est-à-dire des langages métaphoriques qui tentent de contrôler la cohérence des réseaux de métaphores qu'ils mettent à contribution.

C'est sur le plan de l'auto-implication du locuteur dans son discours que l'on peut, dans un premier temps, distinguer science, philosophie et théologie. Rigoureusement réduite au minimum insurpassable en science, l'auto-implication est le plus souvent implicite en philosophie et, en théologie, elle est à la fois assumée et suspendue.

Mais, science, philosophie et théologie se distinguent également, en tant qu'interprétations, par le rapport particulier que chacune entretient avec sa propre histoire considérée comme histoire de sa propre vérité.

La science peut se lire au présent, car son rapport à la vérité n'est jamais que présomptif, tout ce qu'on puisse savoir d'une théorie scientifique étant qu'elle n'a pas (encore) été réfutée. La philosophie entretient, par contre, un rapport constitutif avec l'histoire de la philosophie puisque toute tentative de manifester l'intelligibilité de la réalité dans sa globalité, en quoi consiste la vérité de la philosophie, se doit d'interpréter sa propre position dans l'histoire des interprétations globalisantes.

La théologie entretient avec son propre passé un rapport analogue à celui de la philosophie, mais, puisqu'elle se donne pour tâche de manifester l'intelligibilité de la foi en l'événement du salut, l'interprétation en quoi elle consiste vise à comprendre le sens actuel d'un unique événement historique. La théologie, parce qu'elle est l'auto-interprétation spéculative de la foi, est l'auto-interprétation spéculative de l'histoire de la foi. Son rapport à l'histoire est donc plus complexe que celui de la philosophie : elle est toujours un moment historique particulier de l'auto-interprétation historique d'un unique événement historique.

C'est dans cette perspective que peut être précisé le ministère de la théologie à l'âge de la science : manifester « l'espace du révélable ».

La logique des langages spéculatifs ne peut être décrite simplement comme un corps d'interprétations explicitement formulées et admises à un moment donné comme valides par une communauté déterminée. En effet, à la base de ces interprétations interviennent des présuppositions le plus souvent non formulées, situées à différents niveaux de généralité, et dont l'incidence est souvent beaucoup plus décisive que celle des éléments explicites de ces interprétations. Certaines de ces présuppositions peuvent d'ailleurs sous-tendre des interprétations de types très différents. Ainsi, par exemple, plusieurs modes d'interprétation peuvent être regroupés dans la « famille » des interprétations spéculatives. Le champ herméneutique est constitué, en fait, par le champ du langage tout entier sous toutes ses formes. Mais on entendra ici l'expression en un sens plus strict comme désignant le domaine délimité par la mise en œuvre d'une dynamique spéculative, c'est-à-dire par la rencontre d'un processus de métaphorisation et d'une exigence de cohérence (logique ou mathématique selon les cas).

La « ressemblance de famille » que l'on croit distinguer entre science, théologie et philosophie tient à leur commune appartenance à la dynamique des langages spéculatifs. Dans chacune d'elles un processus de métaphorisation est à l'œuvre, qui rencontre une exigence de systématicité et de cohérence qui est celle de la raison. Cette rencontre permet précisément aux fruits des transmutations sémantiques de se détacher des arborescences métaphoriques pour venir s'insérer dans des réseaux conceptuels qui prennent chair en contribuant à préciser leur sens neuf. Ce qui distingue entre elles les filles de la rationalité qui ont nom science, philosophie et théologie, c'est principalement, d'une part, la nature des forces illocutionnaires qui les mettent en mouvement et, d'autre part, la spécificité de leur historicité, c'est-à-dire du rapport que chacune d'elles entretient avec sa propre histoire.

Les dernières pages du chapitre 3 comportent des indications sur la force illocutionnaire propre aux langages scientifiques, philosophiques et religieux. Or, la théologie a pu être définie au chapitre 8 comme une reprise spéculative du contenu des langages religieux de premier ordre, c'est-à-dire comme une auto-compréhension de la foi dans une mouvance de type philosophique. Il convient donc de préciser du point de vue de l'auto-implication ce qui a déjà été dit de ces langages.

Pour les langages scientifiques, l'auto-implication des locuteurs est nulle ou, à tout le moins, réduite à un strict minimum puisque les procédures qui régissent la production de ces langages comportent des contrôles visant à ne retenir de la production des savants que ce qui vaut pour le sujet transcendantal, indépendamment de tout sujet empirique, même si un langage suppose toujours un sujet empirique qui le tienne c'est-à-dire un locuteur. On dira donc que les langages scientifiques se caractérisent par leur *désimplication*. Leur force illocutionnaire paradigmatique est celle de l'expression « je constate que... ».

Dans le cas des langages philosophiques, l'auto-implication est inévitable mais, du moins dans le cas des langages véritablement spéculatifs, elle est implicite, car ce n'est pas de sa seule expérience que le philosophe tente de forger une interprétation totale et radicale, mais de l'expérience humaine en tant que telle, dans son universalité. Cependant, le « verdict » du philosophe est sien plus que le « constat » du savant. Le philosophe s'implique dans son interprétation, car celle-ci, si elle atteint son objectif, est aussi interprétation du sujet interprétant en tant qu'il est engagé dans son propre travail dont il doit rendre raison. On dira donc de l'interprétation philosophique qu'elle est *implicitement auto-implicative*.

Il y a également un aspect de réflexivité dans les langages théologiques. Cependant, cette réflexivité est d'une nature plus complexe que celle qui caractérise les langages philosophiques. Si l'expression « je juge que... » est caractéristique de la force illocutionnaire paradigmatique des langages philosophiques, dans le cas des langages théologiques, c'est l'expression « je reconnais que... » qui le sera. Dans les langages théologiques, l'auto-implication du locuteur est non seulement inévitable mais, comme on l'a montré, indispensable sous peine pour la théologie de n'être plus une forme de langage religieux, mais une philosophie de la religion. C'est que, en théologie, le locuteur parle de sa propre implication dans la foi en tant que cette implication doit être *suspendue* pour qu'on en puisse saisir l'objet et *assumée* pour qu'on la puisse comprendre comme requise par la foi elle-même dans son désir d'intelligibilité. C'est dire que la force illocutionnaire du langage théologique résulte d'une tension entre celle des langages religieux du premier ordre et celle de la philosophie.

Mais les considérations développées jusqu'ici sur la métaphorisation qui est une des conditions de la spéculation ainsi que sur les différents types d'auto-implication caractéristiques des membres de la famille des langages spéculatifs, en appellent d'autres sur l'historicité des interprétations et, plus particulièrement, sur l'historicité spécifique des langages théologiques. En effet, la métaphorisation est un processus qui s'inscrit dans l'histoire du langage comme le lieu où s'articulent dans l'actuel le passé et l'avenir des significations. La signifiance est le lieu de l'historicité du langage. Et, d'autre part, l'action — dont le chapitre 5 a montré l'universelle médiation — s'inscrit toujours elle aussi dans l'histoire qu'elle écrit. L'action est le lieu de l'historicité de l'être humain. Aussi est-ce dans le mouvement d'une réflexion sur l'historicité que pourra s'achever la présente entreprise d'élucidation du champ des interprétations et que pourra s'ouvrir un espace au cœur duquel apparaîtra en toute clarté le ministère de la théologie à l'âge de la science.

1. L'HISTORICITÉ DES INTERPRÉTATIONS

Le champ spéculatif est affecté de part en part d'un rapport à sa propre histoire. Ce rapport, cependant, prend des formes différentes selon qu'il s'agit des sciences, des philosophies ou des théologies. Ainsi, l'historicité du langage théologique n'est pas la même que celle des langages scientifiques ou philosophiques.

Personne ne démentira que le travail théologique s'accomplit dans une histoire, qu'il est marqué par les péripéties qui affectent la vie de l'Église, par les questions et les discussions qui apparaissent à telle époque à propos de tel ou tel point de la Révélation, par l'évolution de la sensibilité religieuse, par les situations inédites auxquelles l'Église a à faire face dans un monde changeant. Le travail théologique est marqué aussi par l'évolution générale de la culture, par les modifications qui peuvent se produire dans les modes de conceptualisation auxquels elle emprunte une partie de ses matériaux. Mais le travail théologique reste fondamentalement commandé par sa relation au contenu de la foi chrétienne, tel qu'il est accessible à travers les deux sources de l'Écriture et de la Tradition. Il opère à l'intérieur de la foi ecclésiale ; il est, dans sa diversité même, l'effort d'auto-interprétation de la foi tel qu'il se poursuit à travers les siècles dans un mouvement qui est fait, à chaque moment, d'une reprise et d'un approfondissement. Il est essentiellement relatif à un donné, qui est toujours présent dans la vie d'une communauté réeffectuant sans cesse en elle ce qui s'est accompli dans l'expérience fondatrice de la communauté primitive. Il est appelé à déployer, selon les perspectives diverses, les dimensions multiples de ce donné. Mais il ne peut accomplir cette tâche qu'en s'assurant d'un dispositif conceptuel capable d'assumer vraiment ce donné.

Ce qu'il y a de spécifique, semble-t-il, dans l'historicité de la réflexion théologique, c'est précisément, écrit Jean Ladrière, sa référence à un ancrage qui est lui-même historique, qui a lui-même son mode propre d'historicité — celui qui caractérise la dimension du salut — et en lequel elle trouve un élément régulateur qui est pour elle un principe d'auto-appréciation et de jugement[1].

La réflexion philosophique, d'autre part, en tant qu'elle est un effort de compréhension conduit par les seules lumières de la raison, se vit selon une modalité d'historicité propre à l'effort rationnel. Cependant, il faut tenir compte, pour préciser celle-ci, de la séparation tranchée qui s'est effectuée dans les temps modernes entre deux formes majeures de la raison cognitive : la philosophie et la science.

La philosophie, écrit Jean Ladrière, se caractérise par un double souci de radicalité et de totalité, alors que la science vise à élaborer un savoir de type opératoire et à efficacité locale. La philosophie construit un discours qui s'efforce de rendre compte de la structure du réel dans son ensemble, donc de se placer à un point de vue capable d'englober toutes les perspectives particulières concevables, et cela d'une manière entièrement critique : elle construit son discours en le doublant pour ainsi dire, à l'intérieur de lui-même, d'une démarche justificatrice par laquelle la raison tente de faire valoir à ses propres yeux la légitimité de ce qu'elle avance, d'aller, par le fait même, jusqu'au bout des questionnements à partir desquels elle se met en branle. La science découpe sur la réalité donnée des perspectives abstraites et partielles, à travers lesquelles elle tente de rendre compte du fonctionnement effectif des systèmes qu'elle parvient ainsi à isoler grâce à ces mises en perspectives préalables. Elle y gagne de pouvoir rejoindre le réel dans le détail de sa manifestation, en mettant à profit l'intelligibilité qui s'attache aux démarches opératoires[2].

---

1. THOM 73.
2. THOM 73-74.

Mais un tel type d'investigation ne peut rejoindre la réalité concrète que *localement,* que dans des régions bien délimitées de l'espace-temps. A partir de son expérience et de l'interprétation du monde qu'il forge, le savant peut se faire une idée de certains traits tout à fait généraux de la réalité et se poser, sur cette base, des questions de nature globale qui sont précisément celles que la philosophie se propose de résoudre. D'autre part, le technicien peut se donner des instruments qui lui permettent d'intervenir de façon effective dans le cours des choses dans une intervention qui relève soit de l'action transformatrice, soit de l'ordre de la connaissance. Mais une intervention de ce genre ne peut se réaliser que grâce à une interaction momentanée, éventuellement médiatisée par toute une instrumentation, entre l'organisme humain et un segment de réalité prélevé selon une procédure déterminée sur son environnement. Ce trait distingue la science de la philosophie et de la théologie.

Le type d'historicité qui appartient en propre à la raison scientifique est déterminé par les modalités de la dynamique des sciences auxquelles a été consacrée toute une partie du chapitre 6. On rappellera simplement que « la progression du savoir scientifique s'effectue grâce à une interaction constante entre un corps théorique de propositions, basé sur un système conceptuel approprié, qui poursuit des hypothèses et des investigations empiriques qui servent de banc d'épreuve à ces hypothèses et aux idées théoriques dont elles dérivent » [3]. Or il arrive régulièrement que, dans une discipline déterminée, des désaccords apparaissent entre certains faits d'observation et le système de référence théorique sur lequel on s'appuie. Il faut alors, comme on l'a vu, procéder à un remaniement partiel et parfois très radical de la théorie admise jusquelà. Les remaniements de ce type comportent généralement une refonte au moins partielle de l'appareil théorique d'une discipline. L'histoire des sciences est scandée par de telles « révolutions ». Lorsqu'une théorie nouvelle apparaît, c'est le plus souvent sous la pression de difficultés qui renvoient à des verdicts négatifs apportés par l'expérience. Certains éléments des théories anciennes sont alors abandonnés alors que d'autres sont conservés. Mais ces derniers doivent désormais être compris dans le cadre inédit de la nouvelle théorie. Et corrélativement, l'instauration d'un nouveau cadre théorique entraîne une réinterprétation des faits déjà con-

3. THOM 75.

nus. Ainsi, tant en ce qui concerne les idées théoriques qu'en ce qui concerne les informations factuelles, chaque fois qu'intervient un remaniement du cadre théorique, il y a conservation de l'acquis moyennant une réinterprétation d'ensemble qui revêt les idées anciennes d'un sens nouveau.

C'est pourquoi on dira que « la science n'est pas compréhensible sans son histoire mais elle peut se lire entièrement au présent » [4]. Pour comprendre vraiment comment une discipline scientifique a pris la figure qu'elle présente, on devra reconstituer les péripéties de sa genèse, car la figure actuelle d'une discipline contient en elle toute son histoire sous la forme d'une suite de figures partiellement abolies et partiellement conservées, dont la succession historique a été la condition effective de l'émergence de la figure actuelle.

Mais s'il est vrai qu'une discipline reprend ainsi en elle l'histoire qui la porte, on doit reconnaître qu'il n'est pas nécessaire, pour lui donner effectivement sa force opératoire et sa portée cognitive et la faire fonctionner efficacement selon ses finalités propres, de se reporter explicitement à cette dimension historique. Celle-ci est présente en elle de façon implicite, certes. Mais dans son articulation actuelle, une discipline scientifique contient toutes les indications nécessaires à la compréhension de ses concepts et des règles de leur usage et à la mise en œuvre appropriée des procédures d'explication, d'interprétation, de prédiction et d'anticipation qu'elle autorise. Toute discipline scientifique réalise, si l'on peut dire, une contemporanéisation de sa dimension historique [5].

C'est à une tout autre modalité d'historicité que l'on a affaire lorsqu'on se tourne vers la forme philosophique de la raison. L'entreprise philosophique se présente à travers une succession de systèmes qui s'accordent sur certains points et s'opposent sur d'autres, que l'on peut tenter de comparer mais qui ont chacun leur unité et leur logique propre, de telle sorte qu'on doit les considérer comme autant de totalités singulières relativement isolées. Le fait est cependant que les philosophes s'accordent généralement à reconnaître en ces systèmes des figures diverses d'une même démarche de la raison, des moments constitutifs d'une même histoire. Mais s'il y a une véritable unité de l'histoire de la philosophie, comment penser cette unité ? Ce problème, auquel a

4. THOM 77.
5. THOM 78-79.

été consacrée toute une partie du chapitre 7, est très exactement celui de la forme spécifique d'historicité qui appartient à la philosophie.

Il y a deux façons de résoudre ce problème. La première s'inspire d'une vision unilinéaire du progrès de la raison. Selon cette manière de voir, qui serait celle de l'hégélianisme par exemple, « le mouvement de la raison est fait essentiellement de dépassements successifs, mais en chaque dépassement tout l'acquis antérieur est conservé » [6]. Selon l'autre conception, qui serait celle de M. Heidegger, par exemple, « il y a comme un oubli qui nous dérobe toujours quelque chose de ce qui s'est révélé dans l'originaire, ou encore une sorte d'errance qui porte comme fatalement la pensée vers des constructions en lesquelles la vérité de l'originaire a perdu sa visibilité » [7].

On se rappellera que J. Ladrière remarquait qu'il y a un élément commun dans les deux interprétations apparemment antithétiques de l'historicité de la raison philosophique. « De part et d'autre, le schème qui sert de fil conducteur à l'interprétation est celui de la succession, et d'une succession qui ne prend son sens que par rapport à un moment privilégié [8]. » Pour donner tout son sens à la diversité des philosophies, Jean Ladrière propose de substituer le schème de la contemporanéité à celui de la succession.

Envisagés dans leur rapport au temps, les systèmes philosophiques se présentent dans un certain ordre de succession. Mais envisagés dans leur constitution intrinsèque et selon des possibilités de pensée qu'ils font valoir, ils doivent plutôt être considérés comme prenant place dans un réseau de virtualités qui est d'ordre structural plutôt que temporel. Ce qui est décisif, bien entendu, c'est la démarche par laquelle la pensée se met en mesure de se situer dans un tel réseau et de s'y placer [9].

Autrement dit, ce qui fait l'unité de la philosophie, c'est d'être la mise en œuvre d'une seule et même problématique, qui est commandée par l'instauration même du projet philosophique : les différents systèmes dans lesquels la philosophie s'expose et tente de se trouver des réponses, tout en s'opposant partiellement par leur affirmation explicite, s'éclairent mutuellement par la diversité

6. THOM 80.
7. THOM 81.
8. *Ibidem.*
9. THOM 82.

même des cheminements en et par lesquels ils s'approprient le questionnement sur les principes, sur les structures constituantes, sur le langage, sur la vérité, sur l'action et sur ses critères. En définitive,

> S'il n'y a pas lieu de soutenir une interprétation linéaire de l'histoire de la philosophie, rattachant chaque moment soit à une « archè » soit à un « telos », il faut la concevoir comme une totalité organique dont les moments n'ont qu'une indépendance relative et se réinterprètent mutuellement au fur et à mesure qu'ils se découvrent. Il y a donc une profondeur historique dont il faut bien tenir compte, mais son sens est d'insérer chaque système dans ce réseau de relations qui le situe par rapport à tous les autres et par rapport à l'espace tout entier du questionnement philosophique. Si l'on comprend de cette manière l'historicité de la philosophie, on sera amené tout naturellement à reconnaître que tout système est par essence toujours actuel et que sa signification se découvre de mieux en mieux à mesure que se manifestent les effets de contraste ou de complémentarité auxquels donnent lieu ses relations avec d'autres systèmes [10].

La science peut prendre une figure anhistorique sans pour autant limiter l'envergure actuelle de sa prise sur la réalité. La philosophie est, en un certain sens, toujours contemporaine d'elle-même. Qu'en est-il de l'historicité de la théologie ? Celle-ci, on l'a dit, est marquée par une double référence historique : son fondement dans des événements originaires relatés dans les Écritures et son lien organique à la tradition dont elle est issue et qui lui sert de médiation dans son accès à l'originaire.

2. L'HISTORICITÉ DES THÉOLOGIES

Le problème fondamental qui est posé ici est celui de l'historicité de l'expression ecclésiale de la foi. D'une part, la foi de la communauté ecclésiale s'exprime dans une variété de langages : le langage de l'Écriture, celui de la prédication, celui de la liturgie, éventuellement même celui de la théologie. Le langage est indispensable, non seulement à titre d'instrument de communication, mais parce qu'il doit rendre accessible un contenu, l'économie du salut, qui constitue la face objective de la foi. Mais la foi comporte deux dimensions intimement liées, une dimension subjective

10. THOM 83.

selon laquelle elle est un assentiment en même temps qu'une expérience et, d'autre part, une dimension objective qui est l'assomption dans une destinée particulière de la réalité sur laquelle porte l'assentiment. Or celle-ci ne se manifeste que dans le langage et par lui, et le langage est, on l'a vu notamment dans le chapitre 4, une réalité mouvante et diversifiée, entraînée dans un processus incessant de transformation, et en même temps fragmentée en une grande variété de dialectes liés à des communautés historiques particulières.

Dans ces conditions, demande Jean Ladrière, ne doit-on pas admettre que l'expression de la foi est affectée inévitablement par ce double phénomène de l'évolution transformatrice et de la fragmentation, et que, dès lors, le contenu même de l'expérience de la foi, tel qu'il peut être appréhendé en tout cas par les membres de la communauté croyante, est marqué par une insurmontable relativité historique ? Comment rendre compte, si le langage est soumis à la dispersion, de l'idée, pourtant essentielle, d'une conformité de la foi d'aujourd'hui à l'expérience et à l'expression originaires auxquelles elle entend se rattacher ? En quel sens la foi de la communauté ecclésiale, telle qu'elle se vit maintenant, est-elle fidèle à la foi des Apôtres ? N'y a-t-il pas une tension insurmontable entre la volonté de fidélité, si sincère soit-elle, et la relativité historique de l'expression ? Pour le dire plus fortement encore, la foi n'est-elle pas inévitablement dépendante de son expression et n'est-elle pas dès lors entraînée, par celle-ci, dans une dérive qu'elle ne peut même pas contrôler [11] ?

Le problème auquel on est confronté ici est extrêmement complexe. En effet, le langage dont il s'agit de préciser le mode d'historicité est un langage dont la sémantique a un caractère fondamentalement dérivé : il se sert de symboles, de métaphores, d'analogies, etc. C'est dire que les significations qu'il véhicule ne fonctionnent que sur la base d'un processus compliqué qui s'appuie sur des significations préalables et introduit des opérations de transformation que l'on a tenté d'élucider dans le chapitre 4. Quoi qu'il en soit, on se trouve confronté à une question d'invariance relative à un processus historique de très grande dimension.

Ce problème, d'autre part, est central, car, on l'a vu, il touche à la question des critères de vérité du discours. C'est parce qu'il peut se présenter comme anhistorique et qu'il concerne des positions très localisées des expériences que le langage scientifique se trouve à l'égard de la vérité dans un rapport caractérisable à la fois par

11. AS II 86.

l'opération et la présomption. C'est parce qu'il se présente comme une tentative d'intégration radicale de la totalité que le langage philosophique peut se vérifier dans la conformité de l'auto-interprétation de l'expérience du philosophe insérée dans l'expérience humaine. Mais quels pourraient être les critères de la vérité en théologie ? Telle est la question centrale qui se joue dans la problématique de l'historicité.

Il n'est peut-être pas inutile, en ce point de la recherche, de récapituler l'acquis des chapitres antérieurs relatif à la signification du langage.

Un langage fonctionne comme un tout et, à l'intérieur d'un langage donné, les concepts forment un système articulé qui doit être considéré dans sa totalité. S'il faut renoncer à établir une correspondance analytique entre éléments du langage et éléments de l'expérience, à la manière du premier Wittgenstein, on ne peut pour autant mettre entre parenthèses le rapport du langage à la réalité qui joue à l'intérieur du langage dans la fonction de la référence. On ne peut non plus mettre entre parenthèses le rapport du langage au sujet parlant qui joue aussi à l'intérieur du langage, dans sa dimension illocutionnaire. C'est l'ensemble de son système conceptuel que, par l'intermédiaire des mécanismes de référence qu'il utilise, le locuteur rapporte à la réalité. C'est donc cet ensemble comme tel qu'il faut considérer.

Dans cette perspective, on pourrait suggérer qu'à l'égard d'un champ de réalité donné, il y a une visée de compréhension qui ouvre, par rapport à ce champ, un horizon de structuration. Par ailleurs, nombre d'unités de signification sont déjà disponibles dans le langage dont on dispose. Et un nouveau langage se constitue par inscription des significations disponibles dans l'horizon de structuration dont il vient d'être question. Bien entendu, il y a ici une double intervention : un champ de réalité doit être donné dans une expérience appropriée ; un principe de compréhension doit éclairer ce champ de réalité de manière à la rendre accessible.

Accepter ce schéma permet de rendre compte du mécanisme extrêmement général de la transvaluation sémantique en invoquant l'attraction exercée sur certaines significations déjà constituées par l'horizon de structuration dans lequel opère le processus de symbolisation. L'horizon est donné avant les significations qu'il suscite parce qu'il conditionne leur genèse. Cependant, il n'est pas possible de le détacher du système sémantique qu'il anime. Il n'a de réalité que dans ce système lui-même.

Au fond, écrit Jean Ladrière, invoquer un horizon de structuration, c'est dire, à travers une métaphore d'ordre spatial, qu'il y a comme une vie interne des significations, qu'une signification n'est jamais figée dans une identité constituée et définitive, mais qu'elle comporte toujours en elle-même la possibilité d'une transformation. Le domaine des significations immédiatement disponibles, au niveau de l'expérience et du langage naturels, est comme travaillé de l'intérieur par une force d'émergence, aspiré vers le haut par un processus métaphorique qui l'ouvre à une vie plus libre, plus aérienne, moins rivée aux circonstances singulières et toujours plus ou moins obscures du débat qu'entretient l'expérience naturelle avec le monde perçu [12].

Le terme d' « horizon » a l'avantage de faire comprendre que l'effet de transvaluation concerne le champ sémantique tout entier. Comme on l'a déjà indiqué, il faut considérer un système sémantique comme une totalité structurée produisant ses effets de sens par les relations mêmes qu'elle instaure entre ses termes. L'horizon, en tirant vers lui les concepts déjà disponibles, les met en rapport les uns avec les autres d'une manière originale, et c'est précisément en les articulant ainsi qu'il les charge d'un nouveau pouvoir signifiant.

La vertu du langage, c'est de substituer à la présence silencieuse et indicible de ce qui se donne en personne dans l'indubitable d'une proximité absolue, la saisie articulée qui tire parti de la différence pour restituer la chose même dans son unité et son originalité. Il permet d'atteindre, dans la distance qu'il instaure et à travers la fragmentation sur laquelle il joue, ce qui se retranche dans le non-visible et la non-présence d'une existence énigmatique et pourtant attestée [13].

Avec Jean Ladrière, on dira d'un champ sémantique

[qu']il se précède toujours nécessairement : ce n'est pas ce qui est déjà constitué qui produit le sens nouveau, comme s'il s'agissait seulement de prolonger un chemin déjà tracé ou dérouler les conséquences d'un principe, il y a réellement émergence, transgression, métamorphose de sens. Il faut donc que les significations déjà constituées soient comme tirées hors d'elles-mêmes par une force extérieure. Mais cette force n'est nulle part ailleurs que dans le nouveau langage en train de s'élaborer, plus exactement dans le nouveau champ sémantique qu'elle fait exister. Ce champ

12. AS II 97.
13. AS II 98.

doit donc d'une certaine façon être déjà là pour qu'il puisse se constituer [14].

Comment, dans cette perspective, rendre compte de l'interprétation ? Il n'y a évidemment jamais pure et simple répétition d'un langage. Toute reprise historique d'un langage réeffectue, pour son propre compte, la genèse originelle du langage qu'elle reprend. Ceci est déjà vrai pour le langage ordinaire : il est signifiant, non par la simple vertu d'une répétition, mais dans la mesure où, en chaque sujet parlant, se font à nouveau les opérations de structuration du champ perceptif et pratique qui engendrent les premiers champs sémantiques, soubassement de tout le mouvement de la signifiance.

Lorsqu'il s'agit de niveaux plus élaborés de langage, la réeffectuation consiste en une nouvelle assomption de l'horizon originel de structuration qui le rend à nouveau opérant. Mais comment cet horizon peut-il se prêter à être assumé par un locuteur ? On a vu qu'il est totalement immanent au champ sémantique qu'il produit et articule. C'est donc dans les termes mêmes de ce champ et seulement en eux qu'il est possible de le retrouver. Ces termes ne sont pas seulement ce qu'ils sont pour eux-mêmes ; en chacun d'eux, c'est tout un champ sémantique, et son horizon constituant, qui sont présents et opérants. C'est pourquoi

tout langage a un effet inducteur : reprendre sur soi, réassumer dans des actes illocutionnaires déterminés les propositions d'un langage historiquement constitué, ce n'est pas simplement répéter des énoncés qui ont pu être produits jadis par d'autres, ou construire de nouveaux énoncés par analogie avec les énoncés déjà disponibles, c'est se remettre sous la mouvance d'un horizon constituant, faire advenir à nouveau un langage dans le lieu de son auto-production, lui donner de réeffectuer le cheminement émergent en lequel, à l'origine, il s'est constitué à partir des champs sémantiques déjà disponibles [15].

Reprendre, c'est recréer. Et une recréation ne peut consister en une réutilisation des mêmes termes. Il est indispensable que les termes originaires puissent être utilisés à nouveau, car c'est à travers eux que l'horizon de constitution peut être réassumé. Mais une fois qu'il est à nouveau opérant, le langage retrouve pour ainsi

14. AS II 98.
15. AS II 99.

dire sa propre créativité. Il n'est possible de parler à nouveau véritablement un langage qu'en lui restituant sa vie, en l'ouvrant à nouveau à ses propres possibilités, à l'infinité de son propre futur. C'est en ce sens, et en ce sens seulement, qu'on peut dire avec Jean Ladrière qu'il n'y a pas de formules définitives :

> L'idée de formule relève du projet de la formalisation ; une formule est une expression appartenant à un formalisme. Mais un formalisme n'est pas véritablement un langage, c'est seulement un instrument au moyen duquel on peut se représenter une structure abstraite, éventuellement celle d'un langage. Or, si le langage comporte une structure, et même diverses structures, comme le montre l'analyse linguistique, il n'est vraiment langage que dans la mesure où, dans et par la structure, se produit et s'entretient une vie du sens qui est le jeu indéfini des structurations, restructurations, émergences et transvaluations par la médiation desquelles la parole s'élève peu à peu d'une simple célébration de l'immédiat à la sublimité d'un dire qui serait accordé au mystère le plus universel, à la péripétie la plus centrale, au suspens le plus essentiel en lequel se produit ce qui arrive en vérité [16].

Mais ici se présente une difficulté tout à fait spécifique au langage religieux chrétien. Que se passe-t-il lorsqu'on se propose de recourir, en vue de développer ce langage, à un langage spéculatif d'une espèce donnée ? L'un et l'autre de ces langages se réfèrent à travers leur horizon propre de structuration à un champ de réalité donné : d'un côté, le mystère du salut, de l'autre, la réalité totale telle qu'elle est accessible à travers l'expérience humaine sous toutes ses formes.

Pour assumer à l'intérieur du langage religieux chrétien les termes d'un langage spéculatif, répond Jean Ladrière, il faut les insérer dans l'espace propre de structuration enveloppé par l'horizon qui définit le champ sémantique du langage chrétien. Mais ces termes se sont eux-mêmes constitués sous la mouvance de l'horizon spéculatif, c'est-à-dire dans la perspective du projet d'une articulation intégrale de toute la réalité au sein d'une logique absolue. Il s'agit de les rendre disponibles à l'action structurante de l'horizon propre au langage chrétien, et pour cela il faut les détacher de leur horizon propre de constitution, donc véritablement les déconstituer, défaire leur signifiance propre. Et pourtant, il faut, si l'on veut pouvoir s'appuyer sur les ressources sémantiques qu'ils recèlent, — et on ne pourrait, sans cela, les insérer dans une opération effective de

16. AS II 100.

transvaluation — leur conserver leur force signifiante originale. La situation est presque paradoxale. Dans la mesure où on les détache de leur horizon propre, on leur enlève leur mode propre de signification, on les rend en quelque sorte inertes et donc indisponibles. Et dans la mesure où l'on veut, au contraire, s'appuyer sur le mode de signifiance qui leur appartient en propre, on les maintient dans leur horizon de constitution ; mais alors on risque fort de ne pas les transvaluer du tout mais de transporter à l'intérieur du langage chrétien des fragments de discours spéculatif qui vont probablement jouer un rôle subversif et miner de l'intérieur le langage qu'ils étaient censés venir enrichir. Car avec eux c'est l'horizon spécifique de la spéculation, le projet de la logique absolue, qui va s'insérer à l'intérieur du langage religieux et il ne pourra dès lors qu'entrer en conflit avec l'horizon de structuration propre à celui-ci [17].

Cette situation paradoxale ne pourrait être surmontée si l'horizon structurant du langage chrétien ne déconstituait les termes du langage spéculatif que pour les reconstituer aussitôt, dans leur force spéculative même, mais cette fois sous la seule mouvance de la foi. Une telle hypothèse ne paraît pas invraisemblable ; mais toute difficulté n'est pas éliminée pour autant, car des distorsions et des déformations peuvent se produire. Comparés aux termes d'un langage poétique ou même à ceux du langage immédiat, les termes spéculatifs n'ont, en effet, qu'une potentialité sémantique relativement faible. Traversés par une visée signifiante qu'ils ne peuvent véritablement exprimer, les termes spéculatifs tendent à infléchir le sens dont ces visées les chargent dans une direction qui n'est pas celle de la visée en question, mais celle de leur propre pesanteur. Cependant, ce risque de distorsion n'est pas irrémédiable, car un langage n'est jamais réduit à un terme isolé, et il est donc toujours possible de corriger un terme par un autre. C'est le réseau constitué par l'ensemble des termes qui est véritablement signifiant, non les termes pris les uns à part des autres.

Mais en introduisant ainsi les ressources fournies par un langage spéculatif dans l'espace sémantique d'un langage originaire, on s'engage dans une pérégrination infinie :

tout développement en appelle d'autres, soit à titre de prolongements soit à titre de correctifs, soit sous forme de désimplication soit sous forme de contraste antithétique. Dans la mesure où la reprise vécue d'un langage remet celui-ci en mouvement, et par là prolonge nécessairement la créa-

17. AS II 101-102.

tion sémantique originaire par l'adjonction de termes nouveaux, quelle qu'en soit la provenance, il faut dire que toute reprise est une réinterprétation. Comme on le voit, la réinterprétation ne consiste nullement à traduire ce que l'on reprend d'un langage donné dans un autre langage qui serait plus parfait, plus approprié, plus efficace que le premier. Elle se situe dans le prolongement d'un mouvement inducteur et ne fait qu'obéir aux sollicitations d'un horizon de constitution rendu présent et à nouveau opérant grâce à celui-ci. En d'autres termes, c'est à l'intérieur même du champ qu'elle réanime que l'interprétation opère. Elle porte plus loin un mouvement qui est déjà à l'œuvre, elle ne transpose pas dans un registre vraiment différent. Mais il n'en reste pas moins qu'elle fait intervenir des éléments provenant d'autres langages, et cela nécessairement, sans quoi il n'y aurait pas véritablement réanimation créatrice. La vie est à ce prix. Et c'est par là que s'introduit l'historicité [18].

Le processus de la réinterprétation n'est pas propre à un type de langage ; on le retrouve partout. Cela signifie que toute réinterprétation, survenant en une région de langage, reprend à son compte certaines interprétations qui ont déjà vu le jour en d'autres régions. Le langage religieux, en particulier, ne peut pas ne pas être affecté par les péripéties qui marquent le devenir du langage ordinaire comme celui du langage spéculatif. Mais avec les emprunts viennent les déformations ; aussi la possibilité même de l'interprétation implique la problématique de la fidélité, de la rectification, et des garanties d'authenticité.

Dans ces conditions, l'invariance du champ sémantique ne peut en aucun cas consister en la rigidité des significations. Car « une signification figée n'est plus une signification du tout » [19].

S'il y a une invariance, estime Jean Ladrière, c'est celle d'une forme, la forme même de la structuration. Cette forme n'est autre que la vertu opérative de l'horizon constituant qui structure le champ sémantique. Elle n'est pas saisissable comme telle, mais elle est pourtant agissante dans les termes qu'elle met en mouvement, et elle peut à tout moment être retrouvée en eux. C'est sur cette immanence de la forme aux contenus, c'est-à-dire aux prédicats particuliers, que se base le pouvoir inducteur dont ceux-ci sont habités. En ce pouvoir, on trouve comme une trace de l'invariance originaire de l'horizon, la garantie que l'on peut avoir de retrouver effectivement la visée originelle de sens réside dans la vertu active de cette trace.

18. AS II 103.
19. AS II 104.

C'est à partir d'elle que toute instauration interprétante peut être jugée. En ce sens, c'est bien dans l'origine que s'arbitre l'aventure incessante du sens. Mais si l'origine est agissante, ce n'est pas en ce sens que l'on pourrait s'y reporter effectivement, coïncider à nouveau avec ce qu'elle fut. Nous en sommes séparés inévitablement par l'histoire, par le langage, par le mouvement même de l'interprétation. C'est dans le présent que l'origine parle à nouveau, que l'opération productrice de la signifiance recommence, en tous ceux qui assument, dans leur propre vie signifiante, ce que la tradition d'une communauté leur a transmis.

L'interprétation est la loi même de la vie du sens. Ce qui est en cause, c'est le rapport de ce qu'elle introduit à ce qui s'annonçait dans le langage des origines. Or ce rapport concerne finalement non la conformité d'un énoncé à un autre énoncé, mais l'adéquation d'une signifiance, c'est-à-dire la mesure dans laquelle une signifiance s'inscrit effectivement dans la mouvance d'un horizon de constitution. C'est dire qu'il a un sens prospectif, non rétrospectif.

Il ne s'agit pas de revenir à ce qui a déjà été vécu, de reconstituer un événement en tant qu'il est passé, mais au contraire de s'ouvrir à tous les prolongements de ce qui a été vécu, de laisser advenir tout ce que les événements passés portaient en eux [20].

On pourrait donc compter trois critères essentiels de la vérité en théologie : la conformité au message originel, la congruence avec la tradition et la valeur d'éclairement pour la vie actuelle des croyants. Les critères de vérité des langages théologiques sont donc de l'ordre de l'historicité. C'est sans doute sur ce point que la théologie se démarque le plus profondément de la science dont les critères de vérité s'inscrivent dans le présent d'un réseau opératoire. On vient d'exposer les raisons et les modalités de fonctionnement du critère de l'origine qui est le plus spécifique de la théologie et des langages religieux en général.

Pour expliciter la valeur du critère de la tradition, on pourra utilement s'inspirer de la dialectique de la durée et de la simultanéité développée à l'occasion de la réflexion sur l'historicité de la philosophie. En effet, puisqu'il ne saurait y avoir de formule définitive, la congruence d'une théologie avec la tradition ne saurait se mesurer en termes de compatibilité ou d'incompatibilité logique directe entre les énoncés. L'évaluation d'une théologie est un travail de type herméneutique qui consiste à « vérifier » si une théologie particulière est portée par la mouvance de la foi qui rend les croyants d'aujourd'hui contemporains des événements originai-

20. AS II 104-105.

res. La tradition, en effet, devrait être conçue comme « une totalité organique dont les moments n'ont qu'une indépendance relative et se réinterprètent mutuellement au fur et à mesure qu'ils se découvrent »[21]. Il y a donc une profondeur historique de la foi dont il faut tenir compte, mais son sens est d'insérer chaque théologie dans le réseau de relations qui la situe par rapport à toutes les autres et par rapport à l'espace tout entier ouvert par la foi en quête de sa propre intelligibilité. Si l'on comprend de cette manière l'historicité de la foi, on est tout naturellement amené à reconnaître que toute théologie, et plus généralement toute expression de la foi, est par essence toujours actuelle et que la signification de chacune d'elles se découvre de mieux en mieux à mesure que se manifestent les effets de contraste ou de complémentarité auxquels donnent lieu ses relations avec d'autres expressions de la foi.

Corrélativement, la réinterprétation aujourd'hui d'une théologie du passé prendra la forme d'une mise en relation de cette théologie avec les autres expressions de la foi qui jalonnent la tradition. Cette opération doit être comprise non comme une sélection qui viserait à en éliminer certains aspects, considérés comme périmés, pour mieux en faire valoir d'autres considérés comme toujours actuels, mais comme un effort de compréhension renouvelée qui doit mieux mettre en lumière la systématicité de cette pensée, ses principes de cohérence et d'unité, et par là faire voir avec plus de clarté la signification de ce qu'elle entend affirmer. En effet,

une signification n'est jamais donnée dans une formule simple qui dirait comme d'un seul coup tout ce qu'il y a à dire. Elle est d'une certaine manière ce qui n'est jamais dit tout à fait de façon explicite, ce qui se révèle peu à peu à travers l'entrecroisement des questions et des réponses, des thèses et de leurs démonstrations, dans cet entrelacs conceptuel qui constitue l'armature d'un système et rend manifeste son économie interne. Elle est faite aussi de la situation de ce système dans le champ tout entier de la pensée spéculative, situation que l'on découvre de plus en plus clairement à mesure que celle-ci en poursuit l'exploration[22].

Quant au critère relatif à la vie actuelle de la foi, il requiert, pour être saisi dans toute son envergure, un exposé spécifique qui prendra ici la forme particulière d'une réflexion sur le ministère de la théologie à l'âge de la science.

21. THOM 85.
22. THOM 86-87.

3. LE MINISTÈRE DE LA THÉOLOGIE
À L'ÂGE DE LA SCIENCE

La valeur d'éclairement d'une théologie pour la vie d'une communauté de croyants n'est pas chose facile à mesurer. On pourrait, en principe, faire l'hypothèse que toute théologie étant une
tentative d'auto-interprétation de la foi vécue dans un contexte
donné, la valeur d'une théologie pour la foi serait fonction de la
profondeur de l'interprétation qu'elle propose du contexte dans
lequel est vécue la foi. En effet, la foi est une attitude, un engagement, une disposition intérieure qui s'exprime dans des formes de
langage qui lui confèrent une structuration explicite. Et ces langages religieux, précisément parce qu'ils sont métaphoriques, font
voir les choses, le monde et l'existence d'une façon particulière. Et
le contexte dans lequel un croyant vit sa foi fait l'objet d'une connaissance particulière qui le fait voir comme lourd de questions et
d'événements qui prennent un sens particulier sous le regard de la
foi. Si une théologie est puissance d'éclairement à l'égard de la vie
et du contexte de vie des croyants, dans le cas de croyants vivant
dans une culture largement façonnée, pour le meilleur et pour le
pire, par la science, et en particulier dans le cas de savants
croyants, on serait en droit d'attendre d'elle qu'elle propose de la
science et de la foi une articulation qui éclaire les risques et la
grandeur de l'entreprise techno-scientifique aux yeux de la foi. On
ne prétendra pas, évidemment, que la théologie n'ait à se préoccuper que de cette seule question ; il existe en effet de multiples
aspects dans la vie des croyants et on serait en droit d'attendre que
la démarche théologique veille à les éclairer tous. On pourrait penser par exemple aux domaines de l'action politique, de la création
artistique, de la vie économique, etc. Cependant, le propos de
cette recherche étant d'esquisser une conception de la théologie
qui soit fidèle à la foi qui la porte en même temps que pertinente
dans une culture marquée par la science, c'est à cet aspect particulier de la vie des croyants que l'on s'attachera spécialement.

Une première question qui surgit dans cet ordre de préoccupation est celle du statut de la théologie par rapport à la science. La
théologie est-elle une science ? Répondre à cette question suppose
que l'on dispose d'une définition claire à la fois de la théologie et
de la science. La théologie, du point de vue développé ici, est considérée comme « un effort d'auto-compréhension qui se déve-

loppe à l'intérieur même de la foi »[23], et la science comme une démarche visant « une interprétation opératoire de la nature ». Si l'on prend ces deux définitions pour point de départ, il faut naturellement conclure que la théologie n'étant pas un savoir opératoire au sens où l'est la science, la théologie n'est pas une science. Mais on pourrait proposer de la science une conception plus large et considérer comme telle toute mise en œuvre de l'exigence critique — définie au chapitre 1 — visant une compréhension systématisante. Dans ce cas, ce serait l'ensemble des savoirs spéculatifs qui devrait être qualifié de scientifique, et parmi eux, la théologie. « En tant qu'elle vise à une compréhension systématisante et capable de s'approfondir par ses propres ressources méthodologiques, elle (la théologie) mérite d'être considérée comme "science". » Mais « en tant qu'elle s'alimente à un "donné" qui n'est saisissable dans sa spécificité qu'à l'intérieur de la démarche historique d'une communauté croyante, elle n'a pas du tout, à l'égard de son objet, le même type de distance et d'extériorité que d'autres disciplines portant cependant sur le phénomène humain. Elle a donc un type de scientificité qui est tout à fait particulier et qu'il lui appartient du reste à elle-même d'élaborer et de préciser, à la lumière de sa propre histoire et de sa propre dynamique interne »[24]. Bref, la théologie peut être considérée comme une science, mais seulement d'un point de vue particulier qui ne correspond pas à l'usage courant du mot science dans la culture de la société techno-scientifique. C'est essentiellement le caractère opératoire de la démarche scientifique au sens strict qui la démarque, dans ce langage, des autres entreprises spéculatives. Quoi qu'il en soit de ces questions de vocabulaire, on retiendra que

l'effort théologique est un effort d'intelligibilité porté par un souci de radicalité qui lui confère le caractère de « scientifique » : il ne peut être radical qu'en se voulant à la fois critique, systématique et dynamique, comme tout effort « scientifique ». Mais il ne peut aller à la découverte de son intelligibilité, et dès lors de sa scientificité spécifique, qu'en prenant d'abord fermement appui dans ce qui constitue son donné et en même temps son principe régulateur, c'est-à-dire dans l'expérience de la foi, comprise comme assomption dans la communauté ecclésiale de l'économie du salut et de l'objectivité de sa structuration. C'est seulement dans cette expérience qu'est donnée la pré-compréhension de ce que la visée

23. AS II 158.
24. AS II 158.

interprétative pourra tenter ensuite d'articuler dans une construction explicitante qui en fera apparaître, autant qu'il est possible, la signification intrinsèque [25].

Mais la scientificité de la théologie, ainsi entendue, n'implique nullement, contrairement à ce qu'on pourrait croire, qu'il ne puisse y avoir qu'un modèle unique d'auto-interprétation de la foi. En effet, déjà dans le cas des sciences spéculatives, l'on peut constater qu'il arrive que, pour un ensemble de phénomènes donné, différents modèles soient possibles, sans qu'on puisse préciser lequel serait le meilleur. Il y a donc place, de facto, pour que plusieurs théologies coexistent non seulement dans des contextes différents mais même dans un contexte identique. Mais ce pluralisme n'est pas que l'expression de l'inadéquation des réseaux conceptuels à l'égard de l'expérience. C'est aussi, dans le cas de la théologie et de la philosophie, une conséquence logique de l'auto-implication du locuteur dans le contenu même de son discours, que celle-ci soit implicite (comme dans le cas de la philosophie) ou explicite (comme dans le cas de la théologie).

Que la théologie soit considérée comme une science ou non ne change finalement rien à sa vocation d'être une puissance d'éclairement de la foi dans les différents contextes de la vie humaine et en particulier dans le contexte de la société scientifico-technologique. Dans ce contexte tout à fait particulier, on formera l'hypothèse que la mission prioritaire de la théologie est de mettre en évidence *la possibilité d'une interprétation de la réalité visible à la lumière de l'idée de création*. C'est donc une intention apologétique qui présidera au travail du théologien dans le domaine techno-scientifique. Ce qu'il faudra souligner dans ce contexte, c'est qu'une telle *interprétation* peut effectivement s'appuyer sur la vision de la nature que donne la science. Il ne s'agit donc pas d'une apologétique de *dénégation* qui se contenterait de montrer que la science ne contredit pas la foi, ni d'une apologétique de *séparation* visant à *confiner* la science dans un domaine dont seraient exclus les problèmes les plus chargés de signification pour l'homme. Il s'agit d'une « apologétique d'*articulation* qui vise à faire apparaître une congruence possible entre la conception scientifique du cosmos et la foi en un Dieu créateur » [26].

25. AS II 160.
26. APOL 61.

Il est hors de question de proposer ici une telle apologétique
dont le développement exigerait un livre entier. Mais il ne paraît
pas déplacé d'en esquisser avec Jean Ladrière quelques linéaments
à titre programmatique.

La raison scientifique est un « logos », c'est-à-dire une parole à
la fois révélante et autonome, audacieuse et critique, en laquelle
s'édifie une interprétation de la nature.

Il y a une dimension poétique du « logos scientifique », par laquelle il
ajoute véritablement au réel comme un surcroît d'ordre qualitatif ; en le
recueillant dans l'espace éclairant de sa parole, il l'élève à la pleine manifestation de son sens [27].

Ainsi comprise, la raison scientifique apparaît à la fois comme
distincte de la nature et comme le prolongement le plus essentiel
de « potentialités qui sont inscrites dans la nature sous forme
d'une intelligibilité qui ne demande qu'à se dire ».

Vu dans cette perspective, le « logos » qui s'exprime dans la raison scientifique ne fait que recueillir en lui un « logos » immanent
au monde et paraît avoir pour fonction de constituer une unité
supérieure où nature et discours sont appelés à venir se synthétiser
en un seul royaume de sens. Mais de même que la nature reçoit
son achèvement dans le discours de la raison scientifique qui en
révèle l'intelligibilité cachée, ainsi l'esprit humain reçoit une
maturation nouvelle du discours révélant qu'il construit à propos
de la nature. Il apparaît ainsi que « par et dans la science,
l'homme assume véritablement une mission cosmique ».

S'il est vrai que, par l'intermédiaire de ce « logos » scientifique, l'esprit
humain est appelé à prolonger le mouvement de la nature et, en un sens, à
lui donner son accomplissement, on peut reconnaître, dans la raison
scientifique, la présence d'une véritable vocation.

Mais la raison scientifique est chargée pour l'être humain d'une
décisive ambiguïté : elle comporte, dans sa structure même, la
possibilité d'une fermeture radicale dans la conviction de son
autosuffisance, en quoi consiste précisément le scientisme ;
l'homme peut être tenté de se laisser dévorer par cette possibilité
qui est la sienne de n'être que le porte-parole de la raison scientifique. « La gloire du "logos" est fascinante : elle fige l'esprit dans

27. AS II 273 s.

une sorte de stupeur émerveillée qui l'immobilise, et le prépare ainsi à lui livrer toutes ses énergies, à se faire son docile instrument. » L'esprit pourrait alors avoir le sentiment de se revêtir de la gloire du mouvement grandiose du déploiement du logos. Mais il ne s'agirait que d'une subtile inversion de valeur, qui lui ferait voir une fascination sous les traits d'une vocation. Une telle tentation est redoutable, mais la raison scientifique comporte en elle-même une autre possibilité : c'est de « s'ouvrir au sens de la créativité qui est à l'œuvre dans le "cosmos" [28] », et de s'ouvrir par là à la reconnaissance de la création.

La raison scientifique, sans cesser d'être elle-même, peut reconnaître dans son dynamisme même la mise en œuvre d'une croyance fondamentale dans l'intelligibilité du monde et même dans la présence en lui d'un principe actif qui le rend digne de confiance. Dès qu'elle s'engage dans cette voie, la raison scientifique prend conscience de son authentique vocation qui consiste à achever le monde en célébrant l'action créatrice qui s'exerce en lui. La responsabilité de la raison, dans cette perspective, est d'assumer par elle-même le projet qui confie le monde à l'homme et à sa responsabilité, qui lui donne d'intégrer la dynamique du « cosmos » et celle du « logos » dans une unité supérieure, la création où nature et discours viennent se synthétiser en un seul royaume de sens.

« Reconnaître l'univers comme œuvre de création, c'est lire la réalité comme une indication qui renvoie au-delà d'elle-même, (...) comme habitée par un dynamisme qui va dans le sens d'une union croissante [29]. » Or, dans le Credo, la foi chrétienne proclame son adhésion à un Dieu « Créateur du ciel et de la terre ». Ce qu'elle exprime ainsi, c'est l'idée d'un don d'être :

Le créateur donne aux réalités créées d'être vraiment des réalités par elles-mêmes, d'être elles-mêmes source, d'être capables d'action, d'être le lieu d'une créativité propre. Il donne en particulier à la raison humaine la capacité, et la mission, de dire le monde et de rendre explicite, par ses propres ressources, son « logos » caché [30].

C'est ici qu'apparaît une consonance possible, bien que non nécessaire, entre la science qui nous rend très fortement sensibles à

28. AS II 275.
29. AS II 276.
30. AS II 277.

la créativité qui est à l'œuvre dans l'univers et la foi chrétienne. La science en effet propose l'image d'une nature qui s'organise d'une façon de plus en plus étroitement centrée, qui fait émerger en elle des niveaux d'organisation sans cesse plus complexes et autonomes. Et, d'autre part, la science est elle-même une manifestation exemplaire de la créativité universelle qui est à l'œuvre notamment dans l'inventivité humaine cherchant à formuler le « logos » immanent au « cosmos ». « La science peut faire voir la créativité qui est à l'œuvre dans le monde, à la fois par l'image qu'elle nous propose de la nature et par son propre dynamisme interne [31]. »

Ce cheminement peut conduire — mais ne le doit pas nécessairement — à l'idée de création. Mais le sens vécu de la création consiste en une attitude par laquelle l'homme assume dans sa propre vie le processus créatif lui-même ; il est donc de nature proprement religieuse et, comme tel, inaccessible à une démarche de type exclusivement rationnel. C'est dans la foi que peut être reçue la révélation de la création. Mais c'est à la théologie qu'il revient de mettre en lumière « l'espace du révélable » [32] ; et c'est sans doute en cela que consiste, à l'âge de la science, un des aspects de son ministère.

En définitive, ne pourrait-on pas dire que la valeur de la science, c'est de pouvoir ouvrir l'homme à la *créativité* de la nature, celle de la philosophie, de manifester la *créativité* qui est à l'œuvre dans le langage de l'homme comme dans la nature ? Et la valeur de la théologie, de faire apparaître au cœur même de la créativité anthropocosmique la question de la création ? Ce ministère, la théologie pourra l'exercer notamment en manifestant en pleine lumière l'historicité fondamentale de la foi, la gratuité du don qui la propose et la radicalité du salut qu'elle apporte. Le ministère de la théologie est assurément au service de la Parole par la parole. Aussi son destin est-il, en définitive, de s'effacer devant Celui qui emporte la conversion et l'adhésion qu'elle tente de proposer et s'efforce d'éclairer.

31. AS II 277.
32. APOL 65.

L'INTELLIGENCE DE LA FOI

Le scientisme, on l'a vu, discrédite toute forme traditionnelle d'autorité. Mais ce discrédit risque de demeurer même dans une perspective non scientiste, car les esprits scientifiques véritables récusent tout argument d'autorité. En effet, l'historicité propre de la science ou, si l'on préfère, l' « objectivité » produite par la désimplication du locuteur à l'égard d'un discours qui se donne perpétuellement à entendre au présent, rend les hommes de science peu sensibles à l'égard des formes d'historicité s'inscrivant explicitement dans une tradition. C'est dire qu'à l'âge de la science, la question de l'autorité est devenue centrale, a fortiori pour des esprits scientifiques non scientistes.

Cette difficulté se manifeste particulièrement clairement à travers l'opinion que certains hommes de science, croyants ou non, ont de la foi et de la théologie catholiques : l'incompatibilité de l'exigence critique et du catholicisme est partout considérée comme établie.

Dès lors, si l'on veut instaurer la possibilité d'une théologie authentique à l'égard de la foi et pertinente à l'âge de la science, il est nécessaire de s'interroger sur les causes de l'imperméabilité de la mentalité scientifique à l'égard du catholicisme. La fréquentation des milieux scientifiques permet peut-être de formuler une hypothèse à cet égard. Il semble que les transformations internes de la théologie catholique, préparées dès les années cinquante par de nombreux théologiens et affermies par le Deuxième Concile du Vatican, n'aient pas été assimilées par ces milieux. En dépit d'une vague conscience que quelque chose a changé, le catholicisme apparaît toujours largement dans les milieux scientifiques sous les traits qui étaient les siens dans la première moitié du siècle. Le

« catholicisme » discrédité par la science n'est peut-être, en fait et à l'insu de celle-ci, que la métaphysique néo-scolastique.

Le thème de ce travail impose donc qu'on mesure l'écart qui sépare la théologie de la première moitié de ce siècle des thèses proposées ici à la discussion des théologiens. Or cette théologie, qui s'appuie largement sur les déclarations du Premier Concile du Vatican, a vraisemblablement trouvé son expression française la plus systématique dans le *Dictionnaire de théologie catholique* (1903-1950). C'est donc sur cet ouvrage que l'on prendra appui pour constater à la fois la rupture et la continuité entre la théologie représentationniste ici récusée et la théologie herméneutique ici illustrée. On n'ignore évidemment pas que l'activité théologique a été particulièrement intense dans l'Église des trente dernières années et que d'autres expressions raisonnées de la foi catholique d'une allure sensiblement différente de la théologie néo-scolastique ont vu le jour avant, pendant et après le dernier Concile. Pour s'en convaincre, il suffit d'évoquer notamment l'œuvre des Chenu, Congar, de Lubac, Rahner, Schillebeeckx et autres Urs von Balthasar, ainsi que l'entreprise du *Lexicon für Theologie und Kirche* (2ᵉ édition : 1957-1965). Cependant, la mutation de la théologie n'a guère été perçue dans les milieux scientifiques parce que la théologie et la foi y étaient discréditées de longue date. Il est, dès lors, souhaitable de reprendre la question à ses débuts, quitte à laisser de côté, du moins provisoirement, la question de savoir si les travaux du Second Concile du Vatican et spécialement la Constitution *Dei Verbum* fournissent un appui décisif ou des objections majeures aux thèses soutenues dans le présent travail, et à revenir, dans d'éventuels travaux ultérieurs, à l'examen et à la discussion de la production théologique récente.

Après avoir évoqué les principes de la théologie fondamentale des néo-scolastiques et repéré leur profonde homogénéité avec le concept aristotélico-thomiste de la parole, on tentera de dresser un bref inventaire des critiques les plus importantes soulevées à l'égard de cette doctrine par la perspective herméneutique développée au cours des chapitres sur l'auto-implication, la métaphore et l'historicité du langage. On synthétisera alors les thèses esquissées ici en les articulant les unes aux autres à partir d'une idée de la théologie conçue non plus comme représentation doctrinale mais comme travail d'interprétation.

1. LA FOI REPRÉSENTÉE

Selon les auteurs du *Dictionnaire de théologie catholique* (DTC), la *foi* [1] est une adhésion pure et simple à l'enseignement révélé [2] contenu dans les *traditions* [3] écrites et non écrites et incarné en Jésus-Christ. Le *magistère* [4] vivant infaillible est à la fois le dépositaire du donné révélé et son unique interprète, car l'*Écriture* [5] resterait lettre morte si elle n'était interprétée à la lumière de la tradition qui la précède et la transmet. Le magistère reçoit le donné révélé transmis par les écrivains sacrés directement *inspirés* [6] par Dieu et l'enseigne. Le rôle des *théologiens* [7] consiste, sous le contrôle du magistère, à expliquer et à faire fructifier le dépôt révélé dont les *dogmes* [8] sont l'explicitation substantiellement immuable. Ils contribuent ainsi à approfondir et à élargir l'intelligence de la foi.

Tout acte de foi est basé sur le témoignage de Dieu. Les scolastiques ont presque substitué l'expression « révélation » au mot « témoignage ». La Révélation, c'est le témoignage de Dieu. Si la Révélation corrélative à la foi est un témoignage de Dieu, le croyant peut, grâce à une transmission historique, la recevoir aujourd'hui et faire sur cette Révélation, avec la grâce de Dieu, un acte de foi. La Révélation corrélative à la foi contient des énoncés qui sont l'objet direct de la foi et non de simples formulations accessoires plus ou moins utiles. Les énoncés de la foi sont immuables puisqu'ils sont fondés sur le témoignage de Dieu dont l'autorité infaillible est le motif de la foi. Ce témoignage est transmissible par la parole ou l'écriture à plusieurs siècles de distance ; c'est pourquoi le croyant peut appuyer sa foi sur des témoignages très anciens reçus par d'autres. La transmission des témoignages est la tradition active, tandis que les témoignages transmis par elle forment la tradition passive ou monuments de la foi. L'Écriture, qui est le principal monument de la foi, est donc postérieure à la

---

1. DTC, vol. 6, col. 55-1514.
2. DTC, vol. 13, col. 2580-2618.
3. DTC, vol. 15, col. 1252-1350.
4. DTC, vol. 7, col. 1638-1717.
5. DTC, vol. 5, col. 2092-2101.
6. DTC, vol. 7, col. 2068-2266.
7. DTC, vol. 15, col. 341-512.
8. DTC, vol. 4, col. 1574-1650.

tradition, même si celle-ci la transmet. En effet, les Évangiles eux-mêmes sont déjà le fruit d'une tradition à la fois antérieure à l'Écriture (le témoignage rendu par les apôtres à l'enseignement de Jésus-Christ) et postérieure à elle (la fixation du canon scripturaire par le magistère de l'Église). La Révélation sur laquelle est basée la foi chrétienne est très ancienne ; ses diverses étapes se sont terminées à la mort des apôtres et elle nous est transmise par de multiples intermédiaires ; c'est pourquoi le rôle de l'Église, instituée à cette fin par Jésus-Christ lui-même, ne pourra consister qu'à conserver les anciennes révélations, le « dépôt de la foi », à les interpréter et à les appliquer aux besoins des temps nouveaux.

Dieu est l'auteur de la Révélation, car c'est lui qui communique à l'homme quelque chose de son savoir. Entre Dieu et l'homme, la communication s'est établie par la parole. La parole est un acte par lequel celui qui sait manifeste directement son savoir à un autre. Dans la Révélation, Dieu s'adresse en parole à l'homme. Or, on trouve dans toute parole deux éléments : « l'un formel et incréé qui est le concept même de la pensée divine, l'autre matériel et créé qui est le moyen par lequel la vérité divine est dévoilée » [9]. La Révélation, qui est la transmission de l'esprit divin, tend naturellement à être un enseignement. Celui-ci s'est manifesté principalement par le Christ, Fils de Dieu fait homme, qui est la Parole de Dieu incarnée et, de ce fait, le principe de toute la doctrine du salut exprimée dans le Nouveau Testament.

L'enseignement du Christ et des premiers confidents de sa pensée se trouve consigné en des livres qui constituent l'*Écriture,* Ancien et Nouveau Testament, le premier préparant le second. Est-ce à dire qu'il suffise au croyant qui se réclame du Christ de se mettre directement en contact avec l'Écriture pour y trouver la Révélation ? Non, car il faut à côté de l'Écriture un magistère vivant, capable non seulement de transmettre, mais de faire fructifier le dépôt révélé. L'Écriture, en effet, se trouve dans l'impossibilité de fixer son propre canon, de s'interpréter elle-même et de dirimer les controverses qu'elle provoque parfois. Le magistère vivant de l'Église fut instauré d'ailleurs avant que les Écritures aient été achevées. Sans magistère, en effet, quelle règle de foi auraient eue les fidèles entre la mort du Christ et la rédaction du Nouveau Testament ? Le Christ a ordonné à ses apôtres non d'écrire mais d'enseigner d'abord et surtout. Ceux qui ont écrit

9. DTC, vol. 13, col. 2583.

l'ont fait par occasion ; aussi « leurs livres n'expriment-ils pas toute la doctrine » [10]. L'Écriture n'est pas une source complète de la Révélation ; c'est pourquoi elle est complétée par son insertion dans la tradition.

La tradition passive se manifeste dans des monuments qui n'ont pas Dieu pour auteur principal, mais qui représentent le travail de l'homme. Comme l'Écriture, la Tradition passive est une chose morte. Elle requiert un interprète pour en expliquer les obscurités et porter un jugement sur les controverses qui s'élèvent bien souvent à leur occasion. Par ailleurs, contrairement à ce qui se passe pour l'Écriture qui est directement inspirée par Dieu, il peut se faire que les monuments du passé soient entachés d'erreurs, « soit qu'ils proviennent de source hérétique, soit que les auteurs catholiques, malgré l'éminence de leur savoir et de leur vertu, aient mêlé à la tradition sacrée des opinions purement humaines fausses » [11]. Pour discerner avec certitude le vrai du faux et le divin de l'humain, la recherche scientifique est insuffisante, car elle est faillible, comme tout jugement humain. Il faut donc un tribunal assisté de l'Esprit Saint qui puisse se prononcer définitivement. Ainsi donc, la tradition comme l'Écriture ne suppriment pas mais postulent l'existence d'un magistère vivant et d'origine divine. Le magistère ecclésiastique, chargé de conserver et de propager la Révélation contenue dans la parole de Dieu écrite et dans la tradition, a été établi par le Christ. Il est hiérarchique, car il a été confié non à tous les fidèles mais aux membres du collège apostolique et à leurs successeurs, le corps épiscopal. Il est monarchique, parce que les apôtres n'ont pas tous reçu les mêmes droits et que Pierre a exercé sur eux, de par la volonté du Christ, un pouvoir prééminent qui passe à ses successeurs, les papes. Enfin, puisqu'il doit durer jusqu'à la fin des temps, le magistère hiérarchique et monarchique a la garantie de l'infaillibilité dans l'exercice de sa mission. Grâce à ce privilège, il est dans l'impossibilité de se tromper en ce qui concerne la foi et les mœurs, et se trouve ainsi capable non seulement de conserver mais de transmettre intégralement le dépôt de la Révélation. Celui-ci, à travers les âges, bien qu'il progresse, demeure substantiellement le même.

A la différence des écrivains de la tradition, les écrivains sacrés sont directement inspirés par Dieu. L'inspiration de l'Écriture est

10. DTC, vol. 13, col. 2614.
11. DTC, vol. 13, col. 2615.

« une motion spéciale du Saint-Esprit qui détermine la volonté de l'écrivain à écrire et influe sur son intelligence et sur ses facultés naturelles pour lui faire comprendre et mettre exactement par écrit ce que Dieu veut qu'il écrive et rien que cela » [12]. Les choses ainsi révélées par Dieu constituent l'élément *formel* du livre rédigé par l'écrivain sacré, tandis que les mots qui les expriment n'en sont que l'élément *matériel*. Pour que *Dieu* soit l'auteur d'un livre, il suffit que l'élément formel du livre provienne de lui et il n'est pas nécessaire que l'élément matériel lui soit propre. L'inspiration est donc manifestation de la doctrine divine à l'esprit de l'écrivain qui l'exprime infailliblement par les mots qu'il utilise et qui lui sont propres.

La Révélation chrétienne, contenue dans la tradition passive et l'Écriture, est donc transmise aux générations de croyants par la tradition active, c'est-à-dire dans l'enseignement infaillible du magistère ecclésiastique qui a pour tâche de conserver et de faire fructifier le dépôt de la foi qui lui a été confié par Dieu. Dans son ministère d'enseignement, le magistère ecclésiastique est aidé par l'activité des théologiens qui ont pour tâche de démontrer que les articles de foi découlent nécessairement de l'Écriture et de la tradition, d'expliciter la révélation, c'est-à-dire de déduire des vérités encore inconnues ou mal connues de vérités bien connues, et d'expliquer les articles de foi en les rendant, autant que faire se peut, compréhensibles à l'esprit de l'homme, en en fournissant des analogies et des raisons de convenance.

La théologie est ainsi, selon l'expression du P. Congar,

un double scientifiquement élaboré de la foi : ce que la foi livre d'objets dans une simple adhésion, la théologie le développe dans une ligne de connaissance humainement construite, cherchant la raison des faits, bref reconstruisant et élaborant, dans les formes d'une science humaine, les données reçues, par la foi, de la science de Dieu qui crée toutes choses [13].

La première activité de la théologie, c'est l'approfondissement de la foi par l'intelligence qu'en prend le croyant ; son rôle premier est d'amener la foi, en l'exprimant et en l'expliquant dans l'intelligence de l'homme, à un état plus ferme, plus lumineux, plus intime et plus personnel.

12. DTC, vol. 7, col. 2174.
13. DTC, vol. 15, col. 385.

La foi est une pure adhésion à la Parole de Dieu, pour le motif même de l'autorité souveraine de Dieu révélant. Si l'homme a sa part dans l'expression de cette Révélation divine, les énoncés humains de la Révélation sont garantis, dans le cas de l'Écriture, comme pure parole de Dieu par le charisme de l'inspiration. La part de l'homme est plus instable dans la formulation des monuments non scripturaires de la tradition et notamment dans la formulation proprement dogmatique de l'objet de la foi, car le dogme, expression plus élaborée de la Révélation, est l'œuvre de l'Église qui est assistée par Dieu dans ce travail mais non inspirée. La Révélation, parce qu'elle n'est pas entièrement explicite, appelle la définition de dogmes. La révélation contient toutes les vérités, mais certaines n'ont pas été explicitées dès le début.

Pour que la Révélation ainsi faite implicitement apparaisse d'une manière certaine, il suffit que cette évidente et nécessaire connexion avec le dogme primitivement révélé soit, avec l'aide de quelque occasion providentielle, manifestée par le travail des Pères et des théologiens et formellement définie comme telle par le magistère ecclésiastique, auquel seul il appartient de proposer l'enseignement révélé [14].

La Révélation étant un enseignement divin communiqué à l'homme par Dieu lui-même et la foi une adhésion absolue à la parole infaillible de Dieu qui ne peut ni se tromper ni nous tromper, il est évident que le dogme est une vérité objective, même si notre connaissance en est très imparfaite. C'est pourquoi l'Église enseigne que les dogmes sont substantiellement immuables, tandis que les formules dogmatiques peuvent parfois être améliorées. Celles-ci, en effet, puisqu'elles expriment habituellement les dogmes à l'aide d'une image ou d'un symbole matériel et sont le plus souvent empruntées à la philosophie courante d'une époque, contiennent presque toujours quelque imperfection et sont, par conséquent, susceptibles d'amélioration. Le dogme révélé est immuable, mais l'amélioration des formulations dogmatiques est une conséquence de la mission que Jésus-Christ a confiée à son Église d'enseigner et d'expliquer aux fidèles de tous les temps les vérités révélées et de les défendre contre de multiples et incessantes attaques. Une telle mission, en effet, ne peut s'accomplir sans quelque développement ou progrès dans l'énonciation de l'enseignement

14. DTC, vol. 4, col. 1575.

révélé. L'histoire des dogmes montre ce perfectionnement dans les formules dogmatiques, réalisé d'abord, souvent d'une manière assez lente, par les Pères et les théologiens, utilisé ensuite par l'Église et définitivement sanctionné enfin par le *magistère* de l'Église, sans qu'aucune atteinte soit portée à l'identité substantielle du dogme, et aussi sans que se rencontre un seul exemple bien caractérisé de modification postérieurement introduite par l'Église dans les formules déjà adoptées par elle. C'est pourquoi une formulation une fois adoptée exprime adéquatement son objet. Le travail des Pères et des théologiens consiste donc bien notamment à préparer la définition de dogmes qui n'avaient pas encore été formulés comme tels jusque-là mais non à modifier des définitions déjà établies par le magistère ecclésiastique infaillible. C'est donc ce magistère qui statue avec une souveraine autorité sur le travail préparatoire des théologiens, qui doit être regardé comme le facteur constitutif du progrès dogmatique, et non les théologiens eux-mêmes.

2. LE RENVERSEMENT DES CRITÈRES

Selon les auteurs du DTC, tout semble se passer comme si Dieu avait communiqué aux hommes quelque chose de son savoir par les écrivains inspirés de l'Ancien Testament, en Jésus-Christ, Verbe incarné de Dieu, et par les écrivains inspirés du Nouveau Testament. Les Écritures ne contiendraient cependant pas toute la divine doctrine, car elles ont été rédigées en des occasions particulières de l'enseignement de l'Église. C'est l'Église qui détient le *dépôt authentique de la foi,* qui a charge de le conserver, de le faire fructifier et de l'enseigner. Ce dépôt est exprimé dans des *énoncés objectifs et adéquats* dès qu'ils sont authentifiés par le magistère ecclésiastique. Ces énoncés sont irréformables, mais leur liste n'est pas nécessairement close.

Cette épistémologie théologique est articulée à une conception particulière de la parole définie en termes de forme et de matière, de substance et d'accidents. Dans cette perspective, une forme est réputée transmissible sous des apparences matérielles multiples, une substance demeure en dépit de l'éventuelle variation de ses accidents. Saint Thomas d'Aquin a magistralement énoncé cette conception de la *parole : Nihil aliud esse loqui ad alterum quam conceptum mentis alteri manifestare* [15]. C'est sur cette philosophie du langage que repose la théologie fondamentale du DTC : l'inspiration des Écritures, l'existence d'un *dépôt de la foi,* l'infaillibilité du magistère ecclésiastique, l'immutabilité substantielle du dogme sont comprises et formulées dans le langage de la philosophie aristotélico-thomiste au sein duquel elles prennent un sens particulier. Or cette façon de considérer l'activité langagière ne paraît plus tenable aux yeux des critiques d'aujourd'hui.

Les travaux des épistémologues ont montré, en effet, que le langage, du moins en ce qui en concerne le sens, n'est ni matière et forme, ni substance et accident. Les énoncés n'ont pas de sens en eux-mêmes, ils n'ont de sens que dans l'histoire concrète du langage et des interlocuteurs. Un locuteur ne manifeste pas son *conceptum mentis* en parlant à un allocutaire ; il pense parce qu'il parle. Le langage n'est pas un instrument apte à communiquer un sens ; il est l'espace même où se forge le sens. Les énoncés d'un locuteur n'ont pas de sens si on les considère un à un ; c'est leur système qui fait le sens ; et lorsqu'on ajoute un énoncé à un système d'énoncés, c'est le sens de l'ensemble qui s'en trouve modifié. Le sens d'un système d'énoncés n'est pas quelque chose qui se puisse transmettre à un autre système d'énoncés, ni même en gardant le même système en un autre lieu et en un autre temps, mais certains systèmes d'énoncés permettent d'interpréter d'autres systèmes d'énoncés. Bref le langage n'est pas le lieu de la représentation du sens mais de son surgissement et de son interprétation : tout énoncé d'un langage participe d'une interprétation qui elle-même se donne à interpréter.

Dans cette perspective critique, crédible aujourd'hui dans les milieux scientifiques non scientistes mais qui sera sans doute dépassée demain, comment penser la foi chrétienne ? Telle est l'aporie à laquelle se heurte le travail du théologien catholique. Ce n'est pas la première fois que l'Église rencontre une difficulté de ce type car, d'un âge à l'autre, les critères de crédibilité se modifient. N'est-ce pas à une difficulté analogue que s'est trouvé confronté un Thomas d'Aquin à une époque où la rationalité scientifique semblait également imperméable à la foi chrétienne et par conséquent paraissait menacer la vie de l'Église ? L'aristotélisme latin du XIIIᵉ siècle faisait obstacle à la foi et ce fut le génie du théologien dominicain que de l'approprier à une authentique

15. *Som. théol.,* la, q.CVII, al.

expression de la foi. S'il y a une leçon que l'on voudrait retenir de l'entreprise thomiste, c'est précisément la hardiesse intellectuelle qui lui a permis de surmonter l'incompatibilité (apparente) de l'exigence critique et de la foi. Le postulat de l'entreprise thomiste n'était-il pas, en effet, que cette incompatibilité ne pouvait être qu'apparente ? Aujourd'hui, ce n'est plus l'aristotélisme qui fournit ses critères à la raison critique, c'est « le nouvel esprit scientifique » c'est-à-dire l'esprit scientifique repensé, comme on a tenté de le faire ici, à partir d'une critique du scientisme. Or, le nouvel esprit scientifique semble imperméable à la foi chrétienne qui lui paraît régie trop exclusivement par des arguments d'autorité. Il donne donc le sentiment de menacer la vie de l'Église. A l'instar de saint Thomas d'Aquin, ne pourrait-on pas former l'hypothèse que la forme actuelle de l'exigence critique n'est qu'apparemment incompatible avec la foi chrétienne ?

Mais la mise en œuvre de cette hypothèse s'avère une entreprise extrêmement difficile, car il s'agit de poursuivre simultanément et indissociablement trois objectifs. Le premier objectif, penser la foi authentique de l'Église dans et par le nouvel esprit scientifique, implique, en effet, d'une part, que cet esprit scientifique soit effectivement nouveau c'est-à-dire se dégage lui-même du scientisme qui le guette et, d'autre part, que la foi chrétienne soit effectivement authentique c'est-à-dire qu'elle se dégage elle-même de la dernière de ses grandes auto-interprétations critiques tout en assumant en elle son passage historique par l'ensemble de celles-ci. Il ne peut donc s'agir, dans une telle entreprise, ni d'accepter le scientisme de l'esprit scientifique ordinaire, ni de rejeter le moment thomiste de l'auto-interprétation de la foi catholique.

Il était hors de propos, dans les limites du présent travail, de s'atteler à une telle entreprise. Il s'agissait uniquement de déterminer correctement les conditions épistémologiques d'une authentique expression de la foi chrétienne dans et par le langage du nouvel esprit scientifique ou, si l'on veut, de préciser les préalables d'une théologie catholique à l'âge de la science. Avant d'entreprendre l'élaboration d'une pensée de la foi qui se serait véritablement approprié le nouvel esprit scientifique et aurait assumé sa propre histoire jusque dans son moment thomiste, il convenait de réinterpréter les articulations essentielles du travail théologique. C'est cette contribution préliminaire qu'on espère avoir apportée à l'issue de la présente recherche qu'il s'agit maintenant de récapituler. Toutefois, on ne prendra pas cette synthèse pour une définition de la théologie à l'âge de la science mais pour une hypothèse de travail qui risque d'être profondément transformée par sa propre mise en œuvre et qui, de toute façon, devra être jugée à ses fruits dans la foi.

3. LA FOI INTERPRÉTÉE

L'interprétation, on l'a montré à maintes reprises dans les chapitres précédents, est la dimension essentielle du langage, toute forme de langage étant, en définitive, une interprétation qui se donne d'interpréter. Dans l'intelligence que les hommes ont acquise aujourd'hui de leur propre langage et de son fonctionnement, il n'est plus possible de comprendre la théologie comme représentation doctrinale de la foi, et la fonction du magistère ecclésiastique telle qu'elle est précisée par l'épistémologie théologique néo-scolastique paraît largement hypertrophiée. Mais quelle pourrait être la nature de l'entreprise théologique dans la perspective d'un nouvel esprit scientifique ?

Les chrétiens croient en Dieu. Plus précisément, ils donnent foi au témoignage que Dieu rend aux hommes que le salut leur est offert en Jésus-Christ. Et cette foi, les chrétiens en témoignent entre eux et auprès des autres hommes. Le témoignage de Dieu, entendu ici au double sens du génitif objectif et subjectif, est donc la pierre angulaire de toute construction théologique. Mais qu'est-ce que la parole d'un témoin ? C'est, on l'a vu, un acte de langage auto-implicatif inscrit d'emblée dans l'historicité et du langage (la métaphoricité) et du locuteur pour lequel le témoignage est un événement constitutif de l'histoire de sa vie. Le témoignage s'entend donc d'emblée dans l'histoire concrète et d'une communauté de langage nourrie d'une tradition identique, et d'un individu vivant sa destinée personnelle au sein ou en marge d'une telle communauté. La simple réalité d'un témoignage concret rendu à une foi religieuse implique directement l'existence d'une communauté et d'une tradition et, indirectement, d'une interprétation de son propre destin par cette communauté témoignante elle-même. Le cas échéant, cette communauté pourra mettre par écrit le témoignage qu'elle reçoit, se donne à elle-même et rend à d'autres. C'est dire que la simple idée d'un témoignage implique la structure fondamentale de l'épistémologie théologique.

La parole du témoin est une parole métaphorique. Le témoin

parle, en effet, de quelque chose que l'allocutaire ne connaît pas et il tente de le lui rendre présent en partant de ce qu'il connaît. Il est rare qu'un témoignage lapidaire emporte l'adhésion. Aussi est-ce le plus souvent à la longue que l'auditeur reçoit le témoignage et peut le faire sien. La parole du témoin est auto-implicative. Le témoin exprime sa foi et en même temps la ratifie pour lui-même : il s'engage à titre personnel. Le témoin reconnaît simultanément qu'il ne tient pas ce témoignage de lui-même. C'est pourquoi le témoignage est un acte de foi qui consiste à faire que ce qu'il proclame devienne effectif en celui qui témoigne. On peut donc dire que le témoignage de foi effectue son propre contenu, ou encore que son historicité a la forme d'une conversion.

La foi, cependant, n'est pas une expérience subjectiviste. Le langage, en effet, fournit à l'expérience une armature qui la structure en lui donnant l'appui d'une articulation descriptive et l'avènement de l'expérience dans le discours qui la conforte la rend communicable : l'accès à la parole détache le locuteur de l'individualité de son expérience et offre à celle-ci un espace d'universalisation en quoi consiste la véritable contribution du langage à l'expérience. Le langage, parce qu'il est toujours un art partagé, inscrit d'emblée l'expérience qui vient à lui dans la dimension intersubjective de la communauté. En ce sens, il n'y a pas d'authentique expression de la foi en dehors d'une communauté concrète.

C'est dans la rencontre liturgique des locuteurs se rendant mutuellement le témoignage des promesses et de l'engagement qu'ils célèbrent qu'advient la communauté chrétienne. Le langage, en effet, n'est ni l'expression ni la description d'une communauté ; il est le lieu dans lequel et l'instrument par lequel la communauté se constitue. « C'est dans la mesure où il donne à tous les participants en tant que colocuteurs, la possibilité d'assumer les mêmes actes, écrit Jean Ladrière, qu'il établit entre eux cette réciprocité opérante qui fait la réalité d'une communauté [16]. » Si la proclamation liturgique, qui est une forme ecclésiale de témoignage, rend opérante dans l'Église la réalité qu'elle célèbre, c'est en lui prêtant l'opérativité même des actes qui la constituent. Cette présentification ne se comprend qu'en présupposant la foi qui donne son vrai sens au « Tu » marquant, dans le langage liturgique, l'espace de l'allocutaire. Le corps et le langage, en effet,

16. AS II 61.

sont intimement liés dans le témoignage : le corps, notamment par la parole qu'il tient, se donne comme médiation immédiate du locuteur. C'est dans cette perspective que l'on comprendra pourquoi c'est par la participation au repas liturgique, dans lequel le Christ se donne en son corps comme nourriture, que les croyants sont agrégés à Lui, reçoivent son témoignage et deviennent ainsi véritablement membres de son corps, témoins du Verbe qu'ils habitent et qui les habite.

Mais la célébration liturgique, notamment lorsqu'elle est eucharistique, comprend la proclamation du Credo. Ce simple mot fait des formules qui suivent l'objet d'une attestation par laquelle les croyants inscrivent leur destinée dans l'économie du salut dont les moments essentiels sont d'ailleurs attestés dans ces mêmes formules. C'est par la réappropriation chaque fois nouvelle et toujours identique des articles de foi que la communauté chrétienne inscrit sa propre vie dans la tradition dont elle hérite et qu'elle transmet à son tour en la vivifiant. La Tradition, c'est la réeffectuation attestatrice et l'attestation réeffectuante des événements salvifiques originaires. C'est dire que *les* expressions ecclésiales de *la* foi se déploient dans la dimension de l'historicité. La foi chrétienne comprise d'un point de vue herméneutique est indissociablement multiple et unique, variable et invariante, subjective et objective. Elle comporte, en effet, deux dimensions : l'assentiment personnel du croyant au témoignage qu'il reçoit et qu'il donne, assentiment qui ne peut être que subjectif, et l'assomption dans une destinée particulière de la réalité objective d'un salut offert gratuitement.

On touche ici aux délicates questions de l'objectivité de la foi, de l'unité de l'Église et de l'invariance du dogme. C'est pourquoi il est indispensable de rappeler clairement les hypothèses formulées à ce sujet dans les derniers chapitres de ce travail.

Toute reprise historique d'un langage réeffectue, pour son propre compte, la genèse originelle du langage qu'elle reprend. Le langage ordinaire, déjà, est signifiant non par la simple vertu d'une répétition, mais dans la mesure où, en chaque sujet parlant, se font à nouveau les opérations de structuration du champ perceptif et pratique qu'engendrent les champs sémantiques antérieurs. L'horizon de structuration du système sémantique le précède et, cependant, il ne peut en être détaché. Il n'a de réalité que comme horizon de ce champ qui charge les termes déjà disponibles d'un nouveau pouvoir signifiant en les mettant en rapport les uns avec les autres d'une manière originale, sous sa propre mouvance. C'est la foi du théologien qui opère ainsi la transmutation sémantique des termes de sa philosophie, qui les tire hors d'elle en les ordonnant, comme le ferait une force extérieure, à une fin qui n'est pas celle de la philosophie. Mais cette force n'est nulle part ailleurs qu'à la source du champ sémantique qu'elle fait émerger.

Si un horizon existant peut se prêter à être (ré)-assumé par un nouveau locuteur, c'est parce que réassumer dans les actes illocutionnaires déterminés les proportions d'un langage historiquement constitué, ce n'est pas simplement répéter des énoncés qui ont pu être produits jadis par les autres, ou construire de nouveaux énoncés par analogie avec des énoncés déjà disponibles, c'est se (re-)mettre sous la mouvance d'un horizon constituant auquel on accède par l'effet inducteur, métaphorique du témoignage d'autrui, c'est donner à un langage de (ré-)effectuer le cheminement en lequel, à l'origine, il s'est constitué à partir des champs sémantiques déjà disponibles. C'est en ce sens, et en ce sens seulement, qu'il ne saurait y avoir de formules définitives dans une tradition. Mais c'est en ce sens également que la tradition (active) reconnaît que certaines formules (rassemblées dans la tradition passive) doivent être définitivement prises en compte et considérées (définitivement) comme d'authentiques formules de foi c'est-à-dire comme des passages obligés du travail d'interprétation.

Une formule traditionnelle ne peut être l'objet d'une adhésion de foi mais une telle formule est une structure dans et par laquelle se produit et s'entretient une vie du sens qui est le jeu indéfini de la parole attestatrice.

Si de telles formules ont été fixées dans et par la tradition, c'est parce qu'à chaque époque la foi rencontre des adversaires qui l'incitent à se mettre en quête d'une compréhension d'elle-même à la fois authentique et adaptée à l'époque. Si la foi convoque l'aide de la raison, c'est pour comprendre elle-même ses raisons et non pour se mesurer à l'aune d'une instance extérieure. L'exigence de rationalité est intérieure à la foi. En effet, la foi ne se surajoute pas à la vie naturelle et à la vie de la raison ; elle reprend et assume en elle toutes les puissances de l'homme et toutes les modalités de la vie, en particulier la visée vers une compréhension radicale de l'expérience et de la réalité. La foi implique le déploiement de l'intelligence. Il ne s'agit donc jamais pour la foi de reprendre telle quelle une philosophie constituée. On ne saurait en effet lier la théologie à aucune forme de philosophie. Cependant, on ne saurait élaborer une théologie sans emprunter à telle philosophie des éléments qui seront transmutés sous la mouvance de l'horizon de la foi et qui viendront prendre figure nouvelle dans un champ sémantique radicalement hétérogène. Mais la théologie n'est pas la foi ; elle est éclairement rationnel de la foi visant l'approfondissement de la foi. La théologie est, comme on l'a dit, un moment de prise de distance à l'égard de la foi en vue de la foi. C'est dire que la théologie se doit indissociablement d'assumer la foi, sans quoi elle ne serait qu'une philosophie de la religion, et de suspendre la foi, sans quoi elle ne pourrait pas capter les termes hétérogènes qui lui permettront de manifester l'intelligibilité de la foi aux yeux des contemporains auxquels sont empruntés ces termes.

La fonction de la théologie ainsi comprise est de faire voir l'histoire des hommes, c'est-à-dire les séries d'événements qui affectent leur existence, comme histoire du salut, c'est-à-dire comme don gracieux de Dieu. L'histoire du salut, en effet, *est* l'histoire des hommes et *n'est pas* l'histoire des hommes mais de Dieu. C'est pourquoi le langage théologique ne peut être que métaphorique : il transporte le regard du monde visible qu'il interprète au monde invisible qu'il atteste.

La théologie est un travail d'interprétation mené au cœur de l'historicité chrétienne. Or, c'est l'Eucharistie qui est au cœur de l'historicité chrétienne, qui permet de comprendre le passé, le présent et l'avenir. C'est pourquoi, en un sens à vrai dire assez large, toute théologie est théologie de l'Eucharistie. L'Eucharistie, en effet, est, pour ainsi dire, la récapitulation herméneutique-pratique de l'histoire du salut. L'Eucharistie fonde la tradition car, toutes les eucharisties n'en font qu'une seule. Mais l'Eucharistie est en même temps la dispersion herméneutique-pratique de l'histoire du salut, chaque Eucharistie étant un événement particulier décidément unique. L'Eucharistie fonde donc l'Église en son unité et en sa multiplicité. La foi, d'autre part, est l'œuvre et la condition de l'Eucharistie qui assume l'action humaine dans l'action du Christ. Nourrie par l'Eucharistie, l'action du croyant se charge de son efficacité christique, devient elle-même participation effective à l'édification du corps du Christ dont elle fait apparaître l'effectivité.

La théologie est donc le travail de l'auto-interprétation spéculative de l'histoire du salut, chaque théologie particulière étant un moment singulier de l'auto-interprétation historique d'un unique

événement historique : la venue du Royaume. Le travail théologique opère donc à l'intérieur de la foi ecclésiale ; il est essentiellement relatif à un *donné* qui est toujours présent dans la *vie* d'une
communauté réeffectuant sans cesse en elle-même ce qui s'est
accompli dans l'expérience fondatrice de la communauté primitive. Le travail théologique est donc appelé à déployer les multiples dimensions de ce donné.

Une formule, on l'a dit, est une structure dans et par laquelle se
produit et s'entretient une vie du sens qui est le jeu indéfini de la
parole. Mais que se passe-t-il lorsque le travail théologique
reprend spéculativement une telle formule ? Les termes de la formule sont déconstitués, détachés de leur horizon propre et recons-
titués, rattachés à un autre horizon. S'agissant de la théologie,
cette opération qui est vraie de toute interprétation en général,
s'effectuera sous la mouvance d'un horizon sémantique particulier déterminé par la foi en quête d'une intelligence d'elle-même.
La (ré-)interprétation ne consiste donc pas à *traduire* ce que l'on
reprendrait à un langage dans un autre langage plus approprié
mais à réanimer, à l'intérieur de lui-même, le champ structuré par
le premier langage, c'est-à-dire à porter plus loin un mouvement
qui est déjà à l'œuvre en le renforçant de l'énergie nouvelle libérée
par l'appropriation d'emprunts effectués au second langage. C'est
ainsi, semble-t-il, que l'historicité de la théologie peut être articulée à sa vérité, sa multiplicité à son unité. C'est en ce sens et en ce
sens seulement qu'on a pu parler des « péripéties de la vérité ».

Mais avec les emprunts surgit le risque de la déformation. C'est
l'existence de ce risque inévitable qui impose la nécessité d'un
constant travail de « preuve », c'est-à-dire de subsomption du
neuf sous les formules authentifiées. Ce travail cependant n'est
pas en lui-même une garantie de fidélité. Il est nécessaire qu'inter-
vienne une instance d'authentification dont le devoir est de faire
valoir partout dans le travail théologique ce que l'on pourrait
appeler « l'impératif formulaire ». Il ne saurait s'agir, évidemment, de constituer ce formulaire en représentation de la foi mais
de le proposer comme le schéma dans et par lequel se produit et
s'entretient la foi. Il ne saurait s'agir, pour cette instance
d'authentification, de vérifier la conformité logique d'un système
d'énoncés nouveau à un système d'énoncés déjà établi ; ce serait,
en effet, une entreprise impossible (puisque deux jeux de langage
n'ont jamais la même grammaire). Il s'agit de vérifier l'inscription
d'un système d'énoncés dans la mouvance de l'horizon de la foi,

c'est-à-dire la (ré-)assomption de ce système d'énoncés dans la structure des formules authentifiées par la tradition.

Le magistère, qui est cette instance d'authentification, est le garant de l'invariance du champ sémantique. Mais celle-ci ne consiste pas en la rigidité des significations, rigidité qui serait mortifère, mais dans la forme de structuration propre à la foi. Cette forme n'est pas saisissable comme telle mais elle est agissante dans les termes qu'elle met en mouvement et elle peut à tout moment être retrouvée en eux. C'est en ce sens que l'on peut dire, semble-t-il, que l'origine est l'arbitre de l'histoire du sens bien qu'on soit toujours et irrémédiablement séparé de l'origine par l'histoire, par le langage et par l'interprétation elle-même. Ce dont il s'agit de juger, c'est du rapport entre ce qu'introduit un théologien et ce qu'annonçait l'origine. Ce rapport n'est pas de conformité entre énoncés. C'est la mesure dans laquelle une *signifiance* s'inscrit effectivement dans la mouvance d'un horizon de constitution exprimé, pour ce que nous connaissons des origines, par les traditions sédimentées dans les textes des deux testaments et, depuis lors, dans les multiples expressions de foi authentifiées par le corps du Christ comme ce dont il s'est effectivement nourri. Les Écritures et les multiples autres sédiments de l'histoire du salut forment la Tradition, c'est-à-dire une totalité organique dont les moments n'ont qu'une indépendance relative et se réinterprètent mutuellement au fur et à mesure qu'ils se découvrent. Il s'agit donc, en définitive, de laisser advenir tout ce que les événements originaires portaient en eux et non de reproduire un événement passé.

La recherche théologique ne saurait pas ne pas être autonome dans son mouvement, sinon elle ne serait plus une théo-*logie,* une intelligence de la foi en Dieu. Mais la théologie doit se plier à son objet qui est la foi en Dieu ; et puisque cet objet n'est jamais donné comme tel dans le langage, la soumission de la théologie à l'égard de son objet prend la forme d'une soumission herméneutique à l'impératif formulaire authentifié au fil de la tradition par l'exercice du magistère ecclésiastique.

C'est dire que les risques du travail théologique sont aussi ceux de l'exercice du magistère. En effet, celui-ci peut faillir de deux façons à sa mission d'enseigner toutes les nations : soit en n'enseignant personne, c'est-à-dire en n'entendant pas le langage de ceux qu'il se doit d'enseigner et qui cherchent à comprendre dans leur langage ce qu'il leur propose ; soit en considérant abusivement que sa mission est d'imposer les articles d'un credo parce qu'ils sont l'authentique et définitive expression de la foi catholique. Le premier risque est mineur, car il ne met pas en cause fondamentalement la vivacité de la foi des croyants qui trouveront toujours l'énergie nécessaire pour se faire entendre. Le second risque est majeur, car croire posséder la foi au travers de formules, c'est non seulement rendre difficile l'intelligence de la foi, mais mettre la foi elle-même en péril. Le risque majeur du magistère, comme du théologien, bien qu'ils en soient l'un et l'autre menacés de façon différente, c'est en définitive l'idolâtrie, c'est de veiller jalousement non sur ce qui se donne à interpréter mais sur un dépôt formulaire substitué à son objet.

Lorsqu'on dépose des formules, on risque de déposer la foi. Et il en est ainsi parce que l'intelligence de la foi, comme la foi d'ailleurs, est un cheminement qui sans cesse récapitule en lui les pas de son propre itinéraire.

BIBLIOGRAPHIE

TRAVAUX DE JEAN LADRIÈRE
CITÉS DANS LE TEXTE

Les références sont indiquées dans l'ordre alphabétique des sigles utilisés dans les notes pour les désigner et non par ordre chronologique.

ABI *L'Abîme,* in *Savoir, faire, espérer : les limites de la raison,* 171-191. Bruxelles, Facultés universitaires St-Louis, 2 vol., 1976.

ACT *L'Action comme discours de l'effectuation,* Centre d'Archives Maurice Blondel, Journées d'inauguration 30-31 mars 1973, Textes des interventions, 17-28. Louvain, Ed. de l'Institut supérieur de philosophie, 1974.

ANCOS *Anthropologie et cosmologie,* in *Études d'anthropologie philosophique,* Paris, J. Vrin, 1980, p. 154-166.

APOL *La Pensée scientifique et l'intention apologétique,* in *Communio,* n° III, 4, juillet 1978, p. 54-69.

AS I *L'Articulation du sens. I. Discours scientifique et parole de la foi,* Bibliothèque de sciences religieuses, Paris, Aubier-Montaigne, Cerf, Delachaux & Niestlé, Desclée De Brouwer, 1970. In-8°, 245 p ; 2ᵉ édition : Paris, Cerf, 1984.

AS II *L'Articulation du sens II. Les langages de la foi,* Paris, Cerf, 1984, 350 p.

ATH *Athéisme et néo-positivisme,* in *Des chrétiens interrogent l'athéisme. L'athéisme dans la philosophie contemporaine,* tome 2, volume 1 : *Courants et penseurs,* 555-621. Paris, Desclée, 1970.

CULT *La Science dans une philosophie de la culture,* in *La science peut-elle former l'homme ?* (Recherches et débats du Centre catholique des intellectuels français, Cahier n° 12, août 1955), 13-25. Paris, Arthème Fayard, 1955.

DYCO   *Le Statut de la science dans la dynamique de la compréhension,* in *Chemins de la raison (Recherches et débats, Centre catholique des* intellectuels français), 29-46. Paris, Desclée De Brouwer, 1972.

ENG   *L'Engagement* (Documents du C.N.P.F., n° 5), Bruxelles, Centre national de pastorale familiale, 1967. In 16°, 31 p.

ER   *Les Enjeux de la rationalité. Le défi de la science et de la technologie aux cultures,* Paris, Aubier-Montaigne/Unesco, 1977. In-8°, 221 p.

EREP   *Représentation et connaissance,* in *Encyclopaedia Universalis,* vol. 14, 1972, 88-89.

ESHU   *Les Sciences humaines et le problème de la scientificité,* in *Les Études philosophiques,* n° 2, 1978, p. 131-150.

FIAN   **Langage théologique et philosophie analytique,** *Le Sacré, Études et recherches,* actes du colloque organisé par le Centre international d'études humanistes et par l'Institut d'études philosophiques de Rome, Rome, 4-9 janvier 1974, 99-111, Paris, Aubier-Montaigne, 1974.

FICH   *La Problématique actuelle de la philosophie chrétienne,* in *Il senso della filosofia cristiana, oggi.* (Atti del XXXII Convegno del Centro di Studi Filosofici tra Professori Universitari, Gallarate, 1977), 28-43 et 334-341. Brescia, Morcelliana, 1978.

FIPA   *La Philosophie et son passé. Durée et simultanéité,* in *Revue philosophique de Louvain,* 1977, LXXV, 332-357.

INEP   *L'Inertie du champ épistémologique.* — Colloques d'histoire des sciences I (1972) et II (1973) organisés par le Centre d'histoire des sciences et des techniques de l'Université catholique de Louvain, 3-12. Louvain, Bureau de Recueil, Bibliothèque de l'Université, Éditions Nauwelaerts, 1976.

LOGR   *Le Logique et le réel,* in *Ontologie und Logik,* Vorträge und Diskussionen eines Internationalen Kolloquiums, Salzburg, 21-24 September 1976, Berlin, Duncker & Humblot, 1979, p. 157-182.

LOMY   *Logique et mystique,* in *Wissen-Glaube-Politik, Festschrift für Paul Asveld,* Verlag Styria, 1981.

ROLE *Le Rôle de l'interprétation en science, en philosophie et en théologie,* in *Science, philosophie, foi* (Archives de l'Institut International de sciences théoriques, 19), 213-243. Bruxelles, Office international de librairie, 1974.

SCSP *Langage scientifique et langage spéculatif,* in *Revue philosophique de Louvain,* 1971, LXIX, 92-132 et 250-282.

SEFI *La Sémantique du langage philosophique,* in *Philosophie et langage* (Institut des Hautes Études de Belgique), 37-71. Bruxelles, Éditions de l'Université de Bruxelles, 1976.

SMF *La Science, le monde et la foi,* Tournai, Casterman, 1972, In-8°, 226 p.

THOM *La Situation actuelle de la philosophie et la pensée de saint Thomas,* Tommaso d'Aquino nel i Centenario dell' Enciclica « Aeterni Patris », Società internazionale Tommaso d'Aquino, Rome, 1980, p. 71-100.

VEPR *Vérité et praxis dans la démarche scientifique,* in *Revue philosophique de Louvain,* 1974, LXXII, 284-310.

VSD *Vie sociale et destinée* (Sociologie nouvelle. Théorie. 7), Gembloux, Ed. J. Duculot, 1973, 225 p.

AUTRES OUVRAGES AUXQUELS IL EST FAIT RÉFÉRENCE À L'AIDE DE SIGLES

Sauf indication contraire, le chiffre qui suit le sigle désigne le numéro d'une page.

IPh WITTGENSTEIN, L., *Philosophische Untersuchungen - Philosophical Investigations,* Blackwell, Oxford, 1953.
Le chiffre qui suit le sigle renvoie à la numérotation des paragraphes.

Lsi EVANS, D., *The Logic of Self-Involvement, A Philosophical Study of Everyday Language with Special Reference to The Christian Use of Language about God as Creator,* Londres, SCM Press, 1963.

MV RICOEUR, P., *La Métaphore vive,* Paris, Seuil, 1975.

PR   WHITEHEAD, A.N., *Process and Reality, An Essay in Cosmology,* New York, The Free Press, 1978 (1929).

T   WITTGENSTEIN, L., *Logisch-philosophische Abhandlung - Tractatus logico-philosophicus,* Rontledge & Kegan Paul, Londres, 1922. Le chiffre qui suit le sigle renvoie à la numérotation des aphorismes.

TABLE DES FIGURES ET TABLEAUX

TABLE DES MATIÈRES

Théologie et sciences religieuses
Cogitatio fidei

Collection dirigée par Claude Geffré

L'essor considérable des sciences religieuses provoque et stimule la théologie chrétienne. Cette collection veut poursuivre la tâche de *Cogitatio fidei*, c'est-à-dire être au service d'une intelligence critique de la foi, mais avec le souci d'une articulation plus franche avec les nouvelles méthodes des sciences religieuses qui sont en train de modifier l'étude du fait religieux.

ACHEVÉ D'IMPRIMER EN FÉVRIER 1985
SUR LES PRESSES DE L'IMPRIMERIE JUGAIN S.A.
A ALENÇON (ORNE)
N° D'ÉDITEUR : 7917
N° D'IMPRIMEUR : 841433
DÉPÔT LÉGAL : FÉVRIER 1985